la MAGIE du Massage

Pour une nouvelle approche holistique

la MAGIE du Massage

Votre santé est entre vos mains

OUIDA WEST, M.Th.

Traduit de l'anglais
par
Linda Nantel

Toutes les photographies sont l'œuvre de
Una Fahy
Toutes les illustrations ont été créées par
Susan Margolis
(sauf celles des pages 38 et 39)
Les illustrations de la page 13 ont été fournies par
The Bettmann Archive

Édition:
Les Éditions de Mortagne
250, boul. Industriel, bureau 100
Boucherville (Québec)
J4B 2X4

Diffusion:
Tél.: (514) 641-2387
Téléc.: (514) 655-6092

ISBN: 2-89074-168-0

Dépôt légal:
Bibliothèque nationale du Canada
Bibliothèque nationale du Québec
4e trimestre 1984

Le contenu du présent ouvrage n'a pas la prétention
de remplacer les conseils du médecin.
Il devrait plutôt être considéré comme un outil complémentaire
pouvant être ajouté aux différents avis professionnels
donnés par votre omnipraticien.

4 5 6 7 8 - 84 - 94 93 92 91 90
Imprimé au Canada

DÉDICACE

Ce livre est dédié à mes parents et aux personnes suivantes pour l'influence profonde qu'ils ont eue sur ma vie privée et professionnelle:

Stéphanie Bennett; Louise Cardellina; T.C. Cherian, M.D.; Rhoda Christopher; Una Fahy; Paula Fraser; Richard Gallen; Glenn Harz; Sina Lee; Thomas Lemens; Michael Lobel; Barbara Miesch; Diane Neault; Sandra Rosado; Gerald Paul Stone, Sc. Eng. D.; Harold Wise, M.D.; et Sidney Zerinsky, M. Th., R.P.T., Ph. D.

REMERCIEMENTS

Mes remerciements sincères aux modèles qui ont collaboré si patiemment: Cam Lorendo, Rochelle Sirota, John Burke, Madeleine Morel, Paula Fraser, Lynette Mann, Jill Barber Petchesky, Rachel Petchesky, Michael Macreading, Holly Wolf, Meg Wolf-Shapiro, Jane Morgan, Jacqueline Carleton-Nathan, Steven Nathan, Jennifer Paradine Carleton-Nathan, Suzie Brooks, Sabrina Brooks, Dan Woldin, Louise Cardellina, Sharon Freedman et Noodge, Wendy Spital, Tina Dudek, Antigone et Scott.

Mes remerciements aux personnes suivantes pour leur contribution: Lanny Aldrich, Richard Schatzberg, Roger Mignon, Kathryn Greene, Amit Shah, Maureen Charnis, Ed Caraeff, Nicholas Shrady, Antonio De Melo, Jerry Marshall, Virginia Rubel, Richard Amdur, Julianne Dodkin, Jo Irwin, Janice Johansen, Carolyn Barax.

Mes remerciements spéciaux à mes éditeurs américains:
À Jeannie Sakol pour sa brillante perspicacité, sa contribution et son encouragement;
A Peter Skutches pour sa collaboration à la naissance du manuscrit;
À Melissa Smith, Paula Fraser et Rhoda Christopher pour leur travail.

Je veux témoigner ma vive gratitude à T.C. Cherian, M.D.; George Poll, D.C.; Alexander Teacher Jane Dorlester, C.S.W.; Rhoda Christopher et Marjorie Conn, M. Th. & Ed. D., pour m'avoir aidé à conserver une bonne santé physique et mentale pendant toutes les étapes de la création de cet ouvrage.

Mes remerciements à ceux et celles qui ont eu la patience de sacrifier un massage afin de me permettre de terminer ce livre.

Merci à Glenn Harz pour son soutien et son encouragement, et pour m'avoir fourni une place au soleil pour rédiger ces pages.

Mes remerciements particuliers à Una Fahy pour son sens très créatif de la photographie et du design, et à Susan Margolis pour ses belles illustrations très précises.

Finalement, je veux exprimer ma reconnaissance à Harold Wise, M.D.; Sidney S. Zerinsky, M. Th., R.P.T. & Ph. D. et Mary Marks, D.C. pour avoir lu et commenté mon manuscrit.

Table des matières

Préface

Mon intérêt pour les innombrables fonctions du corps humain s'est développé il y a une douzaine d'années avec le déclin de ma propre santé. Je commençais à me sentir très malade et il m'était impossible de recevoir les explications et les traitements qui m'auraient permis de mieux comprendre et de guérir mon problème. J'ai vite réalisé qu'il n'en tenait plus qu'à moi de prendre ma santé en mains et de m'imposer les changements qui pouvaient renverser cette situation qui emprisonnait mon corps et mon esprit dans des souffrances éprouvantes. Après avoir consulté plusieurs livres, fait des recherches intensives, suivi une multitude de cours et assisté à d'innombrables conférences, je me suis finalement sentie prête à vivre des expériences personnelles à la lumière du nouveau bagage de connaissances que j'avais récemment acquis. J'ai vite remarqué que mon état de santé s'améliorait. Mon approche holistique, qui m'a permis d'atteindre l'état de santé extraordinaire dont je jouis présentement, est basée sur une alimentation composée uniquement d'aliments non raffinés (80 p. cent d'aliments crus et une diète essentiellement végétarienne, sauf la permission de manger du poisson maigre une fois par semaine), sur le respect des combinaisons alimentaires et sur l'absorption de suppléments nutritifs qui consistent en des solutions homéopathiques spécifiques. L'exercice, la méditation, la correction de ma posture, les mouvements enseignés par la technique Alexander, les ajustements chiropratiques et le massage ont également contribué à me faire passer d'un état de santé morbide à une vie rayonnante et dynamique.

En recouvrant la santé, j'ai eu envie de partager mon approche holistique avec les autres, et ma prédisposition naturelle pour le toucher m'a apporté la joie d'enseigner à plusieurs personnes à prendre conscience de la valeur de leur capital-santé qu'elles pouvaient développer au maximum. Le fait d'aider les gens à se sentir mieux dans leur peau est une excellente façon de les inviter à accepter les changements de vie nécessaires à l'amélioration de leur état de santé.

Je me suis sentie frustrée au cours des dernières années car, malgré les nombreux succès que j'observais, j'éprouvais le désir d'être utile à un plus grand nombre de personnes. L'opportunité de rédiger ce livre m'a permis d'expliquer mon approche à un public plus vaste. Cet ouvrage est une synthèse du massage et de quelques autres méthodes ou techniques qui le complètent. Même si la documentation offerte dans ce livre suffit amplement à vous donner la chance d'emprunter à votre tour le chemin qui conduit à une santé optimale, permettez-moi de vous donner d'autres conseils que j'aurais aimé traiter plus en profondeur. Je vous recommande donc de ne pas négliger d'absorber les aliments suivants qui sont tous riches en potentiel énergétique: le pollen des abeilles, la gelée d'aloès, la chlorophylle liquide, la levure de bière, les algues marines, l'huile de germe de blé, l'huile d'ail pure (dont on n'a pas enlevé l'odeur) et l'huile de foie de morue. Malheureusement, le nombre limité de pages m'empêche d'ajouter toutes les autres suggestions que j'aurais tant voulu vous livrer.

On accepte de plus en plus de s'aider soi-même et d'aider sa famille et ses amis. Les joies innombrables que procure la possibilité de participer activement à l'amélioration de sa condition physique, de même que le bonheur de pouvoir être utile aux autres, expliquent, je crois, le succès sans cesse croissant de tous ces programmes de santé. Il est vraiment merveilleux de pouvoir soulager quelqu'un de sa fatigue, de son mal de tête ou de dents, de ses douleurs lombaires et, plus encore, d'être en mesure de remplacer ses malaises par de l'énergie et de l'enthousiasme. Pour des raisons financières et pour savoir que votre santé ne doit pas reposer exclusivement entre les mains de médecins toujours très occupés, vous comprenez maintenant pourquoi ces méthodes, qui exigent beaucoup de responsabilité individuelle, sont si populaires.

Finalement, même si ce livre a été écrit pour les personnes non spécialisées, je crois qu'il renferme suffisamment de renseignements pour intéresser également les professionnels de la santé. Chacun d'entre nous, qu'il soit un masseur expérimenté ou non, a envie de prendre sa santé en mains et de profiter de tous les avantages et de toutes les joies que procurent la magie du massage et l'approche holistique de la vie humaine.

Avant-propos

Le massage est probablement l'art thérapeutique le plus ancien qui soit et il a été redécouvert plusieurs fois à travers les siècles. De nos jours le massage est reconnu comme une méthode de traitement efficace capable de lutter contre le stress, la tension, les traumatismes émotionnels et la maladie qu'il remplace par une énergie nouvelle et une santé lumineuse.

La Magie du Massage est un livre qui a sa place dans notre monde. Plusieurs ouvrages ont été écrits sur le massage. Mais jusqu'à maintenant, aucun n'avait présenté et intégré les différents systèmes pouvant permettre au lecteur de donner et de recevoir un massage bénéfique, thérapeutique et reposant.

Le livre de Ouida West conduit le lecteur sur la voie de l'éveil à travers le sens du toucher, le mouvement et l'énergie.

Sidney S. Zerinsky, M. Th., R.P.T., Ph. D.
Directeur clinicien et directeur de la Faculté du Swedish Institute Inc., School of Massage Therapy and Allied Health Sciences

CHAPITRE I

Qu'est-ce que le massage?

1) Bref historique du massage oriental et occidental

L'histoire du massage remonte aussi loin que trois millénaires avant la naissance du Christ. Nous pouvons seulement présumer que les être humains qui vivaient à l'époque préhistorique étaient eux aussi dotés d'un instinct puissant qui les poussait à caresser ou à toucher leur corps souffrant afin de le soulager ou d'accélérer sa guérison. Même les animaux sauvages lèchent leurs plaies pour les nettoyer et les aider à guérir. Les paragraphes suivants traitent brièvement des civilisations les plus importantes, en commençant tout d'abord par la civilisation chinoise, qui reconnaissent et utilisent les bénéfices thérapeutiques du massage.

Les Chinois ont fait une synthèse du massage et de la gymnastique. L'histoire écrite démontre que les Orientaux utilisaient cette forme de massage au moins trois mille ans avant la naissance du Christ. Un traité médical connu sous le nom de «Nei Ching», attribué à l'Empereur Jaune Huang-Ti, renferme les renseignements les plus anciens sur le massage. Les livres indiens de l'Ayur Veda, qui ont été rédigés en l'an 1800 avant Jésus-Christ, parlent du massage comme étant une technique de friction et de shampooing, et ils le recommandent comme méthode pour aider le corps à se guérir lui-même. La littérature médicale égyptienne, perse et japonaise témoigne souvent des bienfaits et de l'utilité du massage qui est présenté comme méthode de guérison et de contrôle de plusieurs maladies spécifiques.

Les Romains et les Grecs, également, croyaient fermement aux vertus du massage. Homère, Hérodote, Hippocrate, Socrate et Platon, qui figuraient parmi les hommes les plus célèbres de leurs temps, favorisaient tous les massages. Homère décrit dans *L'Odyssée* les pouvoirs restaurateurs des frictions exécutées avec de l'huile pour soulager les héros de guerre épuisés. Hérodote prétendait que le massage pouvait guérir la maladie et préserver la santé tandis qu'Hippocrate, un de ses disciples, était persuadé que tous les médecins devraient être initiés à l'art du massage. Les écrits de Platon et de Socrate réfèrent souvent à l'utilité et aux excellents résultats du massage. Jules César était pincé, c'est-à-dire massé, tous les jours, parce qu'il souffrait de névralgie, et le célèbre naturaliste Pline, qui était constamment harcelé par des crises d'asthme, recevait régulièrement des massages qui parvenaient à le soulager. La Bible, également, contient plusieurs références parlant de l'imposition des mains comme méthode de guérison de la maladie.

Le massage a vu sa popularité s'accroître jusqu'au Moyen-Âge et c'est à cette époque que la profession médicale a commencé à le négliger à cause du mépris général que l'on manifestait alors pour le corps et le monde physique. Le christianisme avait tellement insisté sur l'importante de la conscience spirituelle que l'on a eu tendance à exclure tous les intérêts d'ordre terrestre, y compris la joie du bien-être physique. Toutes les sciences ont souffert de régression pendant cette période de l'histoire européenne. Heureusement, la Renaissance a favorisé un intérêt renouvelé pour la santé physique du corps. Plusieurs connaissances héritées des civilisations orientales, aussi bien que des Grecs et des Romains, ont été ravivées, et c'est ainsi que le massage a connu un regain de popularité lui permettant de se développer en tant que science.

Alors que la profession médicale regagnait en prestige, le massage atteignit de nouveaux sommets à son tour; plusieurs médecins influents ont inclus le massage dans leur pratique professionnelle visant à soigner le corps et le mental. Ambroise Paré (1517-1590) et Mercurialis (1530-1606) sont deux de ces médecins célèbres qui ont ajouté le massage à leur approche médicale. Les méthodes préconisées par Ambroise Paré étaient tellement efficaces qu'elles lui ont permis de devenir le médecin de quatre rois de France. Mercurialis, un docteur italien très apprécié, a écrit un traité qui a été très bien accueilli sur le massage et la gymnastique, ce qui lui a donné l'opportunité de se hisser parmi les médecins les plus prestigieux et les plus célèbres de toute l'Italie. Le médecin attitré de Marie, reine d'Écosse, a ramené celle-ci à la santé en utilisant le massage. Son état de santé était considéré comme très grave et on s'attendait à ce que sa guérison soit très longue, mais son médecin a accéléré sa réhabilitation grâce à l'application de différentes techniques de massage.

Le massage a fait un autre bond en avant grâce aux travaux de Per Henrik Ling. Ling, originaire de Suède, a visité la Chine d'où il a rapporté des techniques de massage remarquablement efficaces qu'il a réunies sous la forme d'un système appelé «le traitement par le massage suédois» ou «le système ling». Plusieurs autres médecins, avant ou après Ling, ont contribué à diffuser l'information maintenant disponible sur le massage. Bien qu'ils soient trop nombreux pour que nous puissions tous les nommer dans ce bref historique, la bibliographie offerte à la fin du présent ouvrage vous fournira quelques renseignements complémentaires relatifs à l'évolution du massage. *Massage, manipulation et traction* par Sidney Licht, M.D., publié par Robert E. Kriegr Publishing Company, est l'une des sources d'information figurant parmi les plus complètes.

De nos jours, le massage suédois et le shiatsu japonais figurent parmi les méthodes de traitement les plus populaires en Europe et en Amérique du Nord. Le shiatsu a récemment connu un regain de popularité auprès des thérapeutes et du public. Même la profession médicale commence à s'intéresser au système compliqué des méridiens et des points de pression. Il existe plusieurs systèmes, dont quelques-uns se sont développés indépendamment, qui sont utilisés couramment sur les continents européen et nord-américain, mais la plupart d'entre eux sont dérivés du massage suédois ou du shiatsu japonais. Parmi les techniques les plus répandues on trouve le rolfing, le massage somatique, la chiropratique, le toucher thérapeutique, la réflexologie, l'acupression, la technique Alexander, la méthode Feldenkrais, la polarité et le shiatsu à pieds nus.

2) La magie du massage est un cadeau

Le massage semble magique à cause du manque de renseignements scientifiques concernant les systèmes compliqués qui sont inhérents au corps humain, et plus spécifiquement celui des méridiens. La magie réside également dans la capacité qu'éprouve le masseur à canaliser ces forces vitales mystérieuses qui, lorsqu'elles passent à travers nous, nous permettent d'agir avec plus de puissance et, avouons-le, plus de magie. Les Japonais parlent du *hara* comme étant l'endroit où réside l'énergie vitale dans notre corps. C'est à l'intérieur de votre hara, un pouce et demi sous le nombril, que vous pouvez trouver la force magique pour réaliser ce que vous êtes normalement incapable d'accomplir. Ne soyez pas dérangé par le mot hara et ne vous inquiétez pas si vous n'êtes pas très familier avec la philosophie orientale. Laissez votre instinct vous guider. Lorsque vous fonctionnez sur une base purement instinctive, vous êtes automatiquement en relation avec ces forces magiques qui vous permettent de percevoir des choses qui échappent habituellement à votre connaissance. Votre instinct vous guidera facilement à travers plusieurs situations si vous savez en tenir compte. Utilisez la magie de votre instinct lors du massage et vous saurez où, comment et combien de temps toucher la personne qui le reçoit, lui donnant ainsi le privilège de mieux se sentir et même de se guérir elle-même.

La capacité de donner un massage magique sans entraînement ni expérience est un cadeau. Quelques personnes semblent être nées avec ce don. La plupart des gens, toutefois, doivent apprendre l'art du massage. Celui-ci peut être acquis plus facilement si l'on désire sincèrement le maîtriser dans le but d'aider son prochain à se sentir mieux dans sa peau. Mettez votre ego de côté et écoutez ce que le corps du receveur a à vous dire. Laissez votre instinct guider vos mains avec amour et compassion. Si vous êtes du genre maladroit, ne perdez pas confiance. Concentrez-vous sur votre hara, votre centre, et vous réussirez à donner un massage magique.

Le massage est aussi un cadeau parce que vous donnez votre temps à quelqu'un. Ce serait tellement plus facile de vous consacrer à votre passe-temps préféré comme jouer au tennis ou regarder la télévision. Vous choisissez plutôt de passer un bout de temps avec une personne qui vous est chère ou qui a besoin de vous.

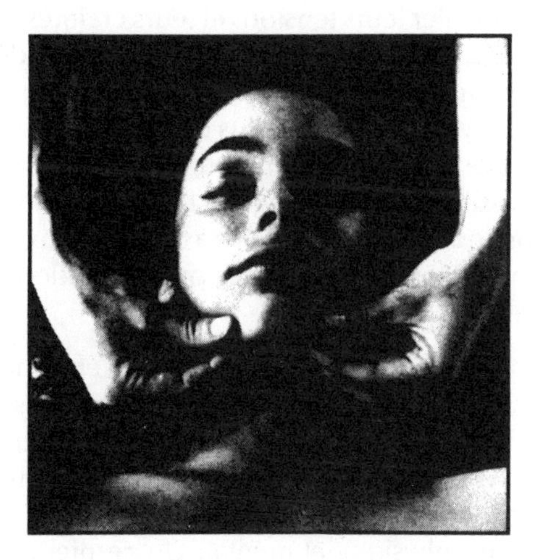

Le massage est aussi un cadeau pour une autre raison. En tant que donneur, vous accordez au receveur le don d'un meilleure santé physique et psychologique. Il est bien connu que le massage améliore la circulation du sang et de la lymphe, et que plusieurs maladies guérissent si la circulation de ces deux fluides vitaux est améliorée. Lorsque vous massez votre partenaire ou votre ami, soyez toujours conscient des bénéfices que procure votre action.

Plusieurs d'entre nous n'utilisent pas suffisamment le toucher. Même si vous avez une vie sexuelle active, ceci ne signifie pas que vous êtes aussi gratifié par des touchers non sexuels. Un massage exécuté avec des mains remplies d'amour peut aider les adultes et les enfants à combler leur besoin d'être touchés. Un massage complet donné une fois par semaine ou un massage rapide exécuté au besoin nous aide à nous sentir sain et heureux et en parfaite harmonie avec nous-même et les autres êtres humains.

Finalement, la capacité de recevoir un massage est un cadeau, et plusieurs d'entre nous ne savent pas comment recevoir une telle attention. Il est souvent plus facile de donner que de recevoir. Être capable de se laisser aller et de permettre au donneur de découvrir l'essence de notre être peut être très facile, mais dans certains cas, il faut apprendre à le faire. Le succès du massage n'est pas seulement la responsabilité du donneur car le receveur doit l'aider dans son travail en lui offrant l'opportunité de donner.

La magie du massage est un cadeau dans tous les sens du mot. Si vous ne faites pas partie de ces privilégiés qui sont nés avec ce don, dépassez vos limites et apprenez comment le massage peut devenir une partie intégrante de votre vie.

3) La psychologie du massage

Votre état mental pendant le massage est d'une importance capitale. Si vos émotions, votre conscience et votre motivation ne sont pas empreintes de pureté, vous transmettez vos tensions au receveur. Si vos niveaux de tension sont extrêmement élevés, il est fort probable que le receveur accueille votre massage avec insensibilité, indifférence, voire même hostilité. Toute vie est composée d'atomes. Les atomes vibrent. L'excitabilité des atomes est reconnue comme étant un fait scientifique, soyez donc conscient des vibrations que vous émettez. Si elles sont trop rapides à cause de vos troubles émotifs, essayez de vous calmer ou remettez le massage à une autre journée.

Si vous êtes malade ou si vous vous sentez vulnérable comme atteint d'un rhume ou d'une grippe, ne donnez pas de massage. La principale raison est évidemment d'éviter de contaminer le receveur. Vous risquez également d'épuiser vos réserves d'énergie. Non seulement vous courrez le risque d'être encore plus malade, mais vous ne serez probablement pas capable de donner un massage satisfaisant.

La règle la plus importante à mémoriser est de laisser votre instinct vous guider pendant l'exécution du massage. Si vous sentez soudainement que vous devez toucher une partie du corps d'une certaine manière, n'hésitez pas. Adaptez avec douceur la technique que vous êtes en train d'accomplir pour caresser ou presser la partie du corps qui a besoin d'une attention spécifique. Ne laissez pas votre ego intervenir pendant le massage car vous risquez de nuire à votre sensibilité naturelle et spontanée. Concentrez votre attention sur les tensions et les peurs du receveur et regardez-les disparaître. Votre degré de concentration et votre instinct vous permettront de déceler les tensions et les craintes localisées au niveau des jointures, des muscles, des organes et des os de celui-ci. Imaginez que vous êtes un détective. Localisez l'assaillant qui se cache dans une jointure, un muscle, un organe ou un os et disposez du coupable.

Il n'est pas toujours facile de débarrasser le corps de la tension et/ou de la peur accumulée. Lorsque vous avez situé le problème, utilisez subtilement le toucher ou la pression qui convient. Si vous ne réussissez pas après un certain temps, abandonnez vos efforts pendant un moment. Travaillez à nouveau sur cette zone un peu plus tard, plusieurs fois pendant le massage au besoin.

Les êtres humains ont tendance à conserver leurs tensions et leurs peurs comme s'il s'agissait de précieux joyaux. Ne soyez pas trop agressif en essayant de les éliminer. Même si ces réalités sont néfastes pour la psyché, plusieurs êtres humains refusent de laisser aller cette partie d'eux-mêmes. Laissez l'amour et la compassion passer à travers votre toucher et vous permettrez ainsi au receveur de mieux se sentir dans son corps.

Plusieurs individus essaient d'enfouir leur blocages et leurs craintes à l'intérieur de leur corps dans l'espoir qu'ils deviennent une partie secrète d'eux-même dont personne n'aura conscience, ni même eux. Les fortes tensions peuvent rester cachées pendant un certain temps, mais elles se transformeront éventuellement en maux et en douleurs de toutes sortes. D'ici là, la personne souffrante aura complètement oublié quelle est la source véritable de son problème. Le donneur ou le thérapeute habile saura communiquer avec ces tensions, et ses manipulations intelligentes les feront disparaître. Le donneur peut éprouver le besoin de toucher à plusieurs reprises les régions concernées afin d'éliminer les blocages qui s'y logent. Le conseil suivant l'aidera à obtenir encore plus de succès. Au moment de masser une zone affligée, il aura avantage à murmurer des paroles d'encouragement afin de permettre au receveur de s'abandonner et de profiter au maximum des bienfaits que procure la manipulation. Si vous sentez une légère amélioration, offrez un compliment tel que: «C'est bien, essayons maintenant d'aller un peu plus loin.» Si la tension s'évapore comme par enchantement, dites quelque chose comme «C'est merveilleux!» Tu es vraiment capable de laisser aller une tension.» Nous aimons tous entendre que nous sommes fantastiques.

Plusieurs personnes ne savent pas où sont leurs blocages ni même à quel point elles sont tendues. Même si elles sont persuadées qu'elles sont détendues, vous voyez bien que leurs membres sont rigides. Ne les critiquez pas et n'essayez pas de leur faire admettre qu'elles sont aux prises avec des problèmes qu'elles ne sont pas prêtes à étaler franchement. Il est préférable de leur dire: «Je crois que je viens de trouver quelque chose ici. Voyons si nous sommes capables d'améliorer la situation ensemble.» Cette personne se détend souvent davantage si on l'encourage car elle ne se sent pas menacée ni seule aux prises avec ses tensions. Lorsque le receveur atteint un certain degré de relaxation, ne vous privez pas de lui faire un compliment.

L'utilisation de l'imaginaire aide certaines personnes à laisser aller leurs tensions et leurs craintes. L'image d'une poupée de chiffon peut leur suggérer de détendre leurs membres, ou même l'idée d'un bateau qui vogue sur l'océan peut les rendre plus calmes et plus sereines. Vous pouvez même être un peu plus rusé si vous connaissez assez bien le receveur. Le fait de mentionner une chose qui vous est familière à tous les deux peut l'aider à libérer son mental de ses préoccupations négatives.

La plupart des gens cachent leurs déficiences dans les mêmes zones, très souvent dans le cou, les épaules ou au niveau lombaire. Une manipulation répétée de ces régions préviendra l'accroissement des maux qui s'y trouvent, encourageant ainsi une diminution de stress sur les plans physique et mental. Un dernier conseil au donneur, ne laissez pas les éléments négatifs qui sortent du corps du receveur vous envahir. Lorsque la tension disparaît grâce au massage, neutralisez-la et secouez le bout de vos doigts pour la relâcher dans l'atmosphère. Mieux encore, essayez de l'éliminer avant même qu'elle n'atteigne le bout de vos doigts. Une méthode efficace de neutralisation consiste à transformer l'énergie négative en une chose positive au moment où elle quitte le corps du receveur. Il peut s'agit d'un bouquet de fleurs sauvages, d'un rayon de soleil ou d'un poisson qui s'enfuit joyeusement en nageant.

Chapitre II

Pourquoi masser?

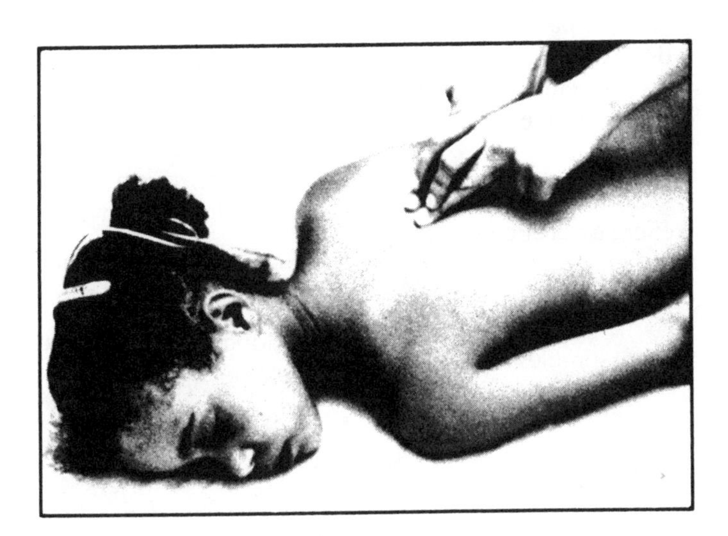

1) Buts généraux du massage

Il est inhérent à la nature humaine de masser ou de toucher dans le but de soulager la douleur. Depuis les premiers temps, les humains se sont massés et touchés eux-mêmes en plus de le faire aux autres. Il existe plusieurs cas, toutefois, où il est plus efficace de toucher une partie du corps éloignée de la zone où le mal se fait le plus sentir. Cette connaissance a été acquise après plusieurs essais et erreurs. Si l'on souffre d'un mal de dent, par exemple, il peut arriver accidentellement de toucher la partie interne supérieure de l'os huméral pour faire disparaître la douleur. Aussi, une personne qui a un mal de tête verra son problème se résoudre si elle se cogne involontairement sur le côté extérieur de sa cuisse entre la hanche et le genou. De telles découvertes ont été véhiculées de bouche à oreille, de génération en génération. Elles ont été ultérieurement compilées et regroupées sous forme de systèmes qui établissaient ainsi des liens entre des parties du corps apparemment non reliées. Le système des méridiens de l'acupuncture chinoise et les disciplines qui lui sont rattachées et qui utilisent cette thérapie des points distants sont élaborés au Chapitre III, Section 5 de ce livre.

La plupart des Occidentaux croient que le massage est nécessairement relié aux clubs de santé ou aux spas ainsi qu'aux vigoureuses techniques de pétrissage, de frottage, de pression et de martèlement. Ils ignorent que le massage peut aussi être calme, lent, pénétrant et rempli de douceur. Je définis le massage comme étant toute forme de toucher capable d'apporter un changement au corps. Même un toucher très léger, lorsqu'il est exécuté convenablement, peut stimuler la circulation ou agir sur le flot d'énergie à l'intérieur du corps.

La douceur, tout comme la fermeté, la pression pénétrante et subtile, les mouvements délicats et les caresses, peuvent également être considérés comme des techniques valables de massage parce qu'ils peuvent contribuer au soulagement de douleurs et de tensions spécifiques. Dans le présent ouvrage, le massage est rattaché à toutes les formes du toucher.

Des traitements de massage occasionnels peuvent métamorphoser d'une manière remarquable le corps et le mental. Toutefois, pour soulager ou guérir la plupart des problèmes physiques et émotifs, des sessions régulières de massage sont généralement nécessaires. Selon ma définition du massage comme art du toucher, j'aimerais vous décrire ce qu'il peut accomplir pour votre corps et votre mental s'il est utilisé sur une base régulière.

- Le massage conduit à une relaxation profonde
- Le relâchement de tension provoqué par un massage régulier permet au receveur de se débarrasser de ses perturbations émotives les plus profondes grâce à la nouvelle énergie qui circule en lui et qui se charge de les éliminer
- Les plus grandes réalisations sont possibles lorsque l'on a un mental clair et une énergie qui circule librement dans son corps
- L'amour-propre augmente
- Le corps et le mental peuvent être stimulés sans souffrir des effets secondaires négatifs causés par la caféine ou les drogues
- La fatigue physique et mentale disparaissent
- Les tensions accumulées dans le cou et les épaules peuvent être relâchées
- Les muscles reçoivent un approvisionnement accru de sang, ce qui favorise leur bon fonctionnement
- Les crampes aux mollets et les autres spasmes musculaires peuvent être éliminés
- Les déchets qui s'accumulent dans les muscles après des exercices vigoureux peuvent être éliminés pour empêcher l'endolorissement et la douleur
- Le tonus musculaire peut être augmenté alors que l'atrophie musculaire, causée par une inactivité forcée, peut être réduite
- Le massage est une forme passive d'exercice qui peut compenser partiellement pour un manque d'exercice physique
- Les douleurs à la poitrine reliées à la tension des muscles pectoraux peuvent être éliminées, diminuant ainsi les craintes d'avoir une crise cardiaque
- Le gras accumulé dans les tissus peut être réduit
- Le massage dilate les vaisseaux sanguins et améliore la circulation sanguine
- Les personnes arthritiques sont soulagées car l'amélioration de la circulation sanguine réduit l'inflammation et la douleur
- Le massage des mains diminue et élimine parfois les désordres névralgiques, arthritiques et rhumatismaux
- Les bursites répondent favorablement au massage
- Les foulures guérissent plus rapidement
- Les fractures, les dislocations et les membres cassés guérissent plus rapidement
- Les adhérences peuvent être prévenues ou vaincues, permettant ainsi une plus grande mobilité
- Les fonctions de chaque organe interne peuvent être améliorées, directement ou indirectement, grâce à l'application de différentes techniques
- La digestion, l'assimilation et l'élimination peuvent être améliorées
- Les fonctions de désintoxication des reins peuvent être améliorées
- Le massage accentue le métabolisme tissulaire
- Le système lymphatique est drainé par une élimination mécanique des toxines et des déchets de l'organisme
- Le massage retourne le sang au coeur, favorisant ainsi les fonctions cardiaques
- Le massage est bénéfique aux personnes anémiques car il augmente le nombre de cellules rouges dans le sang
- La vue et l'ouïe peuvent être améliorées
- La congestion nasale et les problèmes des sinus sont éliminés presque miraculeusement et ils disparaissent souvent complètement
- Les maux de gorge guérissent plus rapidement. Si on traite un mal de gorge dès la première heure de son apparition, on peut l'écarter immédiatement
- Tous les genres de maux de tête (causés par les problèmes de vésicule biliaire, d'estomac ou de côlon, les migraines et les maux de tête provoqués par les troubles émotifs) peuvent être éliminés
- La calvitie peut être arrêtée, réduite ou même renversée grâce à un massage fréquent des épaules, du cou et de la tête. Il est aussi important de toucher les points neuro-vasculaires
- Les rides apparaissent moins rapidement grâce à une bonne circulation du sang dans tout le corps
- Les maux de dos sont amoindris

- L'enflure des bras et des jambes diminue et les membres fatigués ou endoloris connaissent un relâchement bénéfique
- Les pieds fatigués, enflés, enflammés et endoloris peuvent être régénérés

Le massage est indispensable à la santé intégrale de l'être. Malheureusement, plusieurs personnes croient que le massage est un luxe. Je désapprouve cette idée car tout individu, peu importe son âge, bénéficiera merveilleusement de sessions régulières de massage. À cause des pressions quotidiennes de notre monde moderne, le massage est une nécessité. Si vous ne pouvez vous masser vous-même ni masser un partenaire ou un ami, je vous suggère de recevoir des massages d'un thérapeute professionnel. Si l'argent est un problème, essayez de faire des échanges de services avec cette personne. Peut-être pourriez-vous enseigner, garder un enfant ou faire de l'entretien domestique afin de compenser pour le prix de ces traitements. Si vous désirez vraiment avoir un massage, vous trouverez le moyen d'y avoir accès.

Dans tous les cas, une compréhension de base du massage est avantageuse parce qu'elle vous aide à être plus réceptif aux autres et à vous-même dans les moments les plus inattendus et les plus urgents. Un jour, alors que je dînais au restaurant, j'ai entendu un son étouffé qui provenait de la cuisine. J'y suis allée pour voir ce qui s'y passait et j'ai aperçu le chef qui s'était coupé l'index en travaillant. Le sang giclait abondamment. Il avait bandé son doigt afin d'arrêter le sang mais il souffrait d'élancements pénibles. Il trouvait difficile de poursuivre son travail et personne ne pouvait l'assister. Je lui ai demandé s'il m'accordait la permission de lui enlever sa douleur. Il m'a demandé si j'avais une aspirine. «Non, lui répondis-je, mais je sais comment un point de pression d'acupuncture peut faire disparaître le mal.» Même s'il avait l'air sceptique, il était vraiment désespérée. J'ai pressé fermement sur son os malaire, sous son nez, pendant une soixantaine de secondes. Lorsque j'ai relâché la pression, la douleur n'était déjà plus là. Il était éberlué et il ne pouvait s'empêcher de me regarder comme si j'étais une magicienne. Je lui ai expliqué que le méridien ou le trajet de l'énergie du gros intestin commençait près de la base de l'ongle de l'index et voyageait à travers le bras et l'épaule pour ensuite rejoindre le cou et le visage pour se terminer à la base du nez. (Voir l'illustration n° 3 à la page 41.) Il est possible de soulager la douleur qui surgit à une extrémité d'un méridien en appliquant une pression à l'autre extrémité. Je lui ai appris qu'une pression exécutée sur ce même point terminal pouvait également faire revenir la douleur. Lorsque je suis retournée à ce même restaurant, quelques semaines plus tard, il m'a raconté que son doigt avait recommencé à le faire souffrir quelques heures après ma pression. Il avait alors décidé d'appuyer lui-même sur cette zone pendant une minute, après quoi le mal n'était pas réapparu. Il m'a aussi mentionné que son doigt avait guéri beaucoup plus rapidement que d'habitude. Comme son travail de chef lui occasionnait souvent ce genre de blessure, il était apte à comparer.

Un autre incident m'a prouvé une fois de plus que les points de pression pouvaient être très utiles lors d'un traitement de premiers soins alors que je marchais sur une plage pendant un beau jour d'été. J'avais aperçu un jeune garçon en frapper un autre sur le nez et s'enfuir à toutes jambes. La victime était étendue sur le sable et il semblait plutôt étonné de me voir arriver à ses côtés. Je lui ai alors demandé s'il voulait que j'élimine sa douleur et réduise l'enflure de son oeil gauche. «Pourquoi pas, murmura-t-il.» J'ai saisi l'orteil attenant au gros orteil et je l'ai compressé pendant plusieurs minutes. En quelques secondes, la douleur qui tiraillait son oeil a commencé à disparaître. Après trois minutes, l'enflure commençait à diminuer. J'ai dit au jeune homme qu'il aurait avantage à masser cet orteil fréquemment au cours des prochains jours afin d'accélérer la guérison de son oeil. Je lui ai également suggéré d'aller chercher un peu de glace au restaurant de la plage et de l'appliquer immédiatement sur l'enflure. Il était trop surpris pour me demander comment la pression exécutée sur son orteil avait pu diminuer la douleur qui affligeait son oeil. Ce fut un succès. Le méridien de l'estomac commence sous les yeux, traverse le visage, le cou, le tronc et les jambes pour se terminer près de l'ongle du deuxième orteil. (Voir l'illustration n° 1 à la page 40.) Encore une fois, le principe des méridiens était appliqué. Si une blessure survient à un point situé au début ou à la fin d'un méridien, on peut la traiter en appliquant une pression sur le point d'acupuncture le plus éloigné sur ce même méridien. (Voir les tableaux des méridiens de l'acupuncture aux pages 40 et 41.)

Le massage peut sembler magique parce que nous ne comprenons pas toujours pourquoi il fonctionne si bien. Ne vous inquiétez pas si vous ne saisissez pas toujours les raisons pour lesquelles vous obtenez du succès. Les scientifiques réussiront éventuellement à trouver pourquoi l'acupuncture, les pressions et les autres pratiques du même genre sont si efficaces. D'ici là, utilisez les techniques disponibles et profitez des résultats. Le massage peut non seulement améliorer votre bien-être physique et émotif, mais il peut aussi vous permettre de vous débarrasser ou de soulager les autres des tensions quotidiennes, des malaises divers et des blessures inattendues.

2) Le massage et le couple

Le Chapitre IV, intitulé *Comment donner un massage complet de 60 minutes*, s'adresse aux partenaires ou aux amis qui veulent se donner un massage en profondeur une fois par semaine. Les partenaires qui échangent un massage sur une base régulière développent inévitablement une relation plus profonde et plus significative. La confiance, la compréhension et la communication s'améliorent, permettant ainsi à votre partenaire de devenir votre ami et votre amoureux.

Trop de relations sont d'abord basées sur le sexe. Vient un temps, habituellement après une année, où la passion sexuelle s'amenuise, apparaît moins souvent, et devient moins satisfaisante. Le déclin menace la plupart de ces relations. Les deux conjoints réalisent qu'ils ne sont plus aussi attirés l'un envers l'autre qu'ils l'étaient au début de leur rencontre. L'insécurité et le rejet s'installent et les deux partenaires s'aperçoivent enfin qu'ils ne sont plus sur la même longueur d'ondes. Une relation qui est au bord de la faillite peut être ranimée grâce au massage qui aide les conjoints à manifester plus clairement leurs problèmes, leurs besoins et leurs désirs sexuels.

Le massage peut améliorer et raviver l'expérience sexuelle. Pour ceux qui croient que leur vie sexuelle est déjà satisfaisante, un massage de dix à vingt minutes avant l'activité sexuelle peut accroître le succès de la relation. Le massage augmente la sensualité. L'art d'être sensuel peut être appris ou réappris. En massant les parties non sexuelles du corps, les partenaires peuvent exprimer leurs sentiments à travers la plus pure tendresse. On peut utiliser de l'huile pour multiplier éventuellement les sensations physiques que procurent les caresses mutuelles, les touchers et les mouvements de pétrissage. Les points neuro-vasculaires reliés aux organes sexuels peuvent également être stimulés. Les techniques de massage peuvent rendre la vie sexuelle plus comblée et plus agréable en rapprochant les partenaires avant même qu'ils ne décident de procéder aux gestes sexuels. Elles favorisent tout naturellement la liberté d'action et les réponses spontanées du corps.

Le massage aide à libérer la tension et à rétablir la communication entre les partenaires, et ce même après de longues périodes d'absence ou d'abstinence. Plusieurs circonstances peuvent nuire à une relation sexuelle et le mal de tête en est le meilleur exemple. En quelques minutes seulement, le massage peut soulager un tel problème. Certains points, lorsqu'ils sont touchés, font disparaître l'anxiété et aident le partenaire affligé d'un malaise à mieux affronter une situation difficile ou un traumatisme d'ordre physique ou émotif. Une utilisation fréquente de ces points encourage un soulagement plus rapide de la douleur en réduisant les tensions nuisant à l'épanouissement de la vie commune. Trop de couples passent la nuit à se quereller et à se plaindre de leur épuisement. Après quinze à vingt-cinq minutes de massage rapide, ils se sentiraient plus légers et ils apprécieraient davantage les soirées passées à la maison, au restaurant, au cinéma ou chez des amis.

Le massage peut également être très utile pendant une période de maladie. Quand l'un des conjoints souffre d'un malaise plus ou moins grave, son partenaire se sent souvent incapable de lui venir en aide. Le seul fait de penser que vous ne pouvez être d'aucun secours à votre conjoint peut vous rendre malade et votre compagnon ou compagne risque de voir son état empirer. La plupart des maladies peuvent être soignées, contrôlées ou guéries grâce aux points de pression et aux différentes techniques de massage. Si vous et votre partenaire apprenez à vous masser alors que vous êtes tous deux en grande forme, vous préviendrez plusieurs maladies. Le fait d'inclure ces sessions de massage à votre horaire hebdomadaire vous apportera d'énormes satisfactions, dont le fait d'éprouver de moins en moins de maux et de douleurs et de vous sentir plus énergique et plus enthousiaste. Votre santé physique et mentale seront avantageusement améliorées.

En résumé, le massage est l'une des plus belles façons de dire «Je t'aime». Il n'est point besoin de parler pendant l'exécution du massage lorsque votre partenaire est fatigué ou épuisé. Le massage est un don très spécial, une unique expression de vous-même, de votre compassion et de votre amour.

3) Pourquoi masser votre enfant?

Le massage renforcit et solidifie les liens entre un parent et son enfant. Les parents devraient commencer à masser leur petit pendant qu'il est encore dans l'utérus. Les femmes ont trop peu de contact physique avec

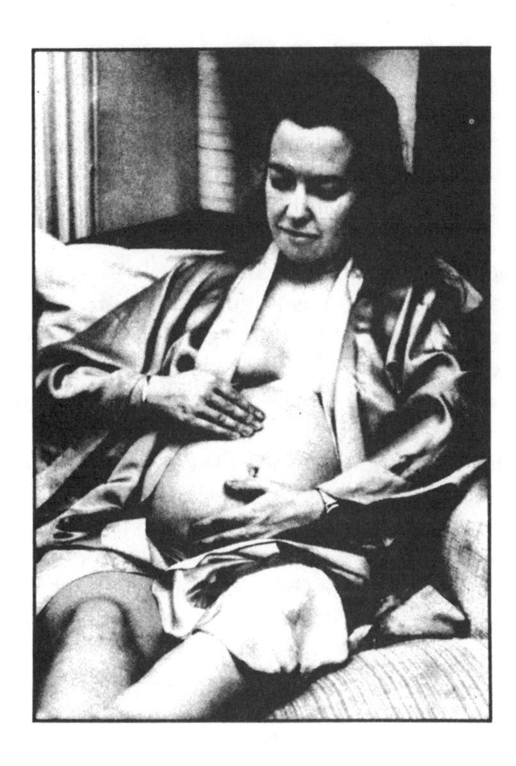

leur enfant avant l'accouchement. La plupart des futures mamans peuvent situer la tête du petit à plusieurs reprises pendant leur grossesse et elles peuvent ainsi déterminer s'il dort ou s'il est éveillé, mais seulement quelques-unes d'entre elles prennent le temps de toucher et de masser le foetus en croissance à travers leur paroi abdominale. Le massage aide la mère à communiquer subliminalement avec son enfant avant qu'il soit né.

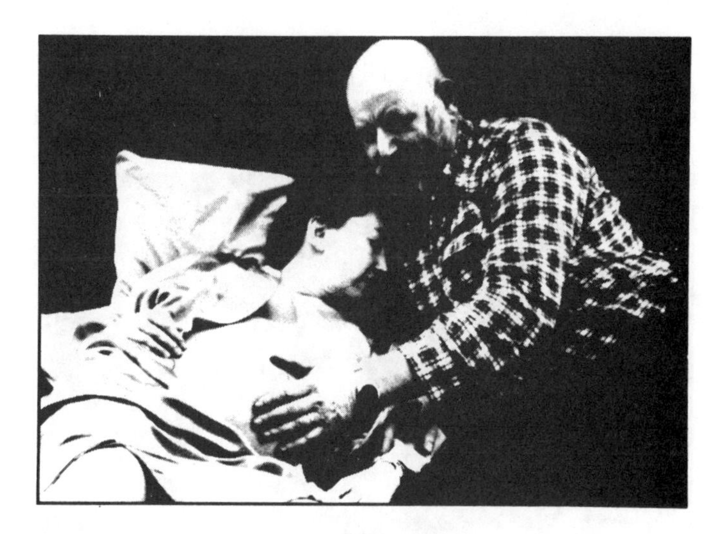

Les pères devraient eux aussi masser et toucher la région abdominale de la mère bien qu'il ne soit pas toujours facile pour eux de sentir la présence du petit dans l'utérus. Le fait de masser fréquemment le bébé avant l'accouchement aide le père à se sentir plus impliqué dans l'expérience de la grossesse et à se rapprocher à la fois de la mère et du petit.

À l'âge de cinq ou six ans l'enfant commence habituellement à user de la dextérité digitale nécessaire pour commencer à masser ses parents. Ceux-ci devraient l'encourager à le faire. Ils devraient aussi répondre au massage de leur enfant par des soupirs rassurants et des compliments sincères visant à le féliciter lorsqu'ils exécute une technique avec maîtrise. Trop d'enfants gran-

dissent sans pouvoir développer leur sens des responsabilités. C'est ainsi qu'ils finissent par s'imaginer qu'ils peuvent obtenir tout ce qu'ils désirent sans faire d'effort. Ils traînent souvent ces attitudes négatives avec eux jusqu'à l'âge adulte. Le massage est une excellente façon de prouver à l'enfant qu'il peut participer activement à la santé et au bonheur de ses parents.

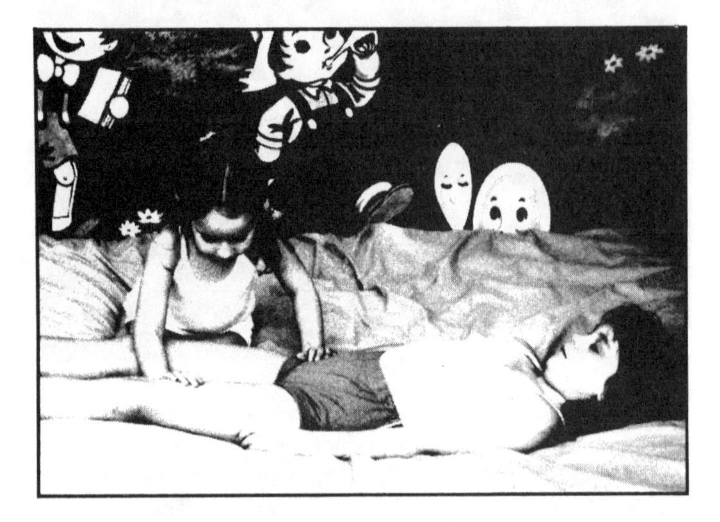

Les jumeaux devraient eux aussi être initiés aux techniques de massage. Plus ils échangeront des massages l'un avec l'autre, mieux ils se comprendront. Le massage encourage le partage, favorisant ainsi une meilleure communication, une plus grande confiance et un amour plus profond entre les jumeaux, ce qui élimine la rivalité qui pourrait exister entre eux.

Les enfants, comme les adultes, ont des problèmes physiques et émotifs. Lorsqu'un tout-petit revient à la maison après une journée difficile à l'école, qu'est-ce que son père ou sa mère fait instinctivement pour le calmer? Souvent le parent place la tête de l'enfant dans le creux de son épaule et soutient le derrière de sa tête, ou encore il flatte le dos du bambin entre les omoplates. Le creux de l'épaule de l'adulte touche les points de pression de l'éminence frontale de l'enfant dans le premier cas. Quant au point situé derrière la tête, il correspond aux glandes surrénales et ce contact aide à relâcher la tension causée par des événements marquants de la journée. Les points de massage neuro-lympathiques qui correspondent au centre du cerveau sont situés au centre du dos. Intuitivement, les parents touchent toutes ces zones importantes. Le seul problème est généralement que les points ne sont pas touchés assez longtemps pour permettre une action thérapeutique. Plutôt que de donner une aspirine à leur enfant, les parents devraient apprendre à stimuler ces points qui peuvent faire disparaître les malaises de leur rejeton.

Les malaises mineurs répondent rapidement et facilement au massage. Grâce aux renseignements donnés dans ce livre, un parent sera en mesure d'utiliser le massage et les points de pression permettant une réhabilitation rapide de leur enfant. Les maux de gorge, les grippes, les troubles pulmonaires, les maux d'oreille et de dent, la diarrhée et la constipation sont quelques-uns des maux rencontrés fréquemment et qu'ils pourront soigner. Les massages réguliers rendront l'enfant moins vulnérable aux infections et ils amélioreront le fonctionnement de ses organes internes. Il ne faut jamais oublier que les enfants répondent plus rapidement au massage que la plupart des adultes.

Le massage est également important lorsqu'un enfant est gravement malade et que ses parents, souvent très frustrés, espèrent pouvoir accomplir un miracle pour le guérir ou améliorer son état de santé. Ceci me rappelle le cas de ces jeunes mariés dont le premier enfant souffrait d'un problème cardiaque de communication inter-ventriculaire. Les médecins ignoraient s'il était possiole de guérir le bambin. Ils estimaient que dans le meilleur des cas il leur faudrait au moins une année complète et peut-être même davantage pour sauver le jeune enfant. Consternés, démunis et découragés, les parents ont commencé à utiliser les techniques du toucher thérapeutique pour renforcer la santé du bébé. En moins de six mois le problème de santé était complètement disparu. Les médecins étaient étonnés car ils n'avaient encore jamais vu un aussi gros trou se refermer aussi rapidement. Les parents étaient évidemment fous de joie d'avoir pu contribuer personnellement à la guérison de leur enfant. Ils ont ainsi évité plusieurs mois de souffrance que leur aurait imposé cette interminable attente de la guérison de leur fils.

Le massage et les pressions qui sont appliqués par les parents sur les points correspondant à l'organe défaillant chez leur enfant, leur redonnent confiance en eux-mêmes, car ils se sentent capables d'influencer positivement la circulation de l'énergie, du sang et de la lymphe dans l'organisme, ce qui permet à l'organe de mieux fonctionner et de se réparer lui-même. Il est évident, il faut bien l'admettre, que certaines maladies sont incurables. Il est toutefois étonnant de réaliser que certains états de santé déficients peuvent être soignés par une stimulation appropriée des points reliés à l'organe impliqué.

Le massage régulier aide aussi l'enfant à mûrir plus rapidement et à se débrouiller avec certains problèmes d'ordre social. Les enfants qui ont reçu des massages pendant leur croissance n'ont pas tendance à manifester de sérieux problèmes de comportement. Si un enfant souffre de troubles de comportement, on peut l'aider considérablement en commençant immédiatement un programme de massage destiné à ses besoins. De plus, le massage peut aider les jeunes individus à développer un meilleur sens de la profondeur, de l'épaisseur, de la texture et de la forme, ce qui contribue à l'épanouissement de sa perception beaucoup plus précocement. Le toucher et le massage peuvent favoriser le quotien intellectuel de l'enfant et quel parent ne voudrait pas d'une fille ou d'un fils plus intelligent?

4) Pourquoi l'auto-massage?

L'auto-massage n'est pas souvent utilisé et il est très mal compris. Plusieurs personnes n'en ont jamais entendu parler et ceux qui l'ont expérimenté n'ont pas toujours saisi toute l'importance de ses bienfaits. L'auto-massage permet une meilleure compréhension du corps et il nous aide à mieux interpréter les signaux corporels qui nous indiquent que quelque chose ne va pas et qu'il serait préférable d'agir avant que n'apparaisse une maladie plus grave.

L'auto-massage s'adresse à chacun d'entre nous. Il est bon pour les personnes de tout âge mais il est particulièrement recommandé aux personnes âgées qui vivent seules. Quoi de mieux que l'auto-massage lorsque l'on a envie d'être massé et que personne n'est disponible pour le faire. Même si vous habitez avec une autre personne, vous n'oserez pas toujours demander l'aide de votre partenaire. Avec les connaissances que vous développerez avec ce livre, vous améliorerez votre mieux-être physique et psychologique.

Votre santé peut profiter de plusieurs manières de l'auto-massage. Celui-ci peut effacer les blocages et libérer les énergies vitales. Il vous rendra plus conscient de vos systèmes squelettique et musculaire et accroîtra votre flexibilité tout en revitalisant votre constitution. Plus vous apprendrez à découvrir votre corps à travers l'auto-massage, plus vous serez en mesure d'améliorer sa condition et de le préserver de la maladie et de la douleur.

L'utilisation des bons points au bon moment agira favorablement sur vos fonctions organiques. Pour faciliter la digestion, par exemple, vous devriez toucher les points de l'estomac, du pancréas, du foie, de la vésicule biliaire et de l'intestin grêle avant et après les repas. Si vous n'avez pas su résister à l'attrait d'un repas riche en matières grasses, le fait de masser les points reliés au foie et à la vésicule biliaire aidera votre corps à éliminer ce surplus de gras. Ne soyez pas trop indulgent envers vous-même car les aliments frits et gras sont dangereux. Ne croyez pas qu'en sachant comment masser les points de votre foie et de votre vésicule biliaire, vous pouvez maintenant vous permettre tous vos caprices. Les conseils énoncés ont pour but de vous aider dans des cas isolés seulement. L'auto-massage peut aussi être utile lorsque vos organes ne fonctionnent pas normalement, par exemple dans les cas de diabète, de troubles cardiaques ou de faiblesse de la vessie. En stimulant les points impliqués plusieurs fois par jour, vous pouvez contribuer grandement au mieux-être des organes affectés.

Prenez le temps d'aider votre corps. Il existe plusieurs façons de donner un coup de main aux organes vitaux. Par exemple, si vous peinturez votre maison et que l'odeur dégagée par la peinture vous accable, vous serez vite soulagé en massant les points lymphatiques des poumons. Votre foie, également, peut être soulagé du surplus de toxines qui lui nuisent. Vous pouvez aussi masser les points de circulation généraux du corps.

Vos mains peuvent même vous aider dans les cas d'accidents domestiques. Si vous frappez votre pouce avec un marteau, votre intuition vous dira de le tenir, de le compresser ou de le sucer. Ceci vous soulagera plus ou moins mais si vous connaissez les méridiens et le trajet qu'emprunte l'énergie à travers le corps, vous pourrez vous occuper de votre pouce encore mieux. Le méridien du poumon prend fin dans le pouce et c'est en massant l'origine de ce même méridien, située dans la poitrine près des épaules, que vous réussirez à guérir votre pouce plus rapidement.

L'auto-massage aide à raffermir ou à développer les muscles. Les muscles principaux peuvent être tonifiés grâce aux points correspondant aux muscles qui nécessiteraient d'être raffermis. En vous occupant de ces points avant et après vos exercices, vous pouvez informer votre corps et votre cerveau des muscles qui auraient avantage à être raffermis.

Si vous vous sentez souvent fatigué ou faible, une stimulation des points des surrénales et du cerveau vous régénérera rapidement. L'énergie que procure le massage, contrairement à celle fournie par la caféine et les drogues, ne développe aucun effet secondaire. D'un autre côté, si vous souffrez d'insomnie, le fait de calmer vos glandes surrénales en maintenant les points situés sur l'éminence frontale vous conduira vers le sommeil en cinq minutes. Les somnifères dangereux sont vraiment inutiles.

Les techniques d'auto-massage vous permettront de moins souffrir du stress. Les événements traumatisants ne vous perturberont plus physiquement ou moralement. Un appel téléphonique vous apportant une mauvaise nouvelle ne vous démunira pas complètement. Vous avez probablement remarqué que plusieurs personnes plaçaient leurs mains sur leur front pendant les grandes périodes de stress. Vous l'avez probablement déjà fait vous-même. Les points neuro-vasculaires reliés au centre des émotions du cerveau sont justement situés sur les éminences frontales. Grâce à votre connaissance et à votre instinct, vous manipulerez ces points assez longtemps pour obtenir des résultats thérapeutiques satisfaisants. L'intensité du drame vécu s'amenuisera et vous deviendrez plus calme, plus rationnel et plus efficace. Certaines formes de dépression peuvent également être contrôlées par les points neuro-vasculaires des éminences frontales si on les touche régulièrement. L'auto-massage peut habituellement empêcher l'accumulation du stress psychologique pouvant se métamorphoser en grave maladie physique ou psychique.

Si vous êtes extrêmement occupé et n'avez pas le temps de vous faire un auto-massage, essayez d'incorporer quelques-unes des techniques à votre douche ou à votre bain quotidien. Avant la fin de la semaine vous aurez stimulé tous les principaux organes. Votre corps appréciera cette aide supplémentaire que vous lui accorderez. Il doit travailler très fort pour supporter toute la tension et toutes les toxines véhiculées par la vie moderne.

Plusieurs personnes prétendent que l'auto-massage n'est pas aussi réconfortant que le massage effectué par une autre personne. Je ne peux le nier. S'étendre pendant une heure et recevoir un massage est de loin plus agréable que de s'occuper soi-même de son corps. Toutefois il faut admettre que l'auto-massage est plus satisfaisant qu'aucune manipulation du tout et qu'il est d'un grand secours pour le corps qui se sent malade et fatigué. Personne ne connaît mieux votre corps que vous. Avec quelques connaissances du massage et votre instinct comme guides, vous saurez mieux que quiconque comment répondre à vos besoins spécifiques. Vous saurez également quelle force déployer pour presser certaines zones sans douleur. Lorsque vous contrôlez bien la pression, vous éliminez la peur et vous pouvez vous permettre de presser un peu plus fort que n'oserait le faire un thérapeute spécialisé. Dans plusieurs cas, une plus grande pression apporte des bienfaits plus rapides et plus durables. N'oubliez pas qu'après avoir appris les différentes techniques, vous êtes libre de vous concentrer sur les sensations qui émanent du point de contact et de multiplier ainsi les joies que procure l'auto-massage.

Le fait de vous masser vous-même est très positif. Vous pensez que vous méritez du temps et de l'attention et vous acceptez de vous les accorder. S'il est naturel et convenable d'aider les autres, pourquoi ne pouvons-nous pas également prendre soin de nous-même? Nous avons été conditionnés depuis notre enfance à croire qu'il était malsain de nous préoccuper de notre bien-être. On nous a même dit que la pire offense était de s'aimer soi-même. Il est temps d'arrêter cette fausse croyance. Si vous ne pouvez être bon envers vous-même, comment une autre personne pourra-t-elle l'être à votre égard? Si vous ne vous aimez pas, qui vous aimera? Si vous apprenez à éprouver et à conserver de l'amour et de l'amitié pour vous, vous serez ensuite capable d'aimer encore davantage les autres.

5) Pourquoi masser votre animal?

Depuis que l'on écrit l'Histoire, les êtres humains possèdent des animaux favoris. Des études anthropologiques tendent aussi à démontrer que les communautés préhistoriques s'intéressaient elles aussi à l'apprivoisement de certaines espèces animales. Pourquoi les humains ont-ils toujours eu des animaux? Pourquoi cet amour pour des créatures animales alors que tant d'être humains souffrent de solitude parce qu'ils n'ont pas d'amis ni d'entourage? Pourquoi les animaux, et tout spécialement les chiens, sont-ils appelés les meilleurs amis de l'homme?

Les animaux sont des compagnons fantastiques. On peut facilement les contenter car ils sont assez autonomes, relativement peu compliqués, essentiellement joyeux de nature et presque toujours prêts à communiquer. Les animaux ne critiquent et ne jugent pas et ils ne sont pas intéressés à savoir si vous êtes célèbre ou pauvre. S'ils pouvaient parler, ils vous diraient probablement qu'ils vous préfèrent pauvre parce que vous restez plus souvent à la maison sans trop voyager ni briller en société. Les animaux vous aiment sans se préoccuper de votre vie intérieure ou de votre apparence. Ils vous écoutent même si vous leur parler à bâtons rompus et ils se rapprochent lorsqu'ils vous sentent triste ou découragé. Ils sont patients. Si vous arrivez tard à la maison, votre animal ne vous grondera pas et il ne vous dévisagera pas non plus. Il se montrera affectueux et heureux de vous retrouver. Les animaux domestiques veulent simplement aimer et être aimés. Même si je pense surtout aux chiens et aux chats, la plupart des autres animaux domestiques présentent ces mêmes qualités.

Les animaux servent les humains de plusieurs façons. Les Esquimaux ne pourraient pas survivre sans leurs chiens qui tirent les traîneaux. Les saint-bernard ont sauvé plus d'une vie. Plusieurs chiens sont d'excellents gardiens alors que d'autres remplacent les yeux ou les oreilles des personnes handicapées. Les chats exterminent efficacement les rats et les souris. La liste des services que les animaux rendent aux humains est interminable, mais en plus d'être très utiles, nos amis nous permettent de les voir, de les toucher et de les écouter pour notre plus grand plaisir. Les poissons tropicaux peuvent nous divertir pendant des heures; leur seule beauté mérite toute l'attention qu'on leur porte afin de les garder en bonne santé. Bien nourris et bien soignés, les lapins et les chatons sont incroyablement doux au toucher tandis que les oiseaux nous gâtent avec le plus beau chant que la nature puisse nous faire entendre. Aussi, les animaux qui travaillent dans les cirques et que les enfants de tout âge adorent, ont beaucoup de mérite ainsi que les autres qui jouent dans les films d'aventure comme le célèbre Rin-Tin-Tin.

Ces animaux ne sont pas seulement amusants mais ils apportent aussi beaucoup de joie de vivre à plusieurs personnes. Vous pouvez dès maintenant commencer à découvrir, si ce n'est déjà fait, pourquoi les gens ont tellement besoin de vivre avec ces petits animaux. Vous serez étonné.

Le lien le plus important entre les humains et les animaux domestiques est celui de l'amitié et de l'amour.

Tous les êtres ont besoin de contact physique pour mener une vie heureuse et saine. Les psychologues ont récemment annoncé que les humains avaient besoin d'au moins douze étreintes par jour pour jouir d'une existence épanouie et satisfaisante. Malheureusement, tous les humains n'ont pas le privilège d'avoir un compagnon ou une compagne à embrasser. Le fait de caresser un animal compense ce manque affectif. Si vous touchez à votre animal douze fois par jour, vous vous sentirez tous deux mieux dans votre peau.

Le fait de masser régulièrement votre animal renforcira l'amitié et l'amour qui existent déjà entre vous. Plus vous investirez d'énergie et de temps dans votre relation, plus vous serez récompensé par les résultats. Votre animal sera plus heureux, joueur, alerte, intelligent, affectueux, protecteur et amoureux. Pour obtenir ces transformations, il ne suffit pas de le caresser sur la tête de temps à autre. Un massage régulier est indispensable.

Les animaux aident à débarrasser les humains de leurs tensions. Si vous êtes irrité ou en colère, votre compagnon deviendra nerveux ou inquiet. Votre animal peut lui-même ressentir les causes de vos problèmes. Il est important que vous sachiez que votre animal connaît probablement les mêmes hauts et les mêmes bas que ceux que vous vivez. Il est donc juste de le soulager du stress qu'il absorbe par votre faute en le massant. N'oubliez pas que votre meilleur ami est habituellement heureux et enthousiaste si vous vous sentez bien dans votre corps et dans votre tête. Finalement, il est également thérapeutique pour *vous* de masser votre animal. Des études récentes démontrent que les personnes qui ont des animaux domestiques ont moins tendance à avoir des crises cardiaques.

Si vous avez un animal peureux ou distant, le massage peut lui permettre de retrouver sa confiance en vous. Vous n'êtes peut-être pas toujours responsable du comportement de votre compagnon. Quelque part, quelqu'un — peut-être celui qui s'en occupait avant vous ou un enfant trop dur — a été à la source du problème. Mais vous pouvez faire quelque chose pour le déconditionner. Plus vous le masserez et lui parlerez, plus votre animal deviendra amical et confiant.

Il est important de savoir que le massage est une forme passive d'exercice. Si votre animal ne peut aller courir ou jouer à l'extérieur, massez-le suffisamment pour compenser ce manque. Les personnes âgées aimeront masser leur meilleur ami domestique si elles sont incapables de le sortir à cause d'un handicap physique quelconque. Le massage améliore la circulation de votre animal tout en le protégeant contre l'atrophie musculaire et les maladies prématurées. Il jouira d'un bien-être physique sans cesse croissant.

Chapitre III

Ce que vous devez savoir pour obtenir les meilleurs résultats

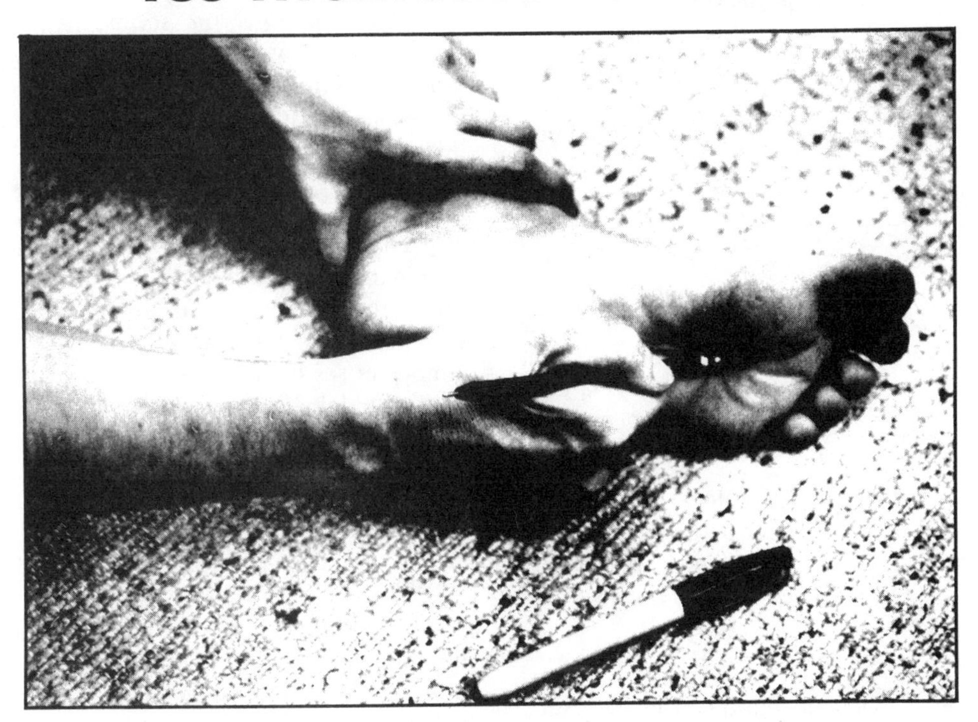

1) PRÉPARATIONS ET ACCESSOIRES

a) Préparations générales et accessoires

Débranchez votre appareil téléphonique. Si le téléphone sonne alors que vous êtes en train de recevoir un massage, ceci perturbera votre système nerveux. La sonnerie vous réveillera si vous êtes endormi et interrompra la communication entre le donneur et vous si vous êtes éveillé. Débranchez donc votre appareil ou, si cela est impossible, baissez la sonnerie au minimum et recouvrez l'appareil avec un oreiller ou mettez-le dans la garde-robe ou le placard. Si vous avez un répondeur, utilisez-le en prenant soin de mettre le volume au plus bas. Faites ce qui vous plaît le mieux, mais ne négligez pas de réduire votre appareil téléphonique au silence. Pendant un massage, le téléphone devient un intrus toujours malvenu.

Prière de ne pas déranger. Placez une petite affiche sur laquelle est écrit «prière de ne pas déranger» sur votre poignée de porte extérieure afin d'indiquer aux visiteurs inattendus, amis ou voisins, que vous êtes occupé. Prenez soin d'écrire à quelle heure ils pourront revenir et, si vous avez un concierge, informez-le des heures pendant lesquelles vous ne voulez recevoir personne. Le temps consacré au massage est spécial. Ne permettez aucune interruption.

Éteignez la lumière éblouissante. Il est nécessaire d'avoir une lumière tamisée pendant la durée du massage. Quant à la lumière éblouissante, elle fatigue les yeux et empêche la relaxation parfaite. Lorsque vous êtes familier avec les séances de massage, essayez de les vivre dans la noirceur totale. Lorsque le sens de la vue n'intervient plus, celui du toucher devient plus aiguisé.

Le contrôle de la température. L'air climatisé est acceptable pour le donneur pendant les mois d'été. Le receveur, toutefois, aura probablement froid puisque la température du corps baisse pendant le massage. Un éventail dirigé vers le donneur est idéal en autant que l'air qu'il projette atteigne le receveur indirectement sans que celui-ci prenne le risque de subir un refroidissement. En hiver, lorsqu'on a besoin de plus de chaleur, il ne faut pas utiliser de radiateur électrique. La chaleur intense que cet appareil dégage peut affaiblir le donneur. Aussi, une partie du corps du receveur deviendra trop chaude alors que ses autres membres souffriront du froid. Un calorifère électrique peut être dangereux parce que les draps, le tapis et même la chair peuvent brûler facilement. Utilisez une couverture électrique chaque fois que le receveur commence à avoir froid. Un receveur qui souffre du froid devient tendu et n'apprécie pas le massage. Ni le receveur ni le donneur ne peuvent profiter d'un massage qui n'est pas agréable. Si le donneur expose uniquement la partie du corps qui doit être massée, le receveur restera au chaud sous la couverture électrique tout en se sentant détendu et en sécurité.

Attention aux courants d'air. Un léger courant d'air ne peut pas nuire au donneur mais il peut être néfaste au receveur. Les courants d'air diminuent le plaisir que procure le massage, réduisant ses bienfaits et causent de la tension et des crampes dans les muscles.

L'encens crée une ambiance de relaxation. Si vous aimez l'odeur dégagée par l'encens qui brûle, n'hésitez pas à en utiliser. Si, toutefois, vous commencez à éternuer, vous êtes peut-être allergique à cette substance. Si vos yeux sont irrités et votre respiration difficile, vous avez là des réactions typiques causées par une allergie. L'encens n'est pas indispensable, mais son odeur favorise la relaxation et le plaisir.

Le massage sur une carpette étendue sur le sol. Une carpette en caoutchouc mousse d'un pouce et demi recouverte d'un drap est idéale, mais si vous ne voulez pas investir d'argent dans l'achat d'un tel accessoire, la méthode de la couverture est une solution acceptable. Si l'un de vos planchers est recouvert de tapis, vous n'aurez besoin que de deux couvertures. Pliez chaque couverture en trois et superposez-les. Étendez un drap par-dessus et le tour est joué. Ces deux couvertures suffiront à offrir assez de confort et de support au dos et aux jambes du receveur. N'oubliez pas non plus que si le donneur n'est pas à l'aise, il transmettra inévitablement sa tension au receveur et aucun des deux ne pourra bénéficier des joies et des avantages du massage. Ne donnez pas votre massage sur un matelas ou un futon. Plutôt que d'agir sur le corps du receveur, la plus grande partie de la force que vous déployerez sera absorbée par le matelas. De plus, le receveur percevra le moindre mouvement exécuté par le donneur et le massage sera mouvementé et distrayant. Le donneur risquera aussi de tomber plus facilement sur le receveur car il aura du mal à contrôler son équilibre.

Ayez une couverture supplémentaire à portée de la main. Si vous n'avez pas de couverture électrique, ayez une couverture duveteuse à portée de la main et utilisez-la dès que vous sentez que le receveur souffre du froid. Pour plusieurs personnes, un simple drap suffit, mais d'autres ont besoin d'une couverture pour se sentir bien au chaud pendant le massage. Si la pièce ne peut être chauffée convenablement, vous aurez peut-être besoin de deux couvertures pour le receveur. Pliez chaque couverture en quatre. Recouvrez le torse du receveur avec l'une d'elles et servez-vous de l'autre pour ses jambes et ses pieds. Exposez uniquement la partie du corps qui doit être massée afin que le receveur soit toujours à l'aise.

Pour plus de clarté, toutes les photographies nous font voir le receveur reposant dans les conditions idéales, ce qui explique pourquoi on n'a pas utilisé de drap ni de couverture.

La musique apaise et détend. Une musique douce qui joue en sourdine encourage la relaxation. La musique forte, toutefois, distrait plus qu'elle ne calme. D'excellentes cassettes conçues expressément pour favoriser la détente sont disponibles sur le marché. Plusieurs personnes estiment que les enregistrements mettant en valeur les sons de la mer sont particulièrement efficaces.

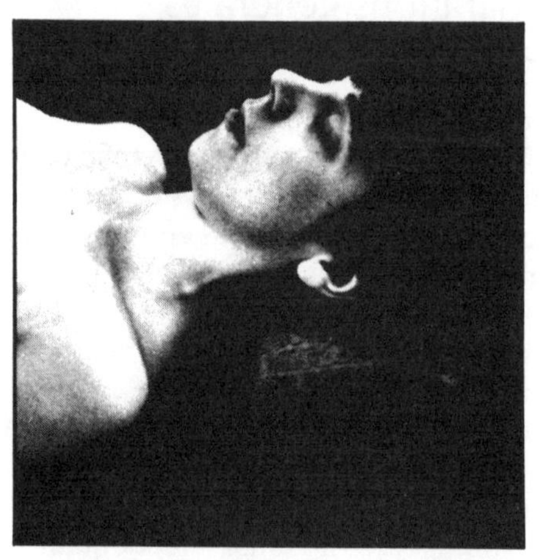

Soulever la tête avec un oreiller.

D'autres préfèrent des chants d'oiseaux, lesquels peuvent apaiser le mental du receveur avec les bruits tranquilles de la campagne qu'ils mettent en relief. Je ne conseille pas la musique qui est accompagnée de paroles car celles-ci empêchent le mental de bien se concentrer. Choisissez la musique que vous préférez et ayez les enregistrements à portée de la main avant que le massage ne débute.

Soulevez la tête avec un oreiller. Placez un mince oreiller de 1 ou 2 pouces sous la tête du receveur. Lorsqu'il est étendu sur le dos, sa tête est légèrement renversée, ce qui pince ses premières vertèbres cervicales. Le fait de soulever la tête soulage les vertèbres de cette pression inutile. Ceci encourage par le fait même le corps à se détendre davantage et à profiter au maximum des bienfaits du massage. Si vous n'avez pas un oreiller mince à portée de la main, utilisez une serviette que vous aurez pliée plusieurs fois. Préparez l'oreiller ou la serviette avant le massage et placez cet accessoire tout près de vous afin de pouvoir le mettre sous la tête du receveur sans distraire celui-ci.

Soulevez les jambes du receveur. Placez un oreiller de lit replié sous chacune des jambes du receveur. Le

fait d'être étendu sur le dos ajoute de la pression sur la région lombaire. Puisque le receveur est couché dans cette position pendant plus de la moitié du massage, ses vertèbres lombaires peuvent être très affectées. Les personnes qui souffrent déjà de problèmes lombaires seront presque toujours mal à l'aise pendant un massage si leurs jambes ne sont pas soulevées. Même les gens qui n'éprouvent normalement aucune douleur dans le bas du dos commenceront à avoir mal après un certain temps couché sur le dos. Le fait de soulever les jambes réduit la courbe lombaire et élimine la tension des muscles situés dans cette région. Utilisez le même oreiller et

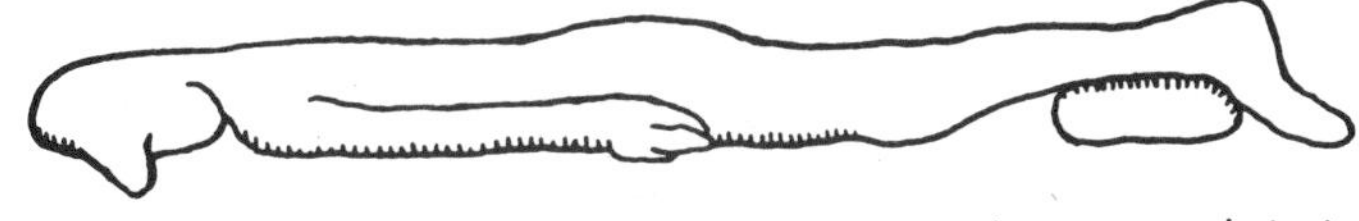

placez-le sous les chevilles du receveur lorsque celui-ci est étendu sur le ventre. Non seulement la tension du dos disparaîtra, mais les pieds pourront reposer plus confortablement sur la carpette.

Soulagez la fatigue des yeux. Placez des boules de coton ouaté trempées dans de l'huile de noisette ou

dans une solution froide à base d'herbes sur les yeux fermés du receveur. Déposez ensuite une serviette repliée sur ses yeux et son front. Cette serviette sert à la fois à recouvrir les points tendus de l'éminence frontale et à garder les boules de coton ouaté immobiles. Si vous préférez utiliser une solution pour les yeux, laquelle peut être achetée dans la plupart des magasins d'alimentation naturelle, préparez-la en infusant une cuillerée à thé d'herbes dans une tasse d'eau bouillante. Mettez le couvercle et attendez de trois à cinq minutes. Utilisez toujours une solution fraîche ou refroidie. On peut conserver une solution au réfrigérateur pendant deux ou trois jours. Laissez refroidir la solution ou l'huile de noisette avant l'application. Annoncez au receveur que vous allez placer des boules de coton ouaté sur ses yeux afin qu'il ne soit pas étonné de la sensation de froid éprouvée.

Huilez le dos. Vous pouvez utiliser un peu d'huile pour le dos avant de commencer la technique numéro 4 décrite au Chapitre IV. Ce n'est toutefois pas nécessaire, bien que plusieurs personnes croient qu'un massage n'est pas complet sans l'addition d'huile. N'utilisez jamais trop d'huile. Faites-la bien pénétrer dans la peau lors des mouvements de massage. Le dos ne doit pas être huileux ni glissant lorsque vous commencez la technique numéro 4. N'employez pas d'huile sur les autres parties du corps car elle interviendrait avec les techniques de pression. Mais l'huile dont on se sert pour le dos permet un relâchement de la tension superficielle emmagasinée dans les muscles. Le mouvement d'effleurage améliore lui aussi la circulation au niveau des veines et de la lymphe. Les huiles suivantes sont recommandées: noix de coco, tournesol, sésame, olive et amande, ou n'importe quel mélange de celles-ci.

Enlevez vos bijoux. Les bijoux peuvent nuire aux techniques de massage en éraflant la peau du receveur. Ceci pourrait être inattendu, désagréable et malvenu pour celui-ci. Ne prenez donc pas de risque et mettez bracelets, montre et bagues de côté.

Coupez vos ongles. Les ongles qui dépassent le bout des doigts ne permettent pas de donner un massage satisfaisant.

Ayez les mains propres. Parce que vous toucherez les yeux et les oreilles du receveur, la propreté de vos mains est une NÉCESSITÉ absolue. Plusieurs situations désagréables peuvent être provoquées par les mains. Pour éviter des moments embarrassants, commencez chaque massage en vous lavant les mains soigneusement et en taillant bien vos ongles. Des mains propres développent une plus grande sensibilité tactile.

Être ou ne pas être nu? Si vous massez votre amoureux, il peut être agréable d'être nu comme lui. La raison invoquée n'est pas nécessairement sexuelle. Le fait d'éliminer la barrière des vêtements vous permettra de vous détendre plus rapidement tous les deux. Vous pourrez aussi partager davantage l'intimité du massage et éprouver une sensation d'unité très agréable.

Portez des vêtements amples. Des pantalons ou des chemises trop serrés rendent le donneur mal à l'aise. Ne coupez pas la circulation de votre sang en portant ce genre de vêtements. Préférez des vêtements amples.

L'eau froide. Après le massage, c'est une excellente idée de frotter vigoureusement ses mains sous l'eau *froide* et de laisser couler celle-ci jusqu'à vos coudes. Toute l'énergie négative qui a pénétré dans vos mains disparaîtra comme par enchantement. Vous sentirez la différence et vous empêcherez l'énergie indésirable d'affecter votre corps.

b) CONSIDÉRATIONS SPÉCIALES POUR LE MASSAGE DES ENFANTS

Le contrôle de la température et des courants d'air est particulièrement important lorsque vous massez vos enfants. Dans des conditions atmosphériques douteuses, massez votre enfant dans des vêtements duveteux et amples afin de l'empêcher de subir un refroidissement.

Les enfants qui n'ont pas l'habitude du massage sont parfois agités. Parce qu'ils doivent être initiés à ce genre de manipulation en toute douceur, permettez-leur de s'étendre avec leur ourson de peluche ou tout jouet semblable pouvant les sécuriser. Ils commenceront par le caresser, puis ils l'ignoreront au fur et à mesure qu'ils apprendront à apprécier le massage que vous leur donnez.

c) CONSIDÉRATIONS SPÉCIALES POUR L'AUTO-MASSAGE

Certains accessoires peuvent aider. Un stylo à bille muni d'une gomme à effacer ou un marqueur très épais dont l'extrémité est arrondie peuvent être utiles pour masser le dessous du pied. Si vos pouces ne sont pas exceptionnellement forts, ils pourraient vite se fatiguer ou être endoloris. Ces accessoires vous permettront d'exercer une pression ferme et de pénétrer sans trop d'effort. Prenez soin de bien les nettoyer avant de les utiliser. Vos huiles naturelles, accumulées sur ces outils de travail, peuvent les rendre très glissants au moment du massage, ce qui peut être très dangereux. Si l'idée de travailler avec un objet ne vous séduit pas, faites alterner les pressions en vous servant de vos pouces, puis de vos jointures.

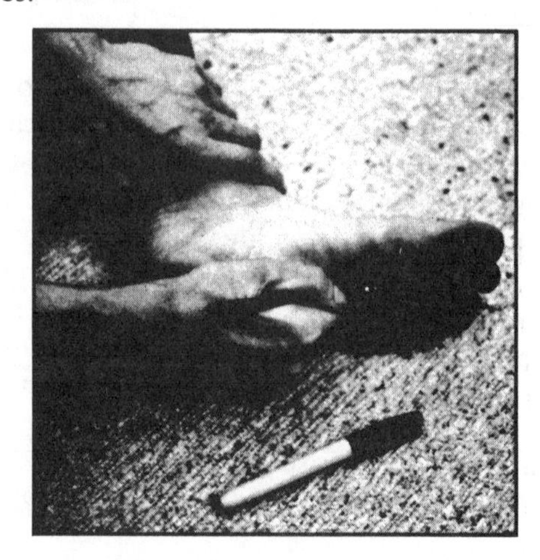

Une éponge végétale. Si vous vous massez dans votre baignoire ou si vous prenez un bain immédiatement après un massage, une éponge végétale rugueuse pourrait vous aider à terminer votre expérience en beauté tout en améliorant votre circulation.

Les oreillers. Ayez toujours plusieurs oreillers à portée de la main. Vous aurez peut-être besoin d'un ou de plusieurs oreillers pour jouir d'une position plus confortable.

d) CONSIDÉRATIONS SPÉCIALES POUR LE MASSAGE DES ANIMAUX

Quand commencer à masser votre animal? Ne massez pas votre animal lorsqu'il est agité ou excité. Vous devriez plutôt en profiter pour jouer avec lui. Le meilleur moment pour commencer à le masser est lorsqu'il est détendu ou endormi. Soyez prudent, toutefois, parce qu'un animal endormi peut être facilement dérangé par un toucher inattendu. Parlez-lui doucement avant de le toucher afin de l'informer de votre présence.

Par où doit-on commencer le massage? Il est important de toujours commencer par les zones favorites de votre animal, ce qui peut être derrière les oreilles, sur le ventre ou sous le menton. Lorsque vous avez réussi à enjôler votre animal, vous êtes libre de continuer avec les autres techniques suggérées.

Faites-lui découvrir les nouvelles techniques doucement et lentement afin de ne pas l'énerver et de lui permettre de s'adapter. Ne passez pas trop brusquement d'une technique à une autre. Si vous opérez la transition graduellement, votre animal restera détendu, réceptif et calme. *Gardez toujours vos mains sur son corps.* Certains animaux auront des soubresauts si vous coupez tout contact brusquement avec eux. Afin d'éviter d'avoir à calmer votre animal plusieurs fois pendant le massage, laissez toujours une de vos mains sur lui.

Ne forcez pas votre animal à adopter une position qui n'est pas naturelle. Les animaux se sentent souvent pris au piège lorsqu'ils sont forcés d'adopter des positions auxquelles ils ne sont pas habitués. Laissez votre animal choisir lui-même sa position et ajustez-vous en conséquence. Certains animaux sont plus souples que d'autres. Les étirements et les rotations doivent être faits uniquement sur les animaux calmes et détendus. Les massages réguliers, toutefois, amélioreront la souplesse des membres trop raides et vous pourrez ajouter graduellement des mouvements d'étirement et de rotation dans vos séances.

e) CONSIDÉRATIONS SPÉCIALES POUR LE MASSAGE RAPIDE

Étendez un drap sur le sol, débranchez l'appareil téléphonique, tamisez la lumière et commencez. Vous pouvez aussi faire jouer de la musique douce et demander au receveur de se dévêtir. Ni la musique ni la nudité ne sont toutefois nécessaires pour le massage rapide. Seul le temps importe. Au Japon, plusieurs personnes profitent de l'heure du lunch pour recevoir un massage shiatsu, ce qui ne leur accorde évidemment que très peu de temps. Un massage rapide peut changer l'état d'esprit de n'importe quel partenaire ou ami qui vous dit: «Je ne peux sortir ce soir parce que je suis trop fatigué.» Vous n'aurez besoin que de 15 à 25 minutes pour le convaincre du contraire parce que le massage rapide est très efficace.

2) UNE BONNE DISPOSITION D'ESPRIT FAVORISE LE MOUVEMENT DES ÉNERGIES CORPORELLES

Laissez toutes vos inquiétudes et vos pensées de côté. N'oubliez pas qu'un mental tourmenté et préoccupé empêche le receveur de profiter au maximum des bienfaits et de la magie du massage. Si vous êtes le donneur, soyez également disponible. Faites-le en étant tout à fait présent à l'autre.

Si vous êtes de ceux qui ne peuvent se sentir bien si leur mental n'est pas préoccupé, pensez au receveur qui aura besoin de toute votre attention pour jouir le plus possible du massage. Vous recommencerez à vous en faire après avoir donné votre temps au receveur. Il est fort probable qu'après avoir donné et reçu des massages pendant quelques semaines, vous saurez comment mettre vos soucis de côté. La magie du mental apaise non seulement le corps mais aussi l'esprit.

Libérez votre mental des pensées mondaines. Alors que certaines personnes sont habitées par des pensées troublantes et angoissantes, d'autres au contraire sont aux prises avec des images tout à fait mondaines et superficielles. Libérez votre mental des pensées aussi inutiles que celles des courses ou du lavage à faire, des planchers qui doivent être lavés ou du gazon qui aurait pu être tondu la semaine dernière. Soyez disponible au receveur et au massage. Un mental clair vous permettra de donner un meilleur massage.

Ayez un mental rempli de tendresse et de compassion. Au moins cinquante pour cent du succès du massage réside dans votre bon vouloir d'aider l'autre. Vous devriez uniquement vous préoccuper du bien-être du receveur. Votre compassion l'encouragera à se débarrasser de sa tension et à profiter des bienfaits du massage. Ce que vous récolterez sera le reflet de ce que vous aurez donné. Si votre mental se concentre uniquement sur les besoins du receveur, vos moyens de défense s'évanouiront et vous pourrez partager magiquement les bienfaits du massage avec lui.

La respiration est importante. Lorsque vous vous massez ou massez quelqu'un d'autre, accordez-vous au moins une minute avant de procéder aux techniques afin de régulariser votre respiration. Des respirations plus profondes et un peu plus lentes que d'habitude vous permettront d'être plus efficace. N'inspirez pas et n'expirez pas de manière à ce que votre respiration soit un effort. Le secret est de respirer profondément mais calmement. Ne forcez pas vos poumons à absorber une trop grande quantité d'air à la fois. Expirez complètement, puis inspirez complètement. Peu à peu, vous commencerez à vous détendre. Concentrez-vous sur votre respiration. Ceci apaisera votre corps et votre mental tout en augmentant votre sens de la perception. Les respirations profondes contribuent également à oxygéner le sang. Un corps qui est privé de sa part naturelle d'oxygène se fatigue plus rapidement qu'un autre qui est favorisé par une bonne respiration régulière. Malheureusement, la plupart d'entre nous respirent superficiellement, sans compter la tension qui vient s'ajouter au problème. Après quelques années, une respiration peu profonde augmente le stress et la vulnérabilité à la maladie. N'oubliez donc pas de vous concentrer sur votre façon de respirer. Permettez à votre souffle d'être plus lent et relativement plus profond que d'habitude.

Gardez votre corps détendu. Si votre corps n'est pas relaxé pendant que vous massez votre partenaire, vous deviendrez fatigué et tendu. Vous n'apprécierez pas l'expérience et le receveur non plus. Le massage doit être un moment agréable. Laissez votre tête reposer librement sur votre cou et gardez vos épaules détendues en veillant à ce qu'elles ne soient pas trop élevées près de vos oreilles. Gardez votre dos aussi droit que possible et libérez-le des courbes concaves ou convexes qui sont anormales. Vérifiez-le mentalement à plusieurs reprises afin de conserver une posture détendue.

Soyez conscient de la partie du corps que vous massez. Ne croyez pas que pour masser il s'agit de presser sur la peau. Vous devez atteindre le centre du corps du receveur. Pensez à la pénétration qui doit atteindre jusqu'à la moelle des os, les organes vitaux et le système nerveux central. Cette pénétration ne doit cependant pas causer de douleur. Concentrez votre attention sur le point de contact. Comment vivez-vous cette perception? Le point est-il doux, dur, chaud, froid, tendu, creux, actif ou sans énergie? Sentez-vous une énergie irradier de ce point de pression? Laissez votre instinct vous dicter quelle force utiliser.

Quelle est la disposition d'esprit du receveur? Le receveur doit lui aussi porter son attention sur la pression exercée sur chaque point de pression. Ceci l'aidera à garder son mental libre de toutes pensées et de toutes inquiétudes inutiles. Cette forme de concentration entraînera souvent le receveur vers le sommeil après quelques minutes de massage. Le receveur doit se soumettre et laisser le donneur pénétrer jusqu'à l'essence même de son être. Il doit surtout être reconnaissant de pouvoir bénéficier d'un massage.

Concentrez votre attention. Si le point de pression touché ou la technique de massage utilisée correspondent à un organe particulier, concentrez-vous sur cet organe. Essayez d'imaginer à quel endroit précis il se trouve dans le corps et visualisez sa forme et sa grosseur. Avec un peu de pratique, de concentration et de désir, le receveur et le donneur parviendront à sentir le mouvement de l'énergie qui circule à travers l'organe visé par le massage. De plus, l'énergie, le sang et les éléments nutritifs atteindront leur destination plus facilement si vous concentrez bien votre attention.

Exécutez vos mouvements de pénétration avec lenteur et assurance. Lorsque vous avez établi le contact avec un point de pression, pénétrez-le avec lenteur et assurance. Ne faites pas de mouvements inutiles qui pourraient distraire le receveur. Au moment d'appliquer la pression, allez-y avec douceur et augmentez graduellement votre force jusqu'à atteindre la moitié du seuil de tolérance du receveur. Assurez-vous ensuite que celui-ci est bien à l'aise et terminez la pression que vous êtes en train d'exécuter. Les techniques de pression et de massage doivent être faites patiemment et sans aucune hâte. Les mouvements trop rapides ou énergiques sortiront le receveur de l'état de calme dans lequel vous aviez réussi à l'installer avec beaucoup de mal. N'oubliez pas que votre but est de l'aider à se relaxer et à se calmer. Votre confiance ou votre manque de confiance agiront sur lui, prenez donc le temps d'agir très lentement, avec souplesse et assurance.

Établissez un rythme régulier. Un rythme bien balancé calme le mental et détend le corps. L'application du massage ou de la pression, exécutée à une cadence hypnotisante, permet au mental de se concentrer uniquement sur ce qui se passe au niveau du corps. Le rythme doit être lent sinon il empêchera le receveur de se relaxer. Cette lenteur facilitera également la libre circulation des énergies corporelles.

Fermez vos yeux. En fermant vos yeux, vous éliminerez les perceptions visuelles inutiles et votre sens du toucher sera aiguisé. La qualité de votre toucher donnera encore plus de magie au massage. Jusqu'à tout récemment, tous les masseurs japonais étaient aveugles. En plus de donner un sens extraordinaire à leur vie, l'art du massage permettait à leurs clients d'expérimenter des sensations empreintes de sensibilité et de compassion.

La musique calme le mental. Si vous avez du mal à calmer votre mental, la musique peut vous aider à le faire. Choisissez une musique qui plaît également au receveur, et n'oubliez pas que la musique classique ou cosmique, et même le jazz, sont recommandés pendant le massage. Il est préférable d'utiliser des cassettes plutôt que des disques. Les cassettes peuvent être retournées plus facilement d'une seule main que les microsillons, ce qui permet au donneur de ne jamais perdre contact avec le corps du receveur. Gardez le magnétophone à portée de la main afin de ne pas bouger inutilement. Si possible, enregistrez votre musique préférée sur une cassette de 45 minutes. Il existe sur le marché des enregistrements de sons cosmiques créés tout spécialement pour le massage. Il est préférable d'utiliser de la musique instrumentale et de laisser le volume au minimum. La musique doit être un complément au massage et il faut absolument éviter qu'elle le domine.

Le chant libère votre mental et détend votre corps. Si vous n'avez pas de cassettes ou de disques pour le massage, le chant peut clarifier positivement votre mental tout en calmant votre corps. Si vous n'êtes pas particulièrement doué pour le chant, fredonnez les airs qui vous passent par la tête. Ne vous privez pas de ce plaisir. Laissez votre instinct vous dire si vous devez fredonner des notes hautes ou basses. Commencez à chantonner immédiatement après avoir inspiré profondément et continuez pendant toute la durée de votre souffle. Le son et la vibration devraient partir de votre abdomen ou de votre poitrine inférieure et non pas de votre gorge, votre bouche ou votre nez. Si les sons émanent de ces parties de votre corps, vous vous imposez de la tension et vous devrez faire un effort conscient pour vous détendre et ramener le fredonnement au niveau de votre ventre. Ne choisissez pas un air connu car votre mental en profitera pour faire toutes sortes d'associations d'idées. Les notes qui sortent de vous doivent naître du hasard et de votre inspiration. Laissez-les refléter vos émotions et vos besoins. Variez le ton et la durée de chaque son. Cet exercice peut établir une merveilleuse unité entre le receveur et vous tout en favorisant la circulation de l'énergie et en augmentant les bienfaits du massage.

Prévenez les dérangements inattendus. Si vous êtes bien préparé et si vous avez à portée de la main tous les accessoires suggérés dans ce livre, vous pourrez entreprendre le massage dans le calme, la détente et la confiance. En sachant que vous êtes bien disposé, le receveur s'abandonnera plus facilement à votre toucher et à la magie du massage.

Une bonne disposition d'esprit aide l'auto-massage. Pour l'auto-massage, vous devenez à la fois le donneur et le receveur. En tant que donneur, vous devez apprendre à fonctionner sans penser ni faire d'effort. Plusieurs séances d'auto-massage devraient vous permettre de maîtriser suffisamment les techniques proposées sans que vous ayez à penser constamment à la moindre action que vous devez accomplir. En tant que receveur, vous devez être prêt à expérimenter. Concentrez votre attention sur les sensations physiques éprouvées plutôt que sur l'exécution de la technique. Plus vous serez conscient des réponses de votre corps et plus vous profiterez des bienfaits et des joies que procure le massage. La pratique régulière vous conduira vers la perfection. Un auto-massage peut être aussi satisfaisant que le fait d'être massé par une autre personne si vous êtes bien disposé mentalement et si vous laissez la magie du massage passer librement à travers vos mains.

Développez une vision de radiographie. Étudiez les différents tableaux consacrés à l'anatomie. (Il n'est pas nécessaire d'apprendre toute la terminologie.) Fermez ensuite vos yeux et essayez de les visualiser en détail. Pratiquez cela régulièrement, cinq minutes à la fois. Vous serez bientôt capable de voir ces différents tableaux à travers le corps pendant que vous donnerez un massage. (Si possible, observez un squelette utilisé normalement pour les cours de biologie afin de développer votre vision tridimensionnelle.)

3) COMMENT DONNER UN MASSAGE SANS SE FATIGUER

Il est facile de donner un massage sans éprouver de fatigue. Vous devez simplement apprendre quelques trucs. Ces trucs ou ces règles peuvent être adaptés à toutes les formes de massage, qu'il s'agisse pour vous de masser votre enfant, votre animal, une autre personne ou vous-mêmes vous devrez faire preuve d'une certaine discipline, pour commencer, mais si vous pratiquez assidûment et si vous faites des vérifications régulières, vous adopterez bientôt inconsciemment la posture la plus convenable ainsi que la position et l'angle de pénétration les plus efficaces. Vous pourrez ainsi laisser la magie du massage agir sans interruption.

Adoptez la position qui convient le mieux à la technique exécutée. Étudiez les photographies et les légendes qui accompagnent chacune des techniques. Essayez de vous placer exactement comme il est indiqué dans le présent ouvrage. Ceci vous permettra de travailler dans les meilleures conditions possibles. Si, pour une raison ou pour une autre, vous ne vous sentez pas à l'aise dans une position donnée, choisissez-en une autre vous plaisant davantage. N'oubliez jamais que votre dos ne doit pas être arrondi pendant que vous travaillez. Essayez aussi de toujours vous placer perpendiculairement à la surface du corps du receveur où vous appliquez la pression.

Le confort est très important. Si, à n'importe quel moment, votre position cesse d'être confortable, changez-la. Autrement, votre malaise sera transmis au receveur et le massage sera moins agréable pour chacun d'entre vous. L'idée est de changer de position sans déranger le receveur. Ne bougez JAMAIS brusquement ou ne sursautez pas soudainement. Laissez vos mains sur le corps du receveur même au moment de corriger votre position. Des mouvements trop brusques briseront le lien entre lui et vous, et cinq ou six perturbations du même genre pourront nuire au succès du massage. Votre but est de créer une atmosphère de sérénité, de confiance et d'entente. Le changement de position doit donc être effectué graduellement et subtilement. Par exemple, si vous êtes en train d'exercer une pression et que vous n'êtes plus capable de supporter votre position, commencez à la transformer pouce par pouce sans rien perturber. Vous devez décider d'avance quelle position vous voulez adopter et y parvenir *graduellement*. Ne bougez pas pendant que vous appliquez une pression. Faites alterner votre mouvement avec l'application de la pression. Pressez, puis bougez un peu; pressez, puis bougez encore un peu. Continuez ainsi jusqu'à ce que vous soyez à l'aise. Tout mouvement ou tout changement de position intervenant avec le cours normal du massage doit être accompagné de grâce, de souplesse et de subtilité afin de ne pas perturber le receveur. Le massage devant être empreint de magie, chacun de vos gestes doit donc être magiquement imperceptible.

Gardez votre colonne vertébrale droite. Ne permettez pas à votre dos de s'affaisser. La partie supérieure

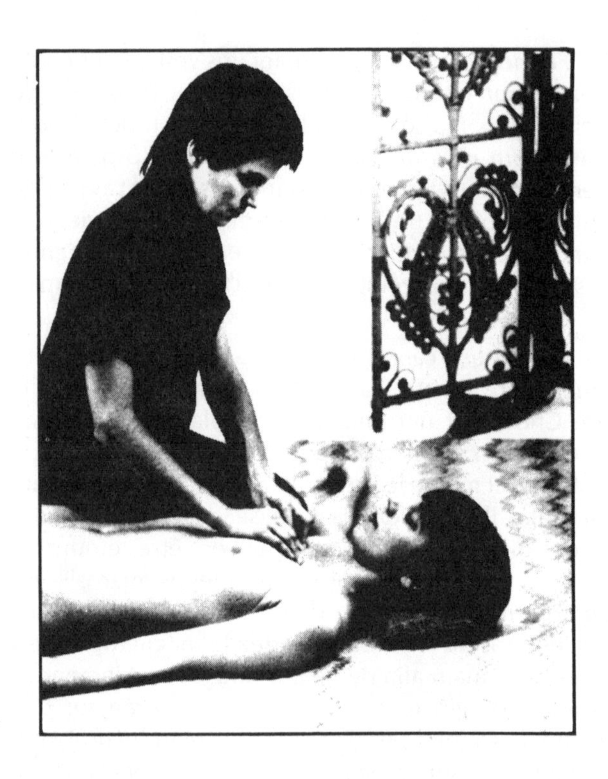

du dos doit être droite et détendue, jamais arrondie. Le bas du dos doit être aussi plat que possible. Éliminez les dépressions concaves qui sont responsables du «derrière du canard». Pendant que vous donnez le massage, vérifiez occasionnellement l'orientation de votre colonne vertébrale. Si elle manque de tenue ou si elle est arquée, ramenez-la doucement à sa bonne position en prenant soin de ne pas déranger le receveur.

Gardez vos épaules détendues. Le fait de masser pendant que vos épaules sont tendues vous dérangera rapidement. Il n'est pas toujours facile de garder ses épaules détendues, mais à force de les surveiller, on parvient à maîtriser la position convenable. Commencez par les laisser tomber. Pendant le massage, concentrez-vous sur cette attitude de détente. Je ne veux pas dire par là que vous devez tendre vos épaules pour leur permettre de garder leur position vers le bas, mais bien que vous devez vous concentrer sur leur relâchement.

N'utilisez pas votre force musculaire pour exercer une pression. Au moment d'appliquer une pression avec votre pouce, utilisez votre poids et votre hara et non pas la force musculaire de vos épaules. Imaginez qu'une force magique émerge de votre torse et circule ensuite dans vos bras pour atteindre le receveur. Sentez la force qui croît en vous. Ne vous fiez pas à la force de vos muscles. À moins d'être une personne très puissante

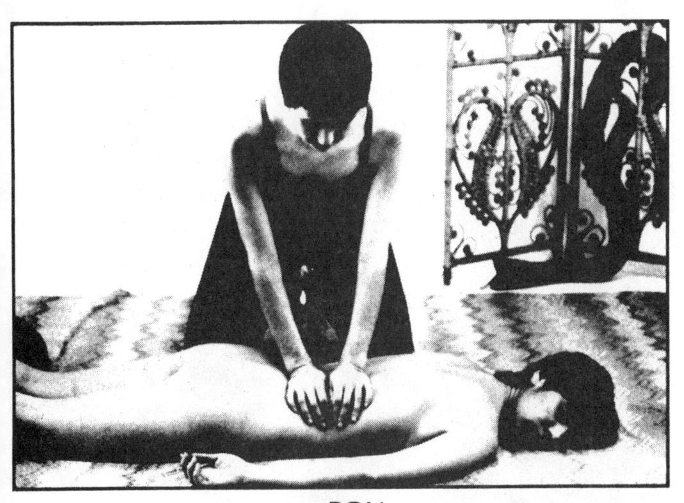

BON

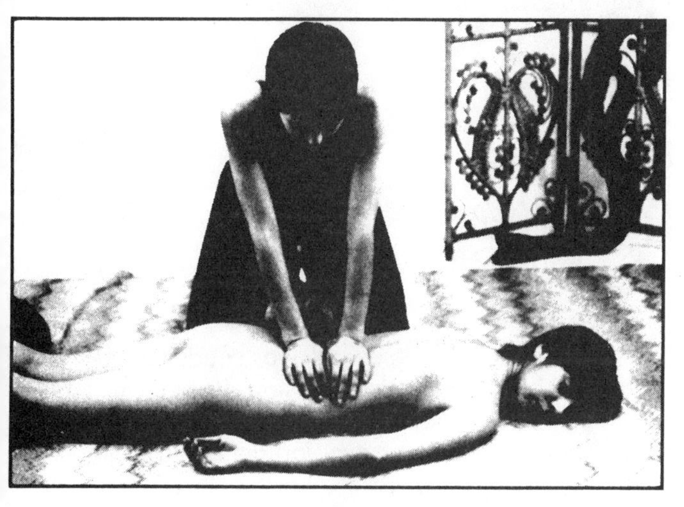

MAUVAIS

musculairement, vous vous sentirez vite fatigué et vidé. Essayez de développer votre capacité à masser depuis votre hara. Le hara est le mot japonais qui désigne le centre énergétique du corps. Les Japonais croient que lorsque vous agissez depuis votre hara, toutes les choses semblent plus faciles à accomplir, et j'ai personnellement éprouvé la véracité de cette affirmation. Votre hara est situé trois cm et demi au-dessous de votre nombril.

Sachez utiliser vos pouces. Plusieurs techniques de pression exigent l'utilisation des pouces. Si, à n'importe quel moment pendant le massage, vous sentez de la douleur dans vos pouces, utilisez vos doigts, vos jointures, vos coudes ou vos genoux pour terminer l'exécution. Le talon de votre pied et votre poignet peuvent aussi être des outils efficaces.

PRESSION CONVENABLE DU POUCE

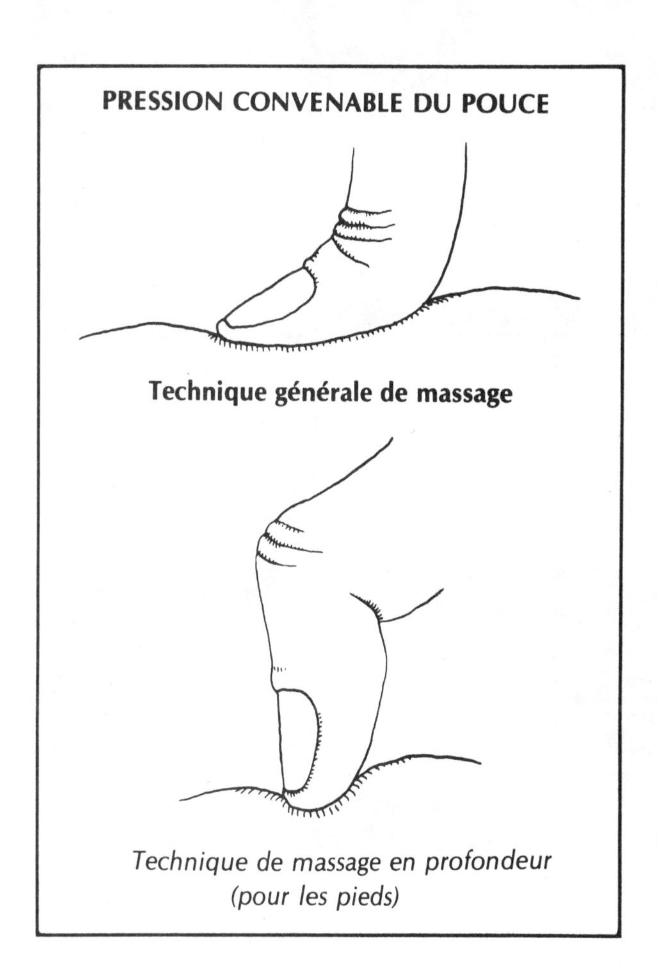

Technique générale de massage

Technique de massage en profondeur (pour les pieds)

Vos doigts peuvent servir à peu près de la même manière que vos pouces parce qu'ils sont, eux aussi, doux et coussinés. Utilisez votre majeur et recouvrez-le avec votre index et votre annulaire. N'oubliez pas de garder vos épaules détendues et votre colonne vertébrale droite pendant que vous travaillez. On a souvent tendance à perdre sa bonne posture au moment de changer de technique.

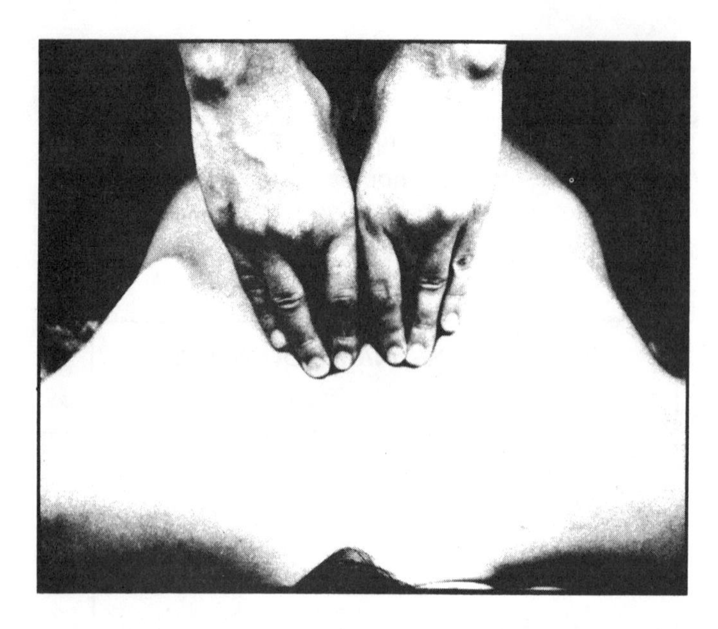

Si vous utilisez vos jointures, n'oubliez pas de déployer moins de force car, contrairement aux pouces, elles ne sont pas coussinées. Pratiquez une pression des

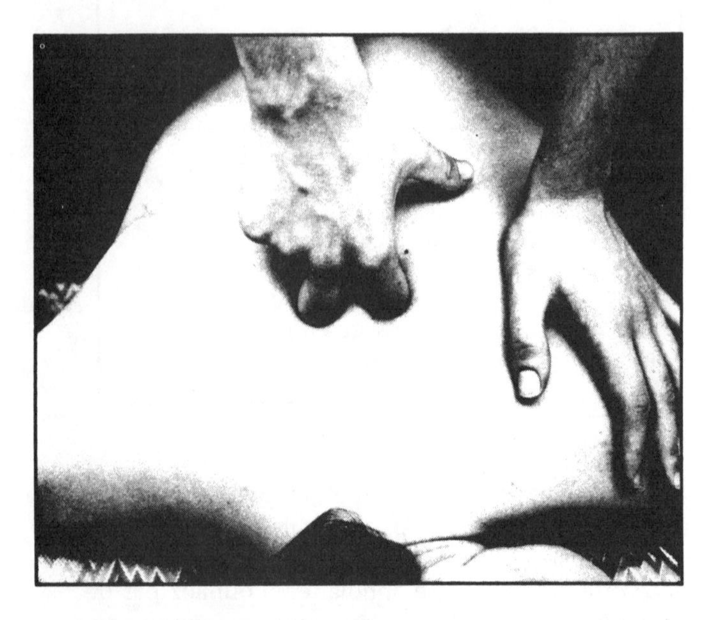

jointures sur le corps du receveur avant de commencer le massage afin de connaître son seuil de tolérance. La pression des jointures, comme toute autre pression, doit être agréable et non pas douloureuse. Surveillez toujours le visage de la personne que vous massez. Ses différentes expressions vous indiqueront si vous travaillez avec trop de force ou non.

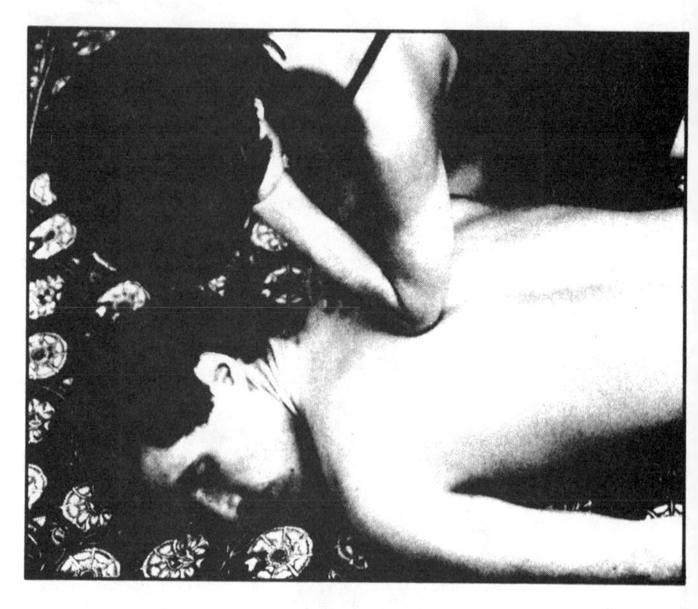

Vous pouvez vous servir de vos coudes en faisant preuve de beaucoup de compassion. Ils peuvent être aussi utiles que les pouces. Mais, parce qu'ils sont très osseux, vous devrez agir avec prudence au moment

d'exercer la pression. Si vous êtes de constitution fragile et que vous massez une personne plus forte que vous, vos coudes vous serviront entre autre à appliquer les pressions destinées au long de la colonne vertébrale. Vous obtiendrez d'excellents résultats sans avoir à déployer trop d'effort et d'énergie, ce qui vous donnera la chance de conserver votre force pendant toute la durée du massage. Appliquez une pression du coude sur les tsubos, ou points de pression, sur un côté de la colonne vertébrale pendant que votre autre main repose sur le dos du receveur en lui procurant un toucher agréable. Répétez la même technique de l'autre côté.

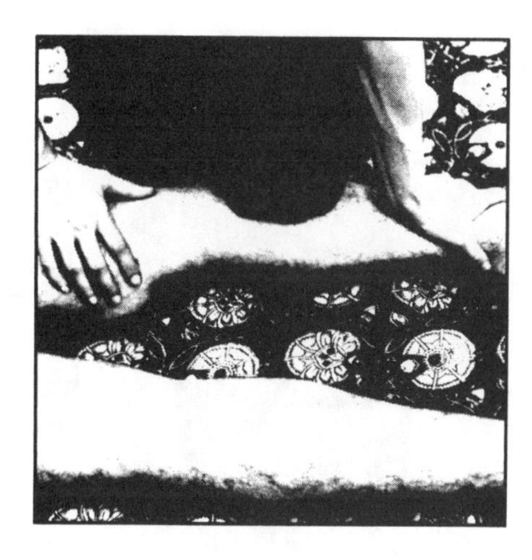

Les genoux peuvent devenir, eux aussi, des instruments de travail efficaces. Le genou peut être appuyé sur un point de pression spécifique tout en agissant sur toute la zone entourant celui-ci. Il est important d'être très perceptif pendant l'application de cette technique en prenant conscience que c'est l'os le plus proéminent du genou qui doit exercer la pression. Concentrez votre attention sur cet os pendant que vous travaillez afin de déterminer quelle force vous pouvez vous permettre de déployer. Seul cet os peut vous servir d'outil. Le reste du genou doit être inopérant.

Vos talons peuvent vous être utiles de plusieurs façons. Par exemple, si vous ressentez une douleur dans vos pouces et que vous n'avez pas fini de masser les pieds du receveur, utilisez vos pieds. Marchez sur la plante des pieds de la personne que vous massez. Appliquez une pression au même endroit que vous le feriez avec vos pouces. Laissez reposer la plus grande partie de votre poids sur chacun des points réflexes pendant trois à cinq secondes. Certaines personnes pouvant tolérer une pression plus forte que d'autres, n'hésitez donc pas

à demander au receveur s'il est à l'aise. Vous serez incapable de travailler aussi minutieusement avec vos talons qu'avec vos pouces, mais vous serez en mesure de stimuler la plupart des points réflexes. Vous terminerez votre manipulation avec vos pouces ou vos doigts un peu plus tard. Maintenez votre équilibre en vous appuyant sur une chaise au besoin. Les talons peuvent également être employés pour les épaules, le derrière des jambes et les fesses. Observez toujours les réactions de malaise que le receveur pourrait manifester

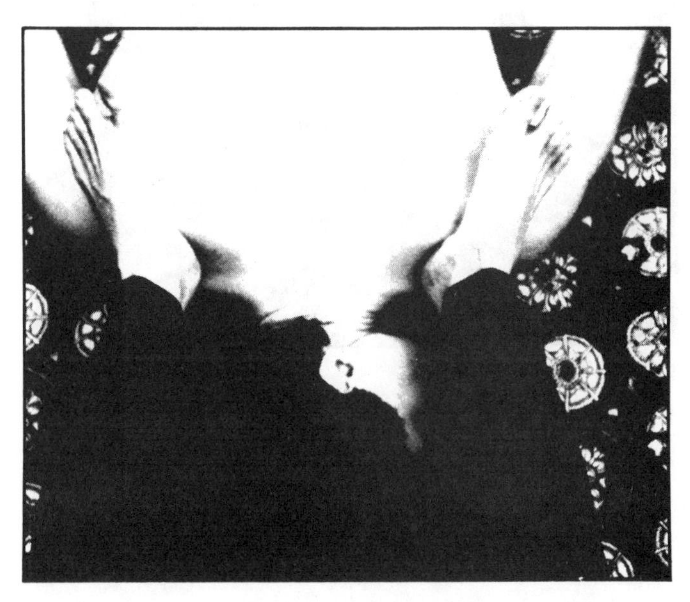

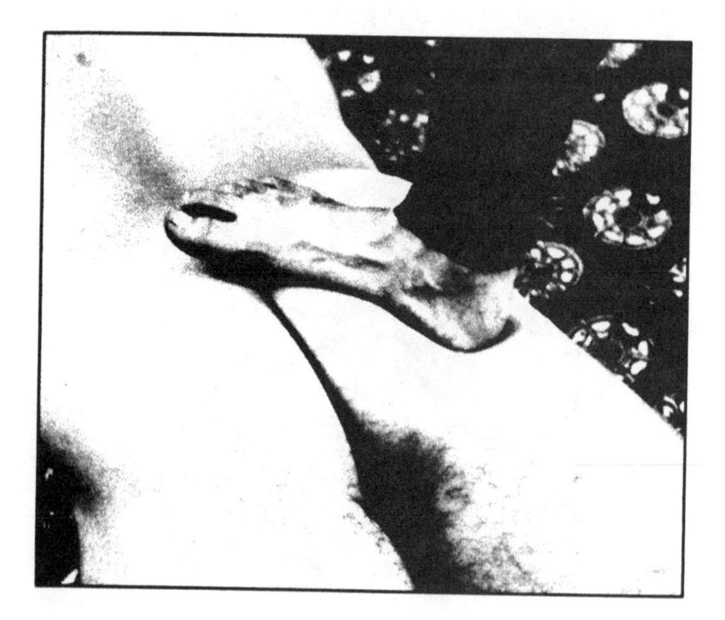

Quant à vos poignets, ils peuvent servir à appuyer sur des méridiens et sur des points de pression spécifiques. Toute la surface de votre poignet vous aidera à exécuter parfaitement la Technique numéro 63. L'éminence osseuse de votre poignet deviendra un instrument de travail extraordinaire pour presser sur certains tsubos. Dirigez tout simplement la force de votre pression à travers votre bras pour qu'elle atteigne votre poignet avant de toucher le corps du receveur. Vos mains doivent être détendues pendant que vous travaillez.

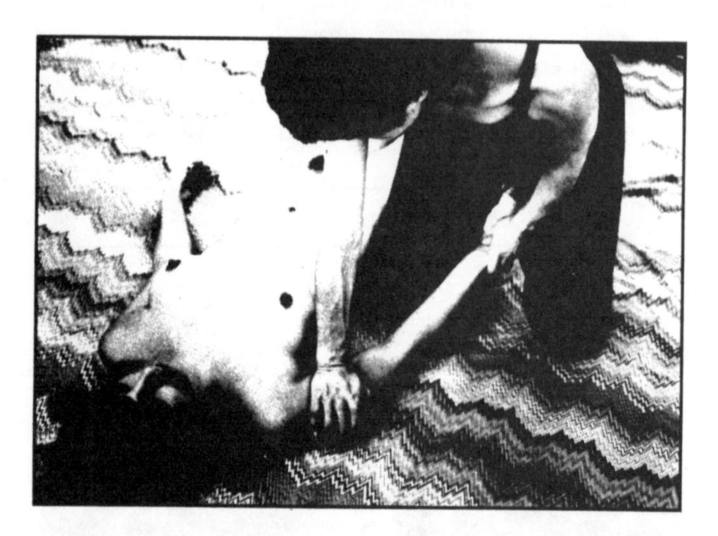

La position est importante. Essayez d'adopter les positions illustrées sur cette page. Elles ont toutes été éprouvées et elles sont véritablement agréables et pratiques. Soyez à l'aise et en bon équilibre au moment d'exécuter une technique.

Un bon angle de pénétration est indispensable. Essayez le plus possible d'appliquer la pression directement au-dessus de la zone concernée par la technique. L'angle de pénétration doit être perpendiculaire à la surface qui reçoit la pression. Le poids de votre corps reposera naturellement sur le tsubo et votre force musculaire n'interviendra pas.

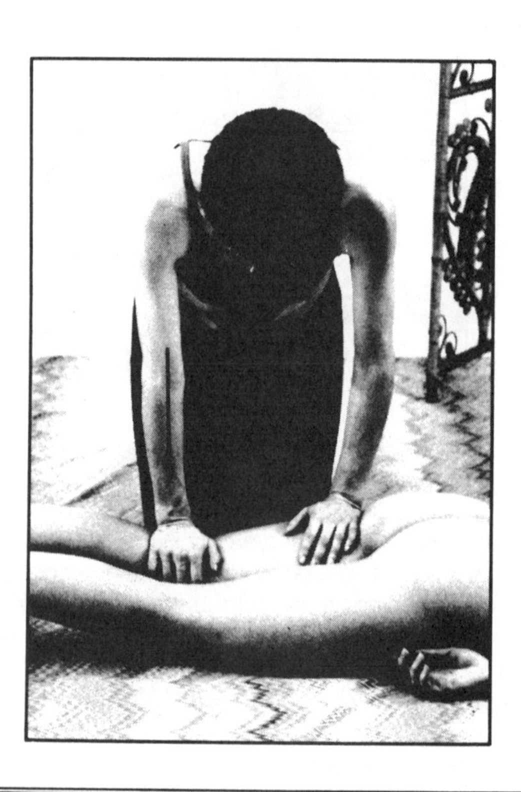

4) QU'EST-CE QUE LE MASSAGE ÉCLECTIQUE?

The Random House College Dictionary définit le mot *éclectique* de la façon suivante: «Adj. 1. sélectionner; choisir à partir de sources variées. 2. rassemblement de ce qui a été sélectionné à partir de sources variées. 3. qui ne suit aucun système, philosophie, médecine, etc. particulier, mais qui choisit et utilise les éléments considérés les meilleurs de tous les systèmes...»

La thérapie des méridiens de l'acupuncture qui ne prône pas l'utilisation des aiguilles, que l'on appelle également acupression, thérapie des points de pression, acuthérapie ou shiatsu, a été synthétisée avec la réflexologie des pieds, la thérapie neuro-vasculaire du toucher thérapeutique, le massage neuro-lymphatique, le massage suédois et d'autres techniques originales, dans le but de créer un système particulier intégrant les approches corporelles orientales et occidentales. Ce livre offre une nouvelle façon de maintenir et d'améliorer les fonctions du corps. Ce système marie les disciplines les plus efficaces et les plus bénéfiques connues dans le domaine de la santé physique. Il aide le corps à développer ses mécanismes naturels de défense et de guérison. Plutôt que d'agir comme le ferait une cure directe, il encourage l'organisme à faire tout en son pouvoir pour rester en bonne condition.

5) DISCIPLINES RELEVANT DE CE SYSTÈME ÉCLECTIQUE DE MASSAGE

Les pages suivantes mettent en lumière les aspects des disciplines relevant de ce système éclectique de massage que l'auteur trouve important de divulguer pour ajouter à la connaissance générale de ses lecteurs. Ces renseignements ne sont toutefois pas exhaustifs. Pour obtenir des informations complémentaires au sujet de l'une ou l'autre de ces disciplines, veuillez consulter la bibliographie s'il vous plaît.

a) ACUPUNCTURE = *acu(s)/aiguille + punctura/piqûre*

- Une aiguille très fine pénètre les points d'acupuncture (tsubos) qui sont situés le long des méridiens ou du chemin emprunté par l'énergie
- La pénétration est peu profonde, ne dépassant pas quelques millimètres, et elle peut durer jusqu'à 30 minutes ou plus
- Une pénétration exécutée convenablement cause peu ou pas de douleur
- Les méridiens ou circuits énergétiques ont été reconnus par les instruments électroniques modernes
- Les méridiens ne sont pas seulement situés à la surface du corps, comme on le montre sur la plupart des tableaux, mais on les retrouve également en profondeur
- L'énergie méridienne ne circule pas dans les vaisseaux, contrairement au sang ou à la lymphe; voilà pourquoi le rationalisme de la médecine occidentale a eu du mal à accepter la théorie millénaire orientale prônant l'existence des méridiens, même si des instruments modernes ont réussi à prouver ce fait hors de tout doute
- Plusieurs théories tentent d'expliquer comment l'acupuncture arrive à fournir de bons résultats mais aucune n'est totalement acceptable
- Il est important de se rappeler que même si la médecine occidentale refuse d'accepter l'acupuncture dans sa pratique, la médecine orientale continue de l'utiliser comme méthode sûre et efficace d'anesthésie pendant une intervention chirurgicale. On peut également traiter de nombreux troubles et maladies grâce à elle
- L'acupuncture repose sur deux méthodes de base pour traiter les problèmes de santé: l'acupuncture sur les points situés près du problème décelé et l'acupuncture exercée loin de ces mêmes points
- La médecine occidentale peut accepter plus facilement l'acupuncture des *locus dolenti*, ou points situés près du problème, comme méthode de traitement, même si l'autre méthode des points distants est plus efficace
- L'acupuncture encourage les mécanismes naturels de défense du corps
- Un total de cinquante-neuf méridiens est utilisé dans l'acupuncture traditionnelle chinoise
- Les douze méridiens principaux ainsi que le vaisseau gouverneur et le vaisseau de la conception, qui sont aussi des méridiens, sont les méridiens dont il est le plus souvent question dans ce livre

LES MÉRIDIENS DE L'ACUPUNCTURE

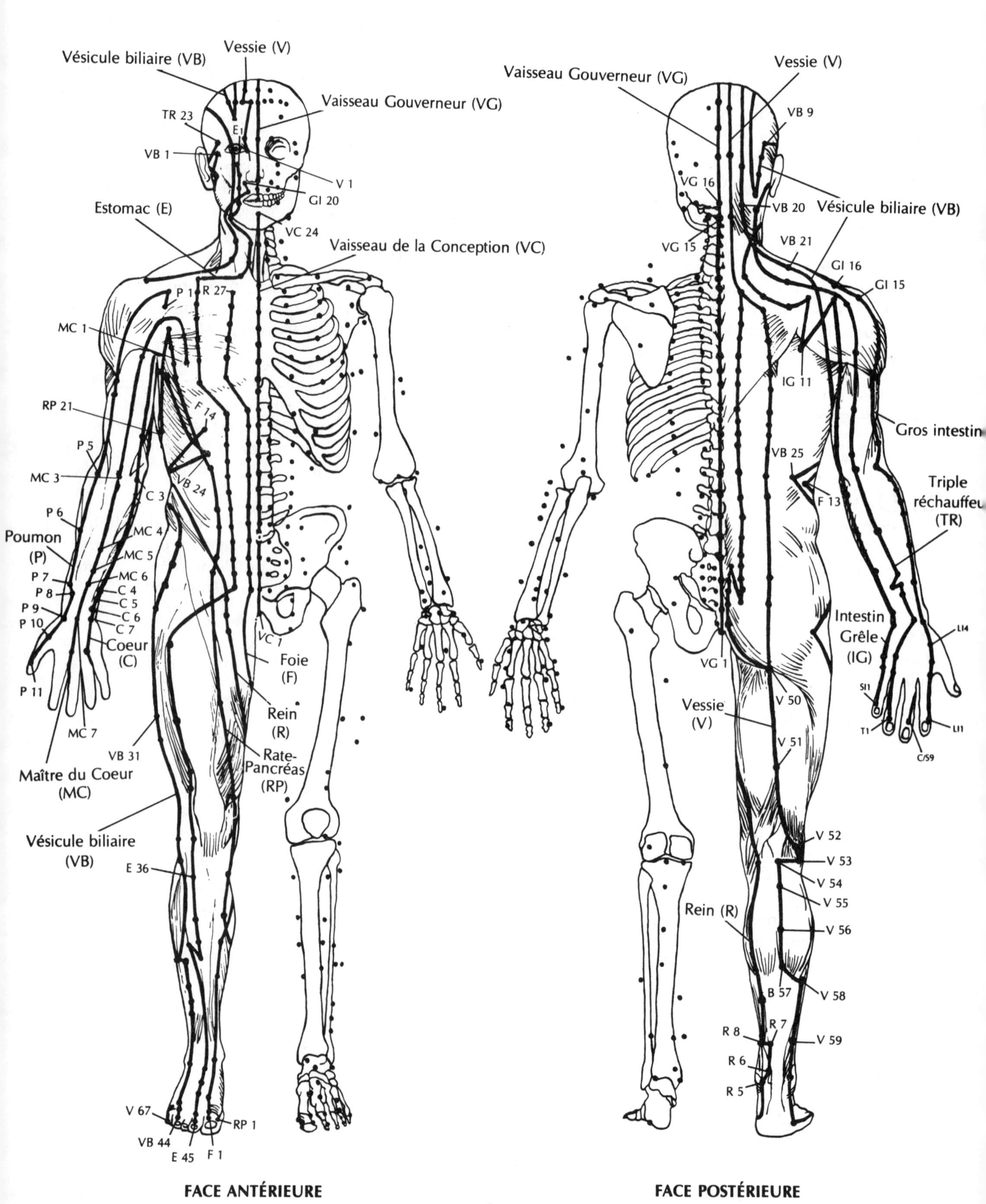

FACE ANTÉRIEURE

FACE POSTÉRIEURE

PLANCHE DE RÉFÉRENCE

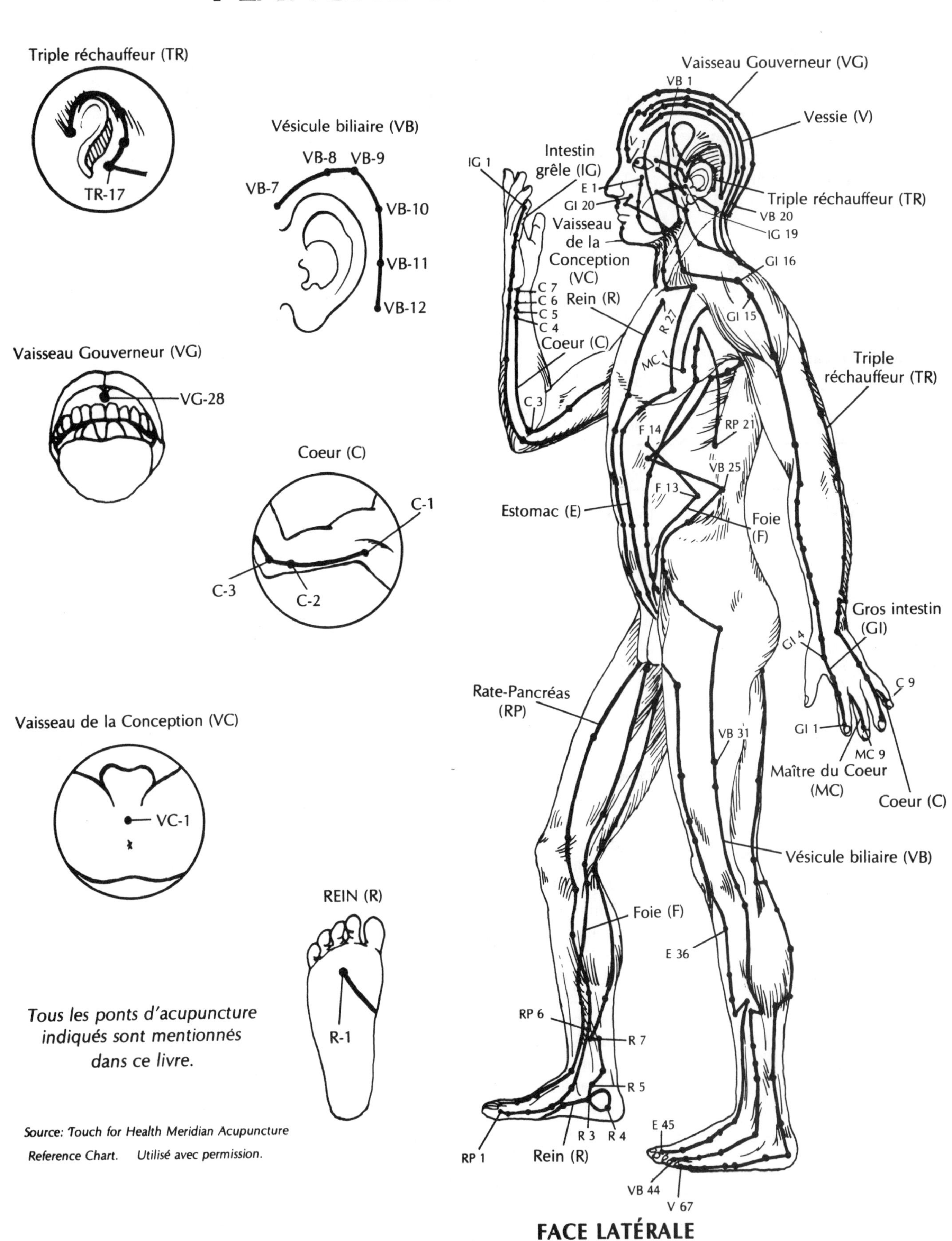

Tous les ponts d'acupuncture indiqués sont mentionnés dans ce livre.

Source: Touch for Health Meridian Acupuncture Reference Chart. Utilisé avec permission.

MÉRIDIEN	**MALADIE OU ORGANE RELIÉ	MUSCLES ASSOCIÉS
Vaisseau de la conception	Cerveau	Sous-clavier
Vaisseau gouverneur	Colonne vertébrale et Système nerveux	Grand rond
Estomac	Estomac tension et insomnie sinus et allergies maux de tête	Grand pectoral claviculaire Angulaire de l'omoplate Muscles du cou Radial
Rate/Pancréas	Rate Pancréas infections et fièvres anémie	Grand dorsal Trapèze Triceps
Coeur	Coeur	Sous-scapulaire
Intestin grêle	Intestin grêle troubles digestifs douleurs lombaires problèmes aux genoux	Quadriceps Abdominaux
Vessie	Vessie problèmes aux hanches et genoux plats maladresse troubles émotifs problèmes aux genoux	Péronier Petit dentelé Jambier
Rein	Reins problèmes de peau taches foncées sous les yeux grande soif douleurs lombaires troubles cardiaques problèmes aux yeux et aux oreilles	Psoas Trapèze supérieur Grand fessier
Maître du coeur/ Circulation-Sexe	circulation générale organes sexuels troubles menstruels douleurs à la poitrine ménopause problèmes à la prostate impuissance troubles sciatiques problèmes de vessie	Grand fessier Grand adducteur Adducteurs Obturateur interne

MÉRIDIEN	**MALADIE OU ORGANE RELIÉ	MUSCLES ASSOCIÉS
Triple réchauffeur	Thyroïde Surrénales Pancréas problèmes reliés au sucre infections	Petit rond Couturier Droit interne Long péronier Jumeau externe
Vésicule biliaire	digestion et troubles biliaires	Deltoïde antérieur Poplité
Foie	Foie taches grises troublant la vue glaucome maux de tête lancinants	Grand pectoral sternal Rhomboïdes
Poumons	Poumons tous les problèmes de poumon	Dentelé Biceps brachial Deltoïdes Diaphragme
Gros intestin	Gros intestin tous les problèmes reliés au gros intestin douleurs à la poitrine et aux seins durant la période menstruelle nervosité et épuisement maux de tête	Tenseur fascia-lata Tendons des jarrets Moyen fessier

** Maladie ou organe relié. Les maladies reliées aux organes énumérés, ainsi que plusieurs autres qui n'ont pas été mentionnées ci-haut, peuvent être soignées ou guéries grâce à l'acupuncture.

b) ACUPRESSION/ POINTS DE PRESSION

(*Acu*pression ou *Acu*thérapie: fausse appellation puisque *acu* signifie aiguille et qu'aucune aiguille n'est nécessaire à l'application de cette thérapie.)

- Aucune aiguille n'est utilisée pour l'acupression et les points de pression
- Un léger contact digital est appliqué sur la peau là où les points d'acupuncture, ou tsubos, sont situés
- Comme pour l'acupuncture, des applications répétées impliquant des pressions fortes ou légères sont nécessaires pour guérir ou amenuiser les symptômes
- Le grand avantage de l'acupression est que toute personne peut s'aider elle-même grâce à cette technique
- Plusieurs médecins et chiropraticiens apprennent maintenant à leurs patients à utiliser les points d'acupression pour traiter des problèmes de santé précis
- On doit appuyer sur les points d'acupression de 20 à 30 secondes afin de favoriser une réaction
- Le toucher thérapeutique utilise les points d'acupression
- Le shiatsu utilise les points de pression de l'acupuncture

- Les points de pression doivent être maintenus de 3 à 10 secondes ou jusqu'à 1 minute selon la gravité de la maladie

c) SHIATSU = *shi/doigts + atsu/pression*

- Cette discipline utilise d'abord une pression du pouce qui est appliquée sur les tsubos
- Le shiatsu est surtout basé sur les douze méridiens principaux, sur le vaisseau gouverneur et sur le vaisseau de la conception dont il est question précédemment, mais certains thérapeutes utilisent d'autres systèmes de méridiens
- Le ministère japonais de la Santé et du Bien-Être déclare que la thérapie du shiatsu peut «corriger les troubles internes, promouvoir la santé et traiter certaines maladies spécifiques»
- La pression utilisée en shiatsu est plus ferme que le contact léger dont on se sert en acupression
- La pression est généralement maintenue de trois à dix secondes et peut se prolonger jusqu'à une minute selon la gravité du problème
- Les troubles chroniques ou aigus exigent des applications répétées afin de permettre une amélioration de la condition de santé; toutefois, dans certaines circonstances, on remarque des résultats immédiats après une seule séance
- Un traitement de shiatsu n'a pas besoin d'être douloureux pour être efficace même si certains malaises sont parfois inévitables
- Le shiatsu a émergé des techniques de massage et de manipulation de la Chine ancienne au début du XXe siècle
- Chaque point d'un méridien correspond à un organe ou à une partie du corps qu'il peut aider à guérir
- Le shiatsu encourage les mécanismes naturels de défense du corps à agir au maximum
- Le shiatsu est appliqué lentement, calmement et avec beaucoup de compassion

d) RÉFLEXOLOGIE mains et pieds

- Le corps est divisé en dix zones différentes qui se prolongent jusqu'aux mains et aux pieds. Voir page 46
- Chaque zone du pied correspond à une partie du corps ou à un organe particulier
- Les nerfs qui passent à travers les organes et les muscles se terminent dans les mains et les pieds
- Le fait d'appliquer une pression sur une zone précise du pied ou de la main stimule le flot d'énergie, de sang, d'éléments nutritifs et de pulsions nerveuses au niveau de la zone correspondante
- Les dépôts cristallisés d'acide urique et de calcium qui se forment aux terminaisons nerveuses empêchent un fonctionnement maximal du nerf impliqué
- Lorsqu'ils sont dissous, ces dépôts peuvent être absorbés par la circulation sanguine et rejetés par l'urine
- La réflexologie stimule les mécanismes naturels de défense du corps
- Une pression ferme est nécessaire mais le but de la réflexologie n'est pas d'infliger de la douleur aux zones qui sont touchées
- Deux ou trois applications de pression par jour suffisent à améliorer certains problèmes de santé
- Il existe plusieurs écoles de réflexologie, chacune ayant sa propre opinion quant à l'emplacement des points
- Toutes les écoles admettent, toutefois, que les terminaisons nerveuses peuvent légèrement varier d'emplacement selon les individus
- Les tableaux suivants respectent différentes écoles ainsi que quelques découvertes effectuées par l'auteur du présent ouvrage Voir pages 45 et 69

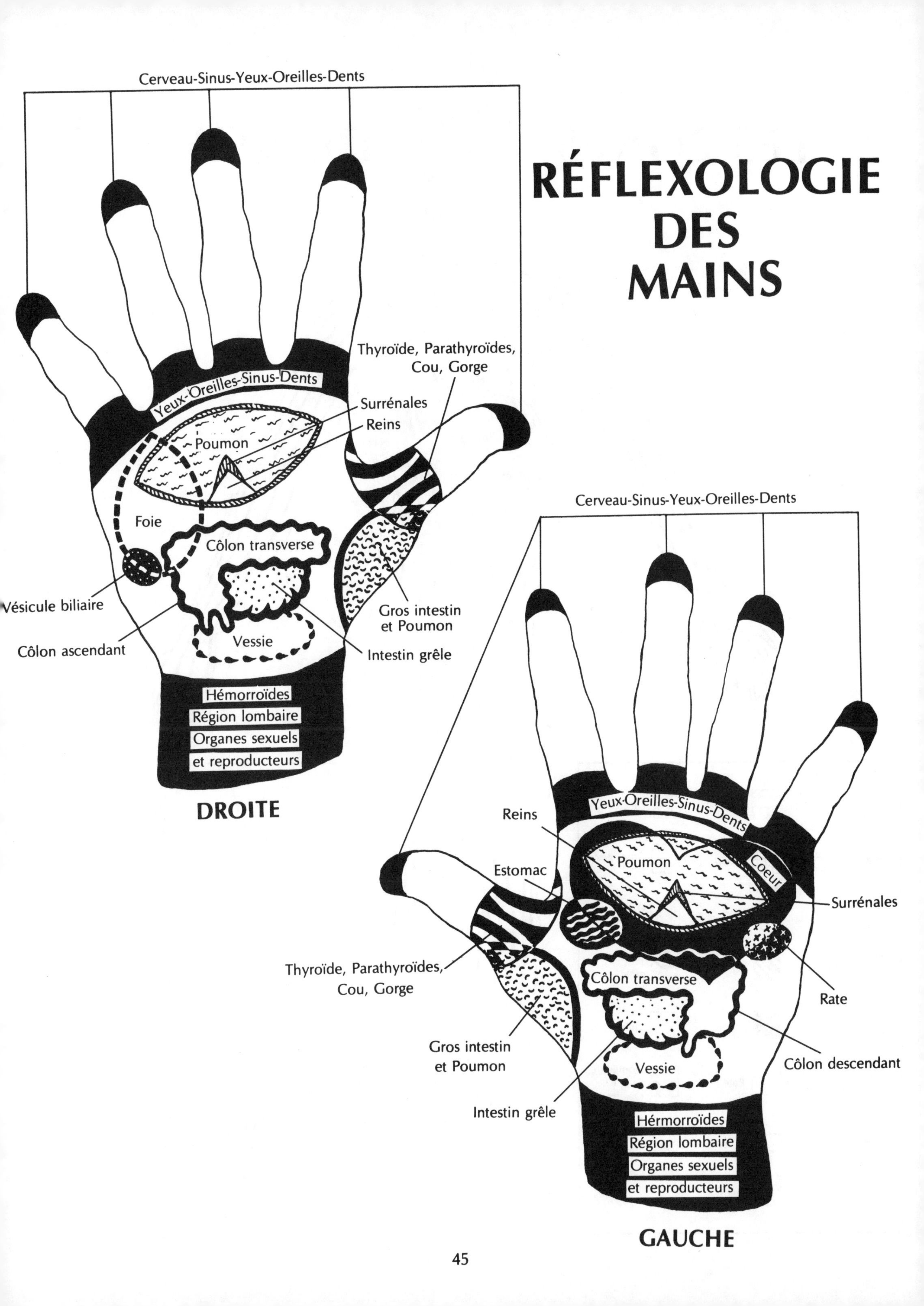
RÉFLEXOLOGIE DES MAINS
Cerveau-Sinus-Yeux-Oreilles-Dents
Yeux-Oreilles-Sinus-Dents
Thyroïde, Parathyroïdes, Cou, Gorge
Surrénales
Reins
Poumon
Foie
Côlon transverse
Vésicule biliaire
Côlon ascendant
Vessie
Gros intestin et Poumon
Intestin grêle
Hémorroïdes
Région lombaire
Organes sexuels
et reproducteurs
DROITE
Cerveau-Sinus-Yeux-Oreilles-Dents
Yeux-Oreilles-Sinus-Dents
Reins
Poumon
Coeur
Estomac
Surrénales
Thyroïde, Parathyroïdes, Cou, Gorge
Côlon transverse
Rate
Gros intestin et Poumon
Vessie
Côlon descendant
Intestin grêle
Hérmorroïdes
Région lombaire
Organes sexuels
et reproducteurs
GAUCHE

LES ZONES DU CORPS

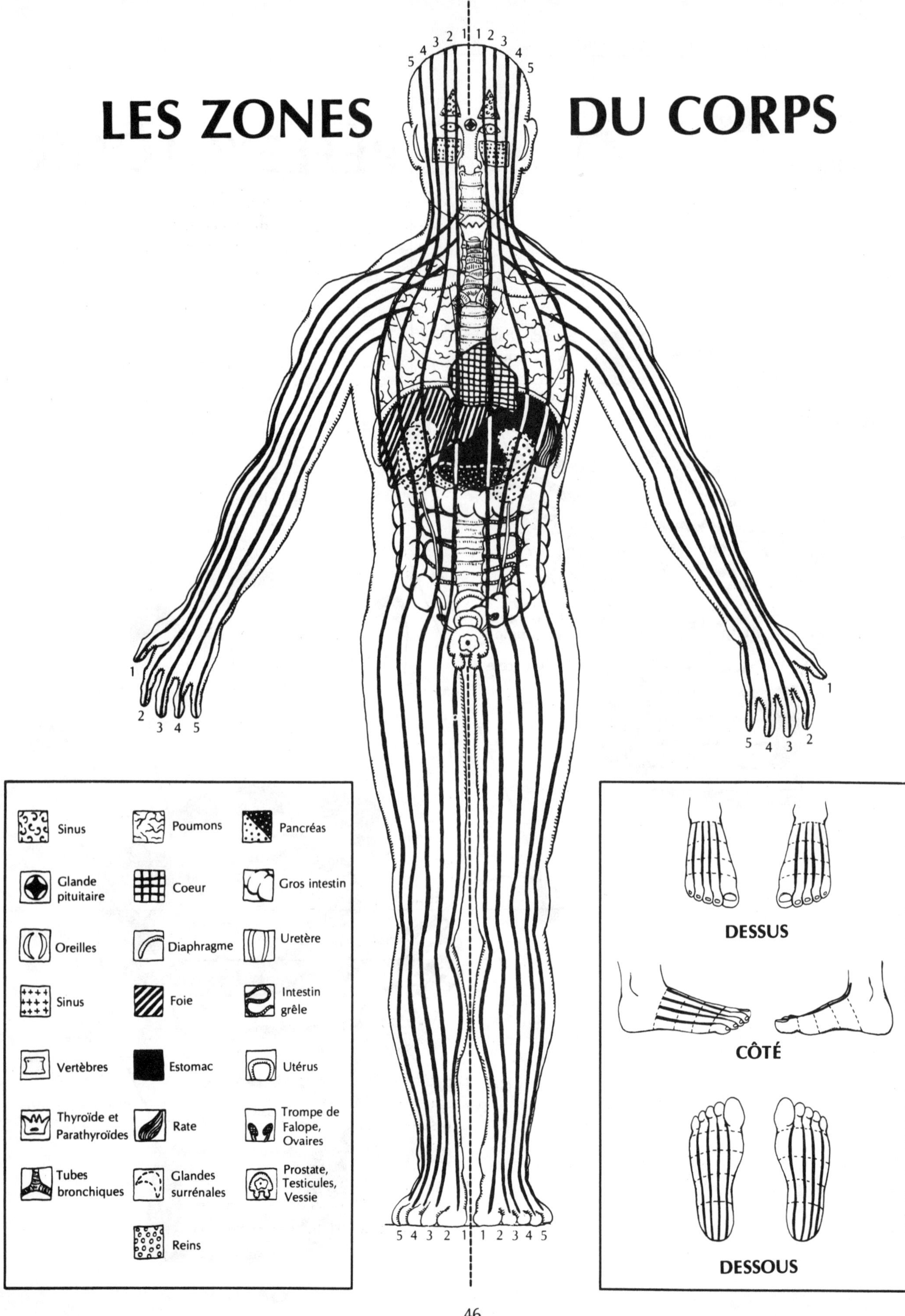

e) TOUCHER THÉRAPEUTIQUE

Le toucher thérapeutique utilise les techniques de la kinésiologie appliquée et développe les mécanismes naturels de défense du corps humain. La kinésiologie appliquée est dérivée quant à elle de la médecine orientale. Quelques-uns des méthodes prônées sont les suivantes:

1) Vérification musculaire

2) Points neuro-vasculaires

3) Points de massage neuro-lymphatiques

4) Trajet des méridiens

1) VÉRIFICATION MUSCULAIRE

- La kinésiologie appliquée est une science qui a prouvé que chaque muscle était affecté par le fonctionnement d'organes particuliers
- La vérification musculaire est une méthode qui vise à déterminer si un muscle est fort ou faible
- La vérification musculaire indique la capacité ou l'incapacité d'un muscle et des organes reliés à fonctionner au maximum de leur possibilité
- La kinésiologie appliquée utilise les points neuro-vasculaires, le massage neuro-lymphatique, la thérapie des méridiens, le massage de l'origine et de l'insertion (il s'agit de masser simultanément l'origine et l'insertion d'un muscle), l'exercice et d'autres méthodes afin que le muscle concerné et les organes reliés fonctionnement convenablement
- La kinésiologie appliquée est très utilisée par les chiropraticiens et les personnes non spécialisées qui en apprennent les rudiments auprès de professeurs de toucher thérapeutique.

2) POINTS NEURO-VASCULAIRES

- Les points ou récepteurs neuro-vasculaires ont été découverts en 1930 par le docteur Terence Bennett
- George Goodheart, D.C., a établi la relation entre les points neuro-vasculaires et le système musculo-squelettique
- Les récepteurs neuro-vasculaires, lorsqu'ils sont bloqués, empêchent le renouvellement de l'acide lactique qui est normalement produit lors des contractions musculaires
- Faire la jonction entre les divers points neuro-vasculaires en appliquant un léger contact avec le gras des doigts
- Percevoir une légère pulsation qui n'est pas directement reliée aux battements du coeur. Si elle est difficile à situer, étirer délicatement la peau et la pulsation pourra être décelée
- Cette pulsation est provoquée par le battement microscopique des capillaires
- Maintenir les récepteurs jusqu'à ce que les pulsations deviennent synchronisées. Ceci se produit habituellement en moins de vingt secondes, mais il faut parfois cinq, dix et même plusieurs minutes
- Les points neuro-vasculaires améliorent la circulation capillaire du sang vers le muscle concerné et les organes reliés
- La plupart des points neuro-vasculaires sont situés sur le crâne. Voir pages 154 et 155

3) POINTS DE MASSAGE NEURO-LYMPHATIQUES

- Le docteur Frank Chapman a été le premier à découvrir les points ou récepteurs de massage neuro-lymphatiques
- George Goodheart, D.C., a systématiquement relié chaque récepteur neuro-lymphatique à un ou quelques muscles
- Lorsqu'un récepteur neuro-lymphatique est bloqué, les muscles correspondants sont incapables de fonctionner normalement
- On doit masser les neuro-lymphatiques en appliquant une pression moyenne à ferme avec les pouces ou les doigts
- Les neuro-lymphatiques qui sont sensibles ont davantage besoin d'être massés
- Faire les mouvements de massage en respectant le sens des aiguilles d'une montre. Si la sensibilité ne disparaît pas après quinze à trente secondes, faire des mouvements à contresens
- Les neuro-lymphatiques deviennent habituellement moins sensibles pendant le massage car le système lymphatique est alors complètement détendu

SCHÉMAS

LE SYSTÈME DE DRAINAGE LYMPHATIQUE

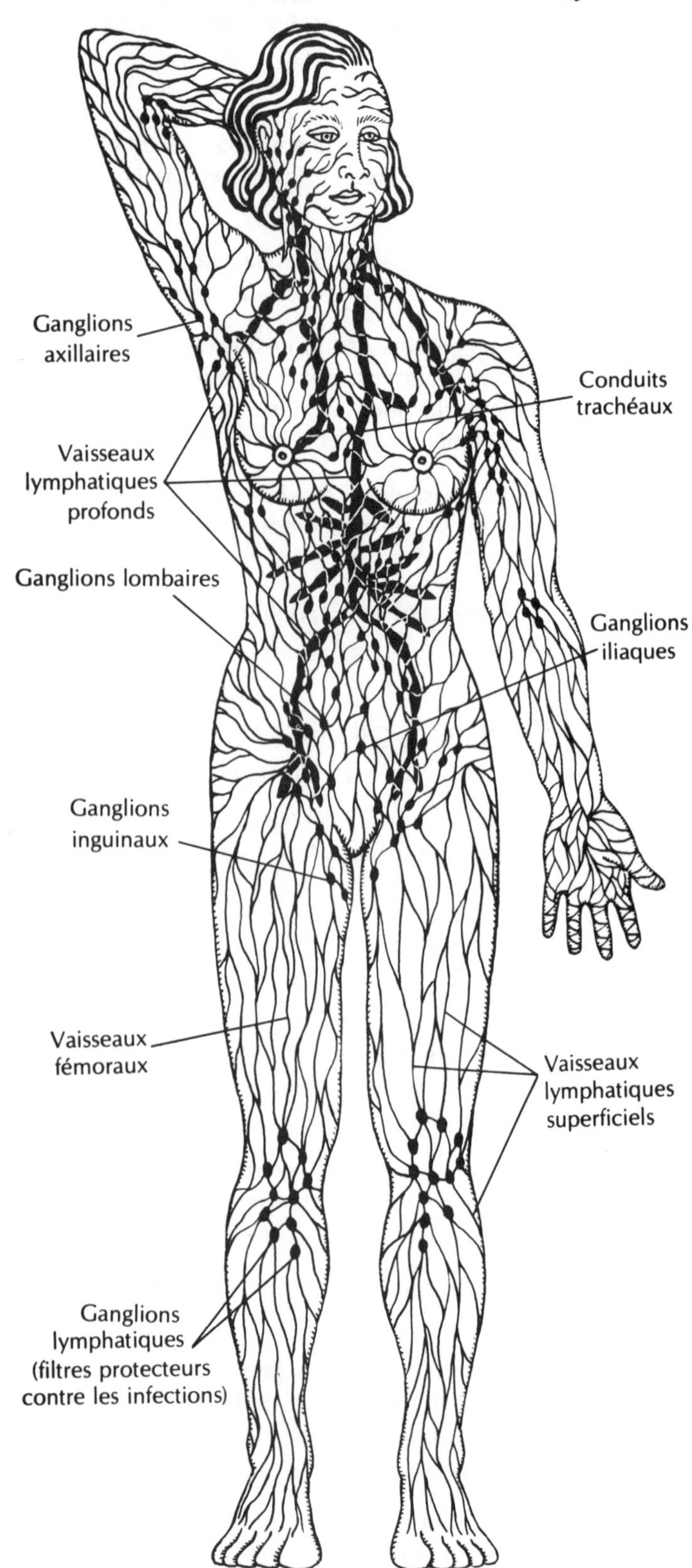

FACE ANTÉRIEURE

Les vaisseaux lymphatiques drainent dans le sang l'excédent de fluide tissulaire et de déchets cellulaires afin de protéger l'organisme.

POINTS DE MASSAGE NEURO-LYMPHATIQUES

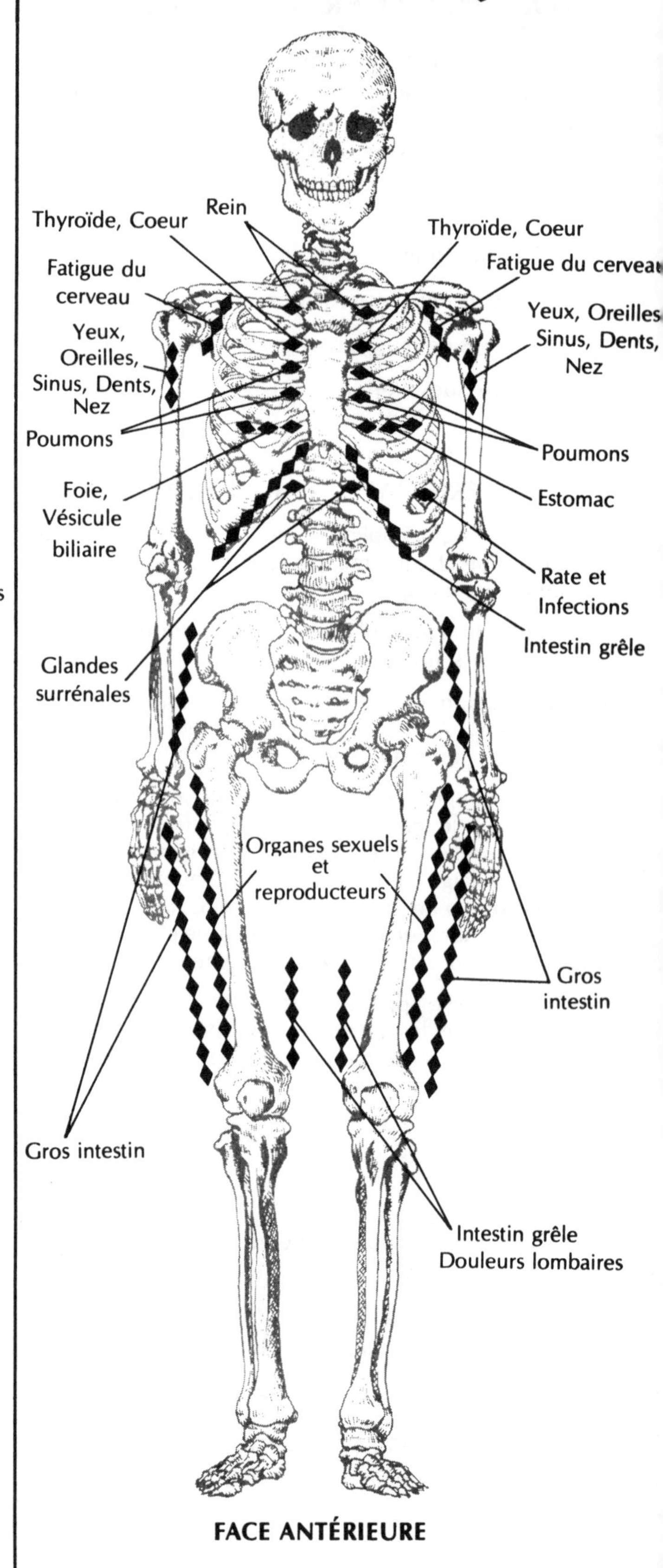

FACE ANTÉRIEURE

- La plupart des neuro-lymphatiques sont situés sur le torse (devant et derrière) mais quelques-uns sont sur les jambes et les bras
- Si une sensibilité persiste encore après quinze à trente secondes de massage dans le sens des aiguilles d'une montre, puis à contresens, le muscle et son organe correspondant auront besoin de plusieurs applications pendant un certain temps afin d'être soulagé des blocages
- Les points de massage neuro-lymphatiques drainent le système lymphatique
- Si le corps est trop intoxiqué, les récepteurs lymphatiques sont plus sensibles et plus douloureux au moment d'être touchés car ils agissent comme un système d'alarme
- Certains des points de massage neuro-lymphatiques correspondent aux glandes ou nodules lymphatiques; toutefois, plusieurs ne sont reliés à rien sur le plan physique
- La lymphe assure le transport des gras, des hormones et des protéines et elle produit des anticorps

4) TRAJET DES MÉRIDIENS

- Suivre doucement le trajet emprunté par les méridiens depuis leur origine jusqu'à leur terminaison
- Si le fait de suivre le méridien depuis son origine jusqu'à son insertion rend le receveur mal à l'aise, renverser le mouvement ou le faire alterner en massant de l'origine à la terminaison, puis de la terminaison à l'origine. Ceci permet de drainer le méridien. Compléter en suivant le trajet du méridien plusieurs fois dans la direction normale. Cette technique aide souvent à rétablir le flot du méridien qui est renversé

Consulter les pages 40 et 41 pour mieux situer les méridiens au moment d'exécuter cette technique.

f) MASSAGE SUÉDOIS

- Le massage suédois améliore la circulation du sang et de la lymphe
- Il guérit les adhérences, réduit l'enflure et aide les plaies à guérir
- Il améliore la flexibilité des jointures et augmente l'étendue des mouvements
- Au moment d'effleurer les membres, il faut toujours commencer par l'extrémité et continuer vers le haut, en direction du coeur, afin de faire recirculer le sang stagnant.
- Le massage suédois utilise des techniques plus vigoureuses et stimulantes que le shiatsu
- Il existe cinq techniques de massage de base:

  1) Effleurage — un long mouvement caressant, profond ou superficiel, vers le coeur, afin d'améliorer la circulation du sang et de la lymphe à travers le corps ainsi que l'apport nutritif et le fonctionnement des muscles
  2) Pétrissage — on soulève, compresse et roule les muscles pour les renforcer et pour stimuler les vaisseaux lymphatiques ainsi que le sang qui circule en profondeur dans le corps
  3) Friction — un mouvement circulaire pénétrant, d'abord destiné aux jointures, pour détruire les adhérences
  4) Vibration — des avant-bras, des mains et des doigts afin de stimuler le système nerveux
  5) Tapotement — on hache, frappe, martèle et bat le corps en utilisant des mouvements exécutés avec les mains ouvertes ou fermées dans le but de stimuler les muscles. Le tapotement peut calmer ou stimuler les muscles selon la durée et l'intensité de la technique

- Le massage suédois n'a pas la prétention d'agir directement sur le fonctionnement des organes internes. Il n'est pas non plus impliqué dans le mouvement de l'énergie ni dans le système des méridiens et des points correspondants

LE SYSTÈME CIRCULATOIRE GÉNÉRAL

SCHÉMAS

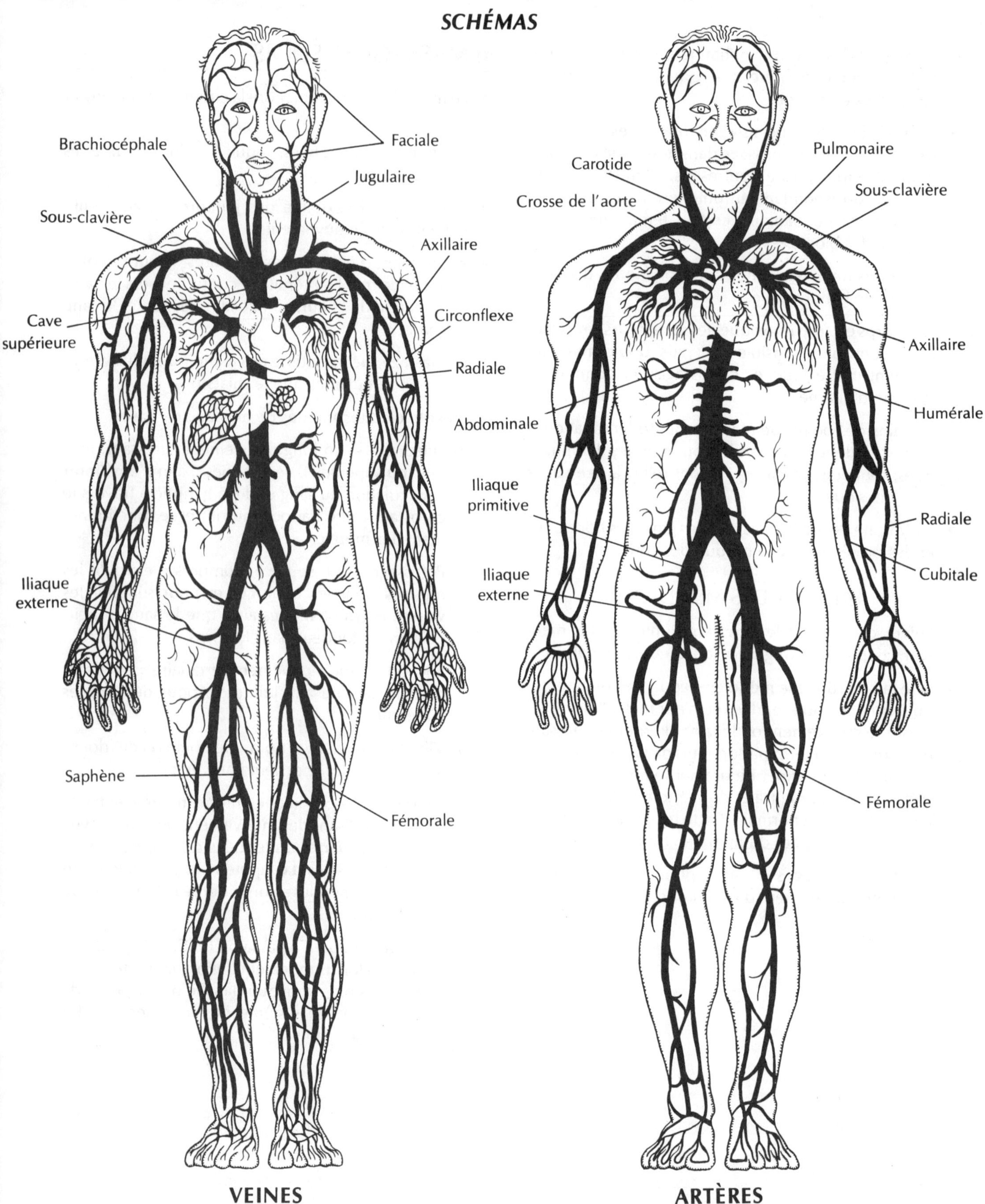

VEINES

Les veines transportent le sang désoxygéné au coeur et aux poumons pour le faire circuler de nouveau.

ARTÈRES

Les artères repoussent le sang oxygéné du coeur pour le distribuer à toutes les parties du corps.

6) ANATOMIE SQUELETTIQUE ET MUSCULAIRE DE BASE

- Les os se divisent en quatre catégories: les os longs, les os courts, les os plats et les os irréguliers
- Tous les os ont une partie poreuse à l'intérieur et un recouvrement extérieur dur et compact
- Les os fournissent support et protection au système musculaire en plus de rendre les mouvements possibles
- Les os se présentent par paires, de chaque côté du corps
- Les os emmagasinent le calcium et ils forment les cellules rouges du sang
- Les fluides du sang et de la lymphe circulent à l'intérieur et à l'extérieur du tissu osseux

ANATOMIE D'UN OS LONG

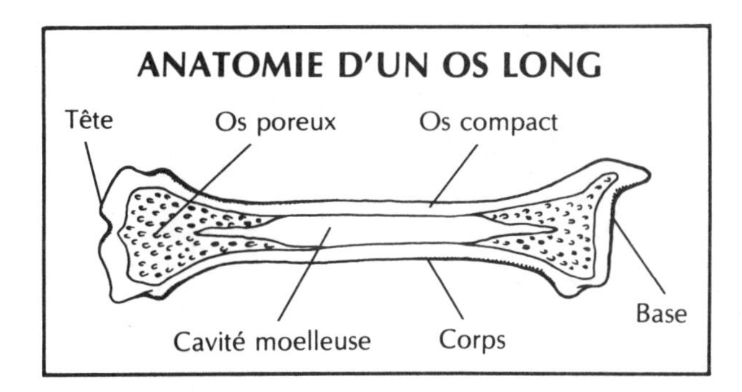

Les tableaux suivants vous permettront de mieux connaître la structure osseuse à laquelle s'attachent tous les muscles, ce qui vous donnera la chance d'utiliser les points de pression sans faire mal au receveur. Demandez à quelqu'un de s'étendre sur le sol. Essayez de visualiser où sont situés les os dans le corps de cette personne. Si vous avez de la difficulté à localiser un os, recherchez-le en consultant les tableaux qui vous sont offerts.

- Les muscles sont composés de fibres ou de cellules qui, au moment, de la contraction, tirent sur les os et agissent sur le mouvement du corps
- Les muscles se retrouvent par paires, de chaque côté du corps
- Tous les muscles ont deux extrémités, une attache et une base, rattachées aux os, ligaments ou cartilages
- L'attache du muscle est habituellement près du centre du corps
- Le corps ou ventre du muscle est sa partie la plus large ou la plus remplie
- Le fait de masser l'attache et la base du muscle simultanément renforce celui-ci
- On peut relaxer un muscle en le flattant avec un léger mouvement de glissement ou avec une pression moyenne. Au moment d'utiliser l'une ou l'autre de ces techniques, commencer par le corps ou le ventre du muscle en travaillant vers l'attache et la base afin d'éliminer les crampes et les spasmes musculaires
- Ces mêmes mouvements de glissement et de pression peuvent renforcer un muscle faible si on commence par l'attache et la base en se dirigeant vers le corps ou le ventre du muscle
- Les muscles emmagasinent les traumatismes physiques et émotionnels, lesquels forment des noeuds et des durcissements. De telles zones affectées sont habituellement gonflées et plus chaudes qu'il ne faut, ce qui indique la présence d'adhérences ou de blocages énergétiques

ANATOMIE D'UN MUSCLE

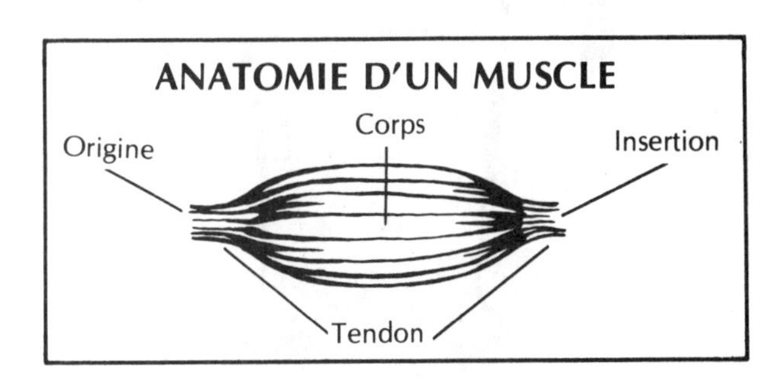

Les tableaux suivants doivent être révisés avant votre premier massage. Il est recommandé que le débutant ait une compréhension et une image mentales des principaux muscles du corps. Il ne faut pas oublier que le massage ou la pression ne s'adressent pas à la peau mais bien aux muscles et à l'intérieur du corps. Un massage ou une pression qui pénètrent en profondeur n'a pas besoin d'être douloureux. Une bonne compréhension du système musculaire vous permettra de travailler sur le corps avec adresse et grande compassion.

LE SYSTÈME SQUELETTIQUE

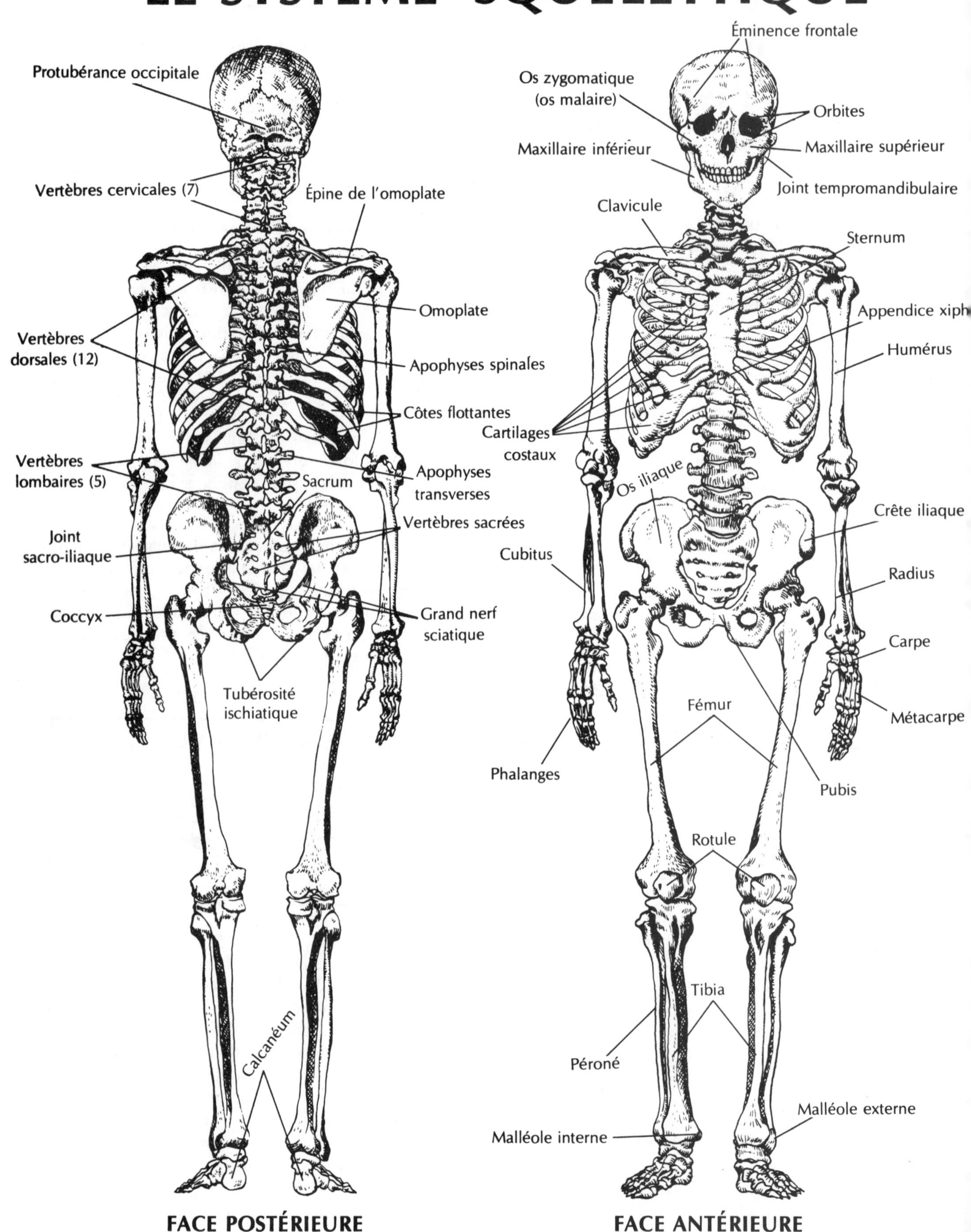

FACE POSTÉRIEURE

FACE ANTÉRIEURE

LE SYSTÈME MUSCULAIRE

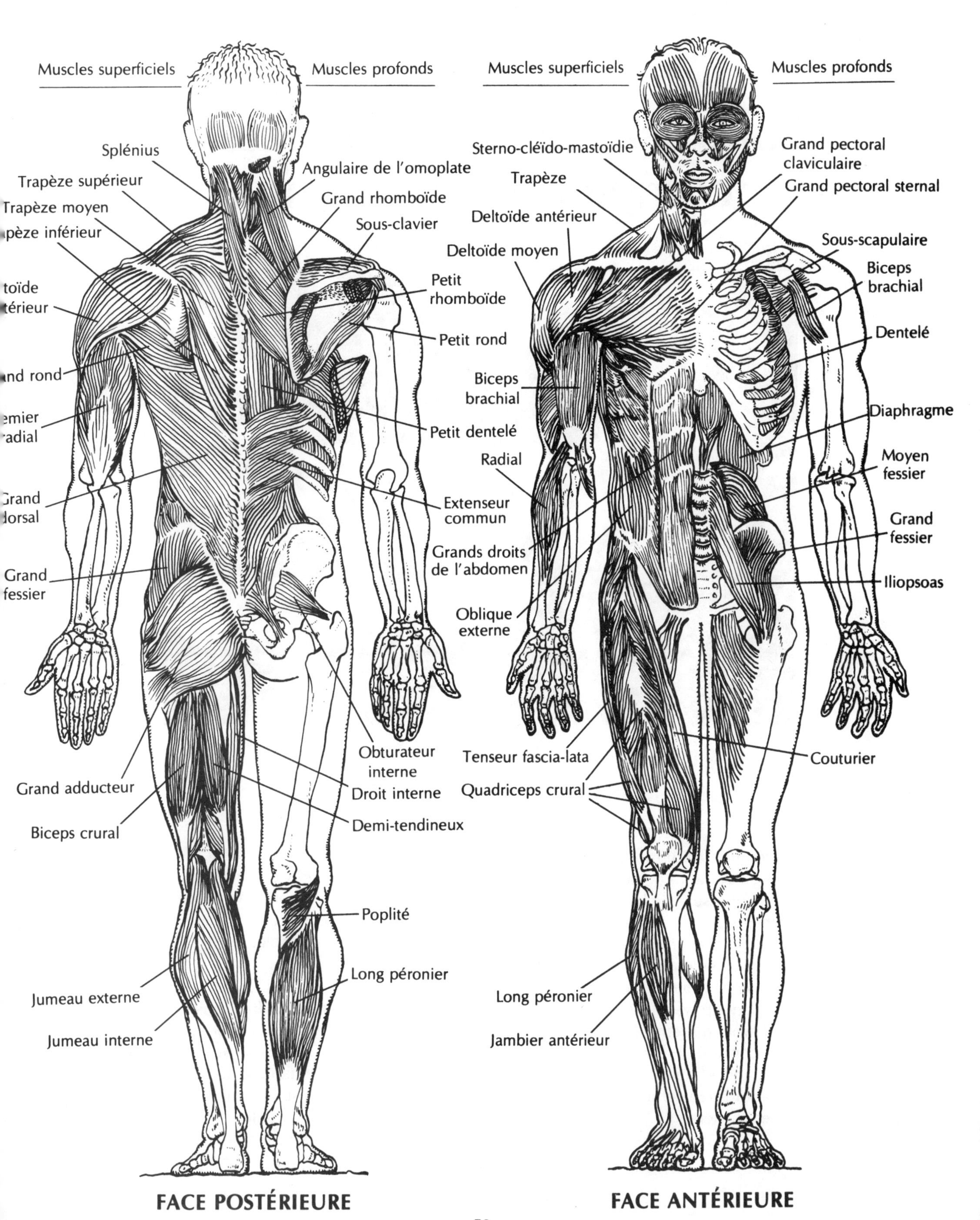

FACE POSTÉRIEURE

FACE ANTÉRIEURE

Chapitre IV

Comment donner un massage complet de 60 minutes

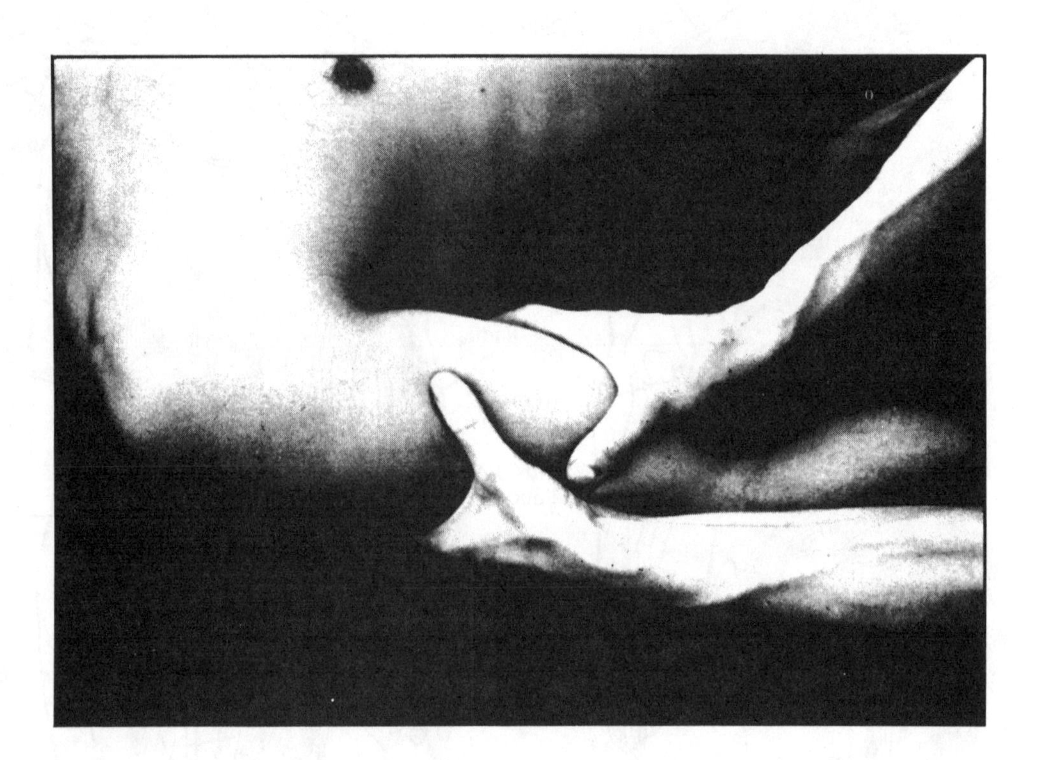

INTRODUCTION

Le massage complet de 60 minutes est recommandé aux couples ou aux amis qui aimeraient échanger des massages du corps sur une base hebdomadaire régulière. Les partenaires devraient lire le présent chapitre ensemble et pratiquer chacune des techniques avant le premier massage, non seulement pour mieux maîtriser chacun des mouvements indiqués, mais également pour partager l'expérience physique qui en découle. De cette manière, le receveur relaxera plus facilement et le donneur sera plus confiant. Le massage, en retour, apportera de plus grandes satisfactions encore. Cette introduction est d'abord dédiée au donneur même si quelques-uns des renseignements intéresseront surtout le receveur.

La responsabilité et l'implication de chacun sont nécessaires au succès du massage. Le donneur et le receveur doivent être prêts à assumer pleinement leurs responsabilités individuelles afin que ce moment de partage soit des plus agréables.

En tant que receveur, vous devez faire tout votre possible pour vous détendre. Vous devez respirer lentement et inspirer encore plus profondément lorsqu'un point de pression est sensible ou douloureux. Votre inspiration profonde indiquera au donneur de réduire la force de sa pression sur le point touché. Les mots sont souvent inutiles, mais si le donneur ne se rend pas compte de votre malaise, n'hésitez pas à lui demander verbalement d'être plus vigilant. Ne cachez pas la douleur que vous ressentez. Évitez le plus possible de parler. Parlez uniquement en cas de nécessité absolue, et laissez la magie du massage passer des mains du donneur à votre corps. Gardez vos yeux fermés. Laissez votre mental se libérer de toute image. Ne vous arrêtez à aucune pensée, laissez-les simplement passer ou flotter sur l'écran de votre mental. En tant que receveur, il est de votre responsabilité de ne PAS aider le donneur en soulevant vos bras, vos jambes ou votre tête. Le donneur étant normalement assez fort pour exécuter lui-même ces mouvements, votre aide devient inutile. Si vous vous sentez sombrer dans le sommeil, ne le combattez pas. Laissez-vous envahir, laissez-vous aller.

Il est de la responsabilité du donneur d'être calme, rempli de compassion et de contrôle, sinon le receveur ne se sent pas en sécurité, ce qui l'empêche de s'abandonner complètement. Le massage rapide ou vigoureux n'a pas pour but d'amener le receveur à une profonde relaxation. Si vous utilisez les techniques de pétrissage, exécutez-les lentement et utilisez de l'huile si vous avez l'intention de permettre une relaxation réelle au receveur.

Une amélioration de la circulation sanguine et lymphatique peut être créée par des techniques de pression et de massage exécutées avec douceur. Votre but est de calmer et non pas de stimuler le receveur. Puisque la vie moderne nous procure toutes les stimulations dont nous avons besoin, le massage, à mon humble avis, devrait être reposant si l'on veut qu'il nous soit favorable. Lorsque le corps est suffisamment relaxé, les blocages énergétiques et la tension musculaire sont effacés alors que la circulation du sang et de la lymphe se fait immédiatement beaucoup mieux. Le fait de calmer le corps et le mental du receveur est le moyen le plus efficace d'éliminer son stress physique et émotionnel.

Il est également de la responsabilité du donneur de rappeler au receveur de bien respirer. Ce rappel peut être fait verbalement ou il peut exagérer ses propres inspirations et expirations jusqu'à ce que le receveur ait perçu le message. Plusieurs personnes retiennent leur souffle sans s'en rendre compte. Si vous invitez le receveur à mieux respirer pendant le massage, il se détendra et se relâchera davantage.

Évitez de perdre le contact avec le corps du receveur même lorsque vient le temps de passer à une autre technique ou de changer de position. Gardez toujours une main sur une partie de son corps. Si vous ne le faites pas, le receveur sera affecté par cette séparation brutale et inattendue. Ses yeux s'ouvriront soudainement et il ira même jusqu'à s'asseoir afin de savoir si quelque chose ne va pas. Lorsqu'il est absolument nécessaire que vous abandonniez tout contact avec le corps du receveur, faites-le très lentement et très progressivement et reprenez ensuite votre lien avec la même délicatesse. Il est habituellement plus simple de rester en contact permanent avec le corps du receveur.

Parfois, le receveur dira des phrases comme «Oh! cette technique est très agréable!» ou «Pouvez-vous prolonger cette technique?» Le donneur doit toujours respecter de telles demandes. Dites au receveur que vous acceptez de faire cette technique un peu plus longtemps et que vous y reviendrez ultérieurement pendant le massage. Lorsque le receveur fait un tel compliment au donneur, ceci signifie que la technique accomplie a répondu à ses besoins physiques et émotifs. Souvent, le receveur soupire profondément au lieu de parler. Ce soupir signifie donc qu'il souhaite que le donneur accorde un peu plus de temps à la technique qu'il est en train d'exécuter. Ne frustrez pas le receveur. L'attention supplémentaire que vous lui accordez témoigne de votre compréhension, de votre sensibilité et de votre désir de lui faire profiter au maximum d'une technique particulière.

Il existe trois degrés de pression: légère, moyenne ou forte. Chaque personne supporte mieux l'une ou l'autre de ces pressions. Découvrez le seuil de tolérance de la personne que vous massez en observant sur son visage les indices de souffrance ou d'appréciation. N'oubliez pas qu'une pression ferme n'est pas toujours appliquée avec la même force, même lorsque vous massez le même receveur. Par exemple, une pression ferme exercée sur les yeux exige évidemment moins de force qu'une pression ferme sur les bras ou les jambes. La partie du corps qui reçoit le massage ou la pression détermine quelle est l'énergie que le donneur doit déployer. Il est extrêmement difficile de décrire ce que doit être une pression convenable sans sombrer légèrement dans l'ésotérisme. L'application d'une pression ferme qui ne procure pas de douleur au receveur est indispensable au succès du massage. Même certains thérapeutes professionnels ne savent pas comment appliquer correctement une pression. Ne soyez donc pas découragé si vous ne maîtrisez pas immédiatement cette technique.

Une pression inadéquate rend le massage trop brusque et dépourvu de sensibilité. La pression que vous faites doit être l'aboutissement d'une force magique qui émerge de vous en partant de votre hara pour se diriger dans vos bras avant d'atteindre le corps du receveur. Le hara, rappelons-le, est un mot japonais qui désigne le centre énergétique du corps situé trois cm et demi environ au-dessous du nombril. C'est à cet endroit que résident la force et la sensibilité nécessaires à l'accomplissement d'un massage réussi et magique.

Les Japonais croient que si vos actions prennent naissance dans votre hara, vous pouvez réaliser ce qui vous semble normalement impossible ou difficile à faire. Ce pouvoir du hara, dans la pensée occidentale, peut être plus facilement compris par l'expression «avoir du coeur au ventre». Les personnes qui ont du coeur au ventre et qui se laissent guider par leur instinct agissent généralement en faisant preuve de discernement et de raison. Par exemple, imaginez que vous êtes auprès d'une personne qui vient de recevoir une mauvaise nouvelle au téléphone. Votre réaction spontanée sera de la serrer ou de la consoler. Ou imaginez encore que vous marchez sur la rue et qu'une personne ayant l'air louche se dirige droit vers vous. Vous traverserez probablement la rue immédiatement afin d'éviter tout problème.

C'est cette même intuition qui vous dicte quelle pression appliquer lorsque vous donnez un massage. N'essayez pas de déterminer consciemment quelle doit être la force de cette pression. Laissez votre instinct prendre l'initiative. N'utilisez pas votre force musculaire. Votre but n'est pas de faire souffrir le receveur. Utilisez votre hara, ayez du coeur au ventre. On peut obtenir d'excellents résultats même avec une pression légère provoquant le minimum de douleur.

Il existe plusieurs types de douleurs. Il est important que vous sachiez les distinguer les unes des autres pendant le massage. Usez toujours de douceur au moment d'exécuter une pression et prenez le temps d'observer les réactions du receveur afin de lui infliger le moins de mal possible.

1) La *sensibilité* fait que la pression exercée dérange légèrement le receveur, mais pas suffisamment pour que le donneur s'en préoccupe
2) La *bonne douleur* fait mal, mais le receveur sait que la pression appliquée lui est bénéfique et qu'elle vaut donc la peine d'être supportée
3) La *forte douleur* est habituellement causée par une pression exagérée, le glissement de la main ou du pouce, ou une pression qui ne respecte pas le seuil de tolérance du receveur

S'il vous arrive d'appliquer une pression qui fait mal au receveur, assurez-vous de lui démontrer que vous êtes conscient de l'avoir plus ou moins brusqué. N'hésitez pas à lui dire que vous regrettez de lui avoir causé cette douleur. Dessinez quelques mouvements de massage circulaires sur la zone qui a été perturbée ou appuyez délicatement votre pouce, vos doigts ou toute votre main à cet endroit.

Il est important d'appliquer la pression lentement afin de percevoir la structure osseuse sous la peau. Ceci vous permet d'agir avec plus de vigilance sans faire de faux mouvements et sans blesser le receveur. Au moment de faire une pression sur un membre, vous devez exécuter un genre de roulement léger afin de ne pas causer de douleur inutile. Votre but n'est pas de clouer les membres au sol. Encore une fois, agissez depuis votre hara.

Si le receveur souffre d'un problème particulier relié aux points touchés, répétez la technique afin d'accroître les résultats positifs. Par exemple, en pressant régulièrement sur les points qui correspondent au foie, à la vésicule biliaire, à l'estomac, au coeur, à la rate, aux poumons, aux yeux ou aux oreilles, vous pouvez encourager les mécanismes naturels de défense du corps à multiplier leurs efforts de guérison.

Les malaises et les maladies sont aigus ou chroniques. Les problèmes aigus apparaissent brusquement et les symptômes sont habituellement sévères. Les maladies chroniques durent plus longtemps, parfois même des mois et des années, et elles surgissent fréquemment. Qu'elles soient aiguës ou chroniques, les maladies répondent habituellement bien aux pressions et aux massages. Plus on touche aux points qui correspondent aux organes affectés, plus vite on obtient des résultats positifs. Touchez-les plusieurs fois par jour, pendant un certain temps, et la réhabilitation se fera beaucoup plus rapidement.

Ne vous découragez pas. Soyez patient. Si certaines maladies prennent plusieurs années à évoluer, vous ne pouvez espérer les guérir en une seule nuit. Vous n'obtiendrez que très rarement des résultats immédiats. Il faut des semaines et même des mois avant d'observer une transformation encourageante. Des améliorations sont toutefois décelables après une ou deux semaines d'applications quotidiennes. Votre patience sera récompensée.

Le massage complet de 60 minutes est une synthèse de l'acupression, du shiatsu, du toucher thérapeutique, de la réflexologie des pieds, du massage suédois et d'autres techniques originales. Les méridiens, les points d'acupuncture, les points de drainage neurolymphatiques, les points réflexes et les techniques suédoises, dont il est question dans le présent chapitre, ont été expliqués très brièvement au Chapitre III, Section 5.

Les muscles et les os mentionnés dans cette section sont illustrés au Chapitre III, Section 6. Revisez ces dessins et schémas avant de donner votre premier massage. Vous devez connaître l'anatomie de base si vous voulez faire un bon massage.

Cette section de *La magie du massage* fait parfois mention d'une relation entre un organe donné et un muscle particulier. La kinésiologie appliquée, dont il a été question dans la cinquième section du Chapitre III, a prouvé que les muscles étaient indéniablement reliés aux organes. Toutes les fois que le texte indique que tel muscle est relié à tel organe, l'information donnée provient de cette technique appelée le diagnostic de la chiropratique et de la kinésiologie appliquées.

Quant à la technique numéro 30, le frôlement de la colonne vertébrale, elle peut être utilisée comme technique de séparation lorsque vous avez fini de masser une partie spécifique du corps. Ce frôlement est accompli avec le bout des doigts. Le but est d'amener le receveur à croire que vous êtes en train de lui passer une plume d'oiseau sur le corps. Maintenez un très léger contact du bout des doigts avec le corps du receveur tout en les faisant glisser sur sa peau. Ce frôlement peut être exécuté dans toutes les directions. Ce mouvement de glissement léger signale au cerveau de relaxer la région du corps qui est flattée en préparation du massage ou de la séparation qui suivra. Cette technique peut être pratiquée avant et après plusieurs techniques du massage complet de 60 minutes. La plume que vous voyez dans cette page, et que vous retrouverez à certains endroits dans les pages suivantes, indique un moment approprié à l'exécution du mouvement de glissement léger. Il n'est toutefois pas nécessaire de la faire, et le temps que vous prendrez si vous avez envie de l'accomplir n'est pas inclus dans les soixante minutes consacrées au massage général. Cette technique complète très agréablement n'importe quel genre de massage.

Le massage complet de 60 minutes est explicité de la façon suivante:

NOM DE LA TECHNIQUE

But: Pourquoi faisons-nous cette technique et quels sont les organes, muscles et autres parties du corps qu'elle affecte?

Position: Quelle est la position la plus pratique pour l'exécution de la technique? Si le donneur ne se sent pas à l'aise dans la position suggérée, il peut improviser jusqu'à ce qu'il en trouve une autre lui convenant davantage.

Technique: Comment faut-il exécuter la technique et quels sont les trucs qui aideront le receveur à mieux l'exécuter?

Durée: Le temps approximatif requis pour compléter la technique mentionnée. Le temps indiqué ne peut jamais être respecté à la seconde près parce que chaque individu a des besoins différents, et des répétitions sont parfois nécessaires pour soigner certains problèmes spécifiques de santé. Une personne très malade ou affaiblie aura évidemment besoin d'une application plus longue qu'un individu qui jouit d'une bonne santé.

N'oubliez pas que la magie du massage réside à cinquante pour cent dans la qualité de votre toucher et à cinquante pour cent dans votre désir d'aider l'autre. La technique et les différents trucs sont importants, mais ils ne sont que des véhicules mettant en valeur votre toucher et votre générosité naturelle.

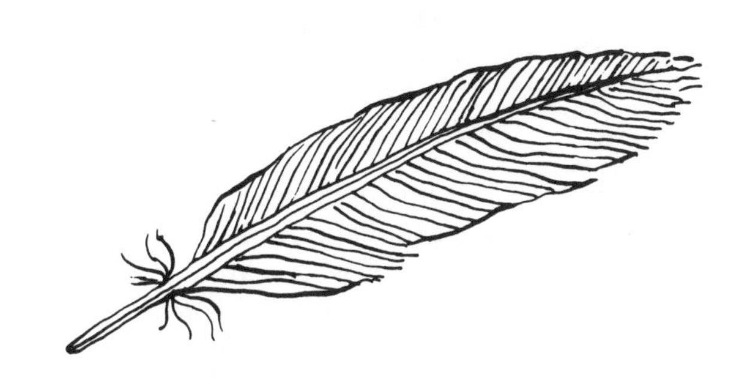

LE DOS

Il est logique de commencer le massage par le dos parce que la plupart des gens ont le cou très raide lorsqu'ils sont étendus sur le ventre. Le receveur doit malgré tout se coucher à plat ventre, la tête tournée sur le côté, pendant dix à quinze minutes, afin de permettre au donneur d'exécuter les pressions et les techniques de massage requises. Lorsque le massage du dos est terminé, le receveur a souvent tendance à s'asseoir, à faire des rotations du cou et à essayer de masser ses vertèbres cervicales. Bien sûr, le donneur peut en profiter pour libérer le cou et les épaules du receveur de la tension qui s'y trouve, mais ce n'est pas la façon idéale de procéder. Commencez par masser le dos du receveur, puis enchaînez avec les techniques énumérées ci-après. Empruntez des mouvements lents, calmes et prudents, mais n'hésitez pas à presser plus fermement sur certains points spécifiques.

Toutes les techniques devraient être faites calmement, lentement, et avec beaucoup de compassion. Il existe deux règles très importantes qu'il faut respecter en tout temps. La première est de ne JAMAIS appliquer une pression directe sur la colonne vertébrale. La seconde est de ne JAMAIS exercer une pression trop

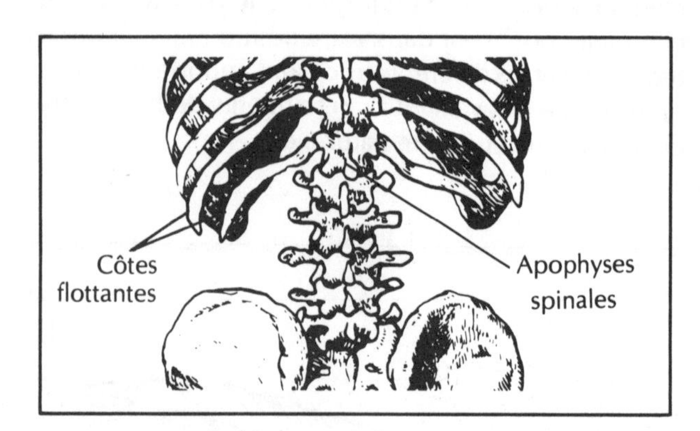

forte avec une main ouverte sur la région lombaire, car il n'y a aucune côte à cet endroit pouvant absorber un tel mouvement. Aussi, il est nécessaire de savoir qu'il ne faut PAS appuyer sur les deux dernières côtes flottantes car celles-ci peuvent casser très facilement.

Pour plus de clarté, la plupart des photographies ne font pas voir l'oreiller placé sous les jambes du receveur.

1) LE PREMIER TOUCHER

But: Le premier toucher est une façon subtile d'annoncer au receveur que vous êtes prêt à commencer. Les paroles sont inutiles.

Position: Assis, à la japonaise, parallèlement au receveur entre son corps et son bras droit.

Technique: Le premier toucher est exécuté avec le côté de votre jambe et il ne nécessite pas l'intervention de vos mains. Placez-vous près du receveur, mais ne le touchez pas immédiatement. Le côté de votre corps devrait être à environ 4 cm de celui du receveur. Restez parfaitement immobile pendant 10 ou 15 secondes. Essayez d'éliminer toute pensée de votre mental. Prenez quelques respirations pour vous aider. Lorsque vous êtes prêt à commencer, déplacez le poids de votre corps jusqu'à ce que votre jambe établisse le contact avec le côté du corps du receveur. Vous avez maintenant complété le premier toucher.

Répétition: Aucune répétition n'est nécessaire sauf si vous avez dû vous interrompre et qu'une reprise s'impose.

Durée: Il faut compter 15 secondes de relaxation avant d'établir le premier contact. Quand le receveur et le donneur sont prêts à commencer, le donneur exécute le premier toucher avec sa jambe. Il apprend à déterminer à quel moment précis il doit agir. Il faut laisser la jambe appuyée contre le corps du receveur pendant quelques secondes avant de procéder à la technique suivante. Durée totale: 20 secondes.

2) L'IMPOSITION DES MAINS

But: Ce premier contact manuel est d'une importance capitale. Si les mains du donneur sont remplies de compassion, de sensibilité et de confiance, elles réussiront à donner un élan positif à toute la durée du massage. Vos mains doivent toucher le receveur avec force et confiance afin que celui-ci se sente rassuré par votre toucher. Ce premier contact devrait sécuriser immédiatement le receveur en l'invitant à vous faire confiance et à se soumettre au rythme que vous imposez au massage. Il comprendra que votre massage est un DON de vous-même. Vous ne pouvez pas donner si le receveur n'est pas prêt à recevoir. Celui-ci doit vous permettre de pénétrer jusque dans l'essence la plus intime de son être.

Position: Assis parallèlement au receveur, à la japonaise.

Technique: Laissez votre jambe en contact avec le corps du receveur. Très lentement et calmement, étendez une main sur le sacrum et l'autre sur la colonne vertébrale entre les omoplates. Laissez vos mains s'installer dans le dos du receveur aussi doucement que du beurre qui fond sur une crêpe. Lorsque vos mains sont reposées au maximum, votre corps l'est également. Maintenez ce contact pendant environ 30 secondes. Assurez-vous de la souplesse de vos poignets et de vos mains parce que des mains tendues ne peuvent faire autrement que de communiquer du stress au receveur. Synchronisez votre respiration avec celle du receveur en faisant des inspirations et des expirations inaudibles au moins à cinq reprises. Indiquez ensuite au receveur de ralentir sa respiration en respirant vous-même profondément et lentement. En moins de quelques secondes, il comprendra l'importance de la relaxation ainsi que de l'unité qui doit s'établir entre vous, et il soupirera très profondément pour vous signaler sa bonne disposition. En fait ce soupir profond est le véritable signal de départ du massage et vous pouvez procéder dès maintenant à la technique suivante.

Répétition: Répétez seulement si vous avez été dérangé pendant l'exécution.

Durée: La technique complète sera normalement accomplie en 60 secondes.

3) TRACÉ DE LA COLONNE VERTÉBRALE

But: Cette technique repose le receveur et élimine la tension vertébrale superficielle. Elle permet également au donneur de déceler les points durs, secs, gonflés, squameux, chauds ou froids qui longent la colonne vertébrale. Ce sont là des manifestations extérieures de problèmes intérieurs. Vous devrez porter une attention plus grande à ces zones au moment d'entreprendre la technique numéro 6.

Position: Assis, à la japonaise, comme pour les Techniques numéros 1 et 2.

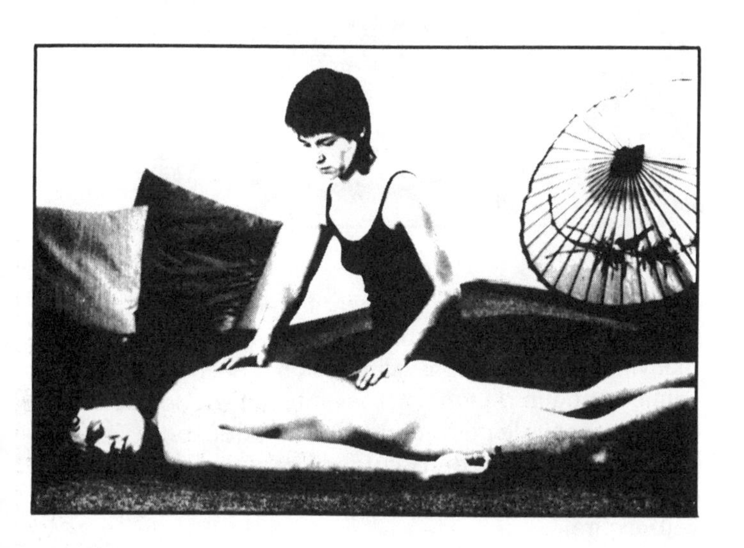

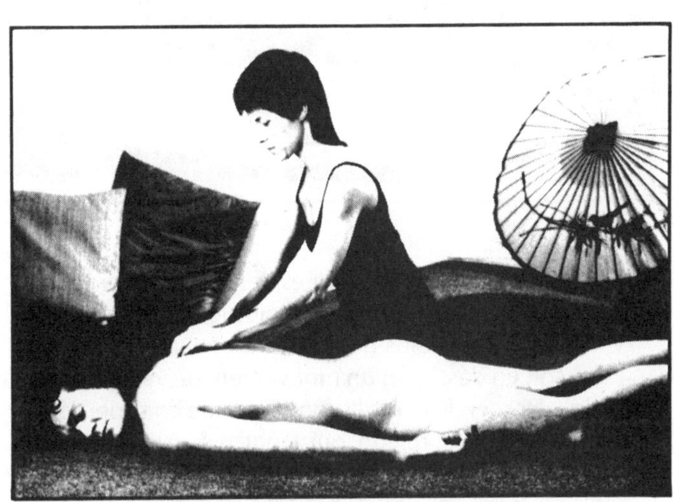

Technique: Placez trois doigts de chaque côté de la colonne vertébrale. Commencez le plus près possible de la base du crâne et, *très lentement*, avec une pression moyenne, faites glisser les doigts de chaque côté de la colonne. Descendez jusqu'au sacrum et terminez à la pointe du coccyx. Le donneur doit prendre note des tensions musculaires inhabituelles qu'il rencontre ainsi que des changements de température de la peau et des différentes textures de l'épiderme.

Répétition: Répétez deux ou trois fois.

Durée: 40 secondes.

4) BERCEMENT DU DOS

But: Cette technique aide à relaxer et à relâcher les muscles du dos et elle le prépare pour la technique vertébrale numéro 5. Elle est aussi très agréable.

Position: Assis, à la japonaise, le corps du donneur étant perpendiculaire à la colonne vertébrale du receveur. Ce mouvement de bercement sera exécuté dans une position légèrement surélevée.

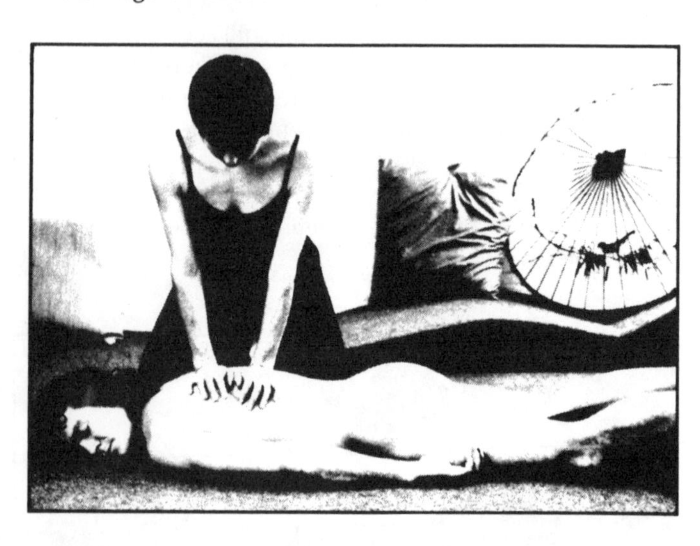

Technique: Utilisez les paumes des mains. Commencez au niveau des épaules, 2,5 cm plus loin que la colonne vertébrale. Les mains doivent être côte à côte et agir à l'unisson en dessinant un mouvement de va-et-vient sur le dos. Descendez vers la zone suivante en superposant les mains sur la région qui vient d'être touchée afin qu'aucune partie du dos ne soit négligée. Le donneur utilise le poids de son corps afin de mieux exécuter la technique. *Ne pas utiliser la force musculaire*. Faites ces mouvements de bercement en descendant jusqu'au sacrum. Après avoir terminé un côté de la colonne vertébrale, passer de l'autre côté du corps et répétez la même chose de l'autre côté de la colonne.

Répétition: Bercez chaque zone longeant la colonne vertébrale à cinq reprises en utilisant un mouvement de va-et-vient. Chaque côté de la colonne ne doit être bercé qu'une seule fois.

Durée: 60 secondes.

5) TECHNIQUE DE LA RESPIRATION PROFONDE

But: Cette technique soulage la tension musculaire qui se loge dans le dos du receveur. Elle élimine aussi la pression sur les nerfs, là où ils émergent de la colonne vertébrale.

Position: Voir technique numéro 6.

Technique: Le donneur place ses mains de chaque côté de la colonne vertébrale près du cou. Il demande au receveur d'inspirer. Puis, pendant qu'il expire, le donneur fait passer le poids de son corps de ses bras à ses

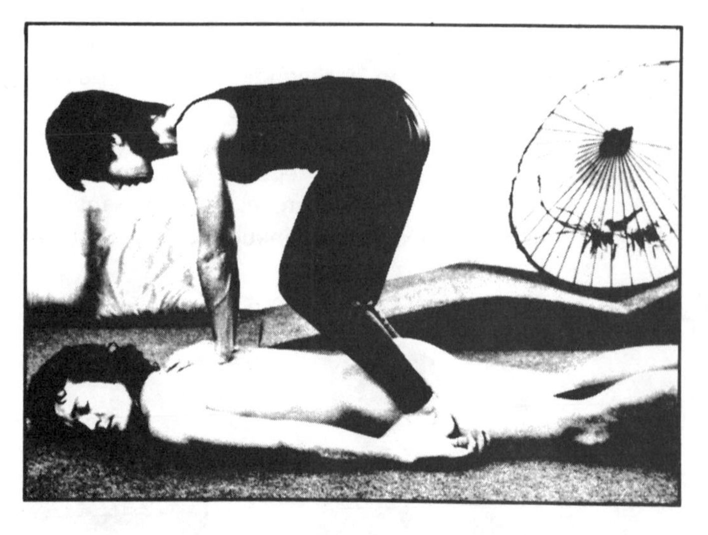

mains. Il encourage verbalement le receveur à expirer complètement car la plupart des gens ont tendance à mal vider leurs poumons. La pression doit être exercée calmement afin d'empêcher les muscles du dos de se contracter sous le poids d'une pression trop forte. Descendez tout le long de la colonne vertébrale jusqu'au coccyx en appliquant la pression au moment où le receveur expire.

Répétition: Aucune répétition nécessaire.

Durée: 30 secondes.

6) TECHNIQUE VERTÉBRALE

But: La technique vertébrale est exécutée en trois phases.

PHASE	BUT
1) Pression moyenne, massage avec le pouce dans le sens des aiguilles d'une montre	Préparation à la pénétration par une relaxation superficielle du dos
2) Pressions pénétrante ferme, exécutée avec compassion, de chaque côté de la colonne vertébrale. Utilisez les pouces.	La pression pénétrante élimine les tensions et déclenche les mécanismes naturels de défense du corps.
3) Massage circulaire dans le sens des aiguilles d'une montre, exécuté légèrement avec le pouce, pour calmer.	Très agréable. Allègement de la douleur ou du malaise provoqué par la phase 2.

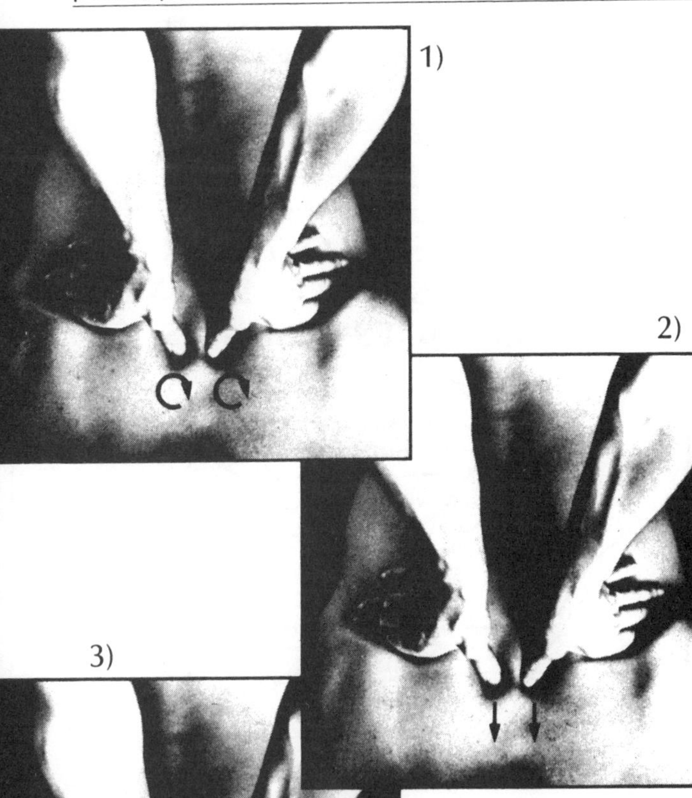

La *phase 3* de la technique vertébrale est très importante. Il est indispensable de l'exécuter en douceur car la douleur pourrait causer de la tension. En massant gentiment la zone affligée, vous encouragez le corps du receveur à relâcher toute douleur ou toute tension provoquée directement par la pression du pouce exigée dans la *phase 2*. N'oubliez pas que votre but n'est pas de faire souffrir. Vous rencontrerez toutefois des zones plus sensibles ou douloureuses au toucher. Ne les évitez pas. Massez les parties endolories. Soyez minutieux et disponible. Vos efforts seront récompensés par les résultats obtenus, dont l'amélioration de la circulation du sang et de l'énergie qui réconfortera le receveur.

Position: Il existe trois possibilités.

1) Chevaucher le corps du receveur à la taille en s'agenouillant.

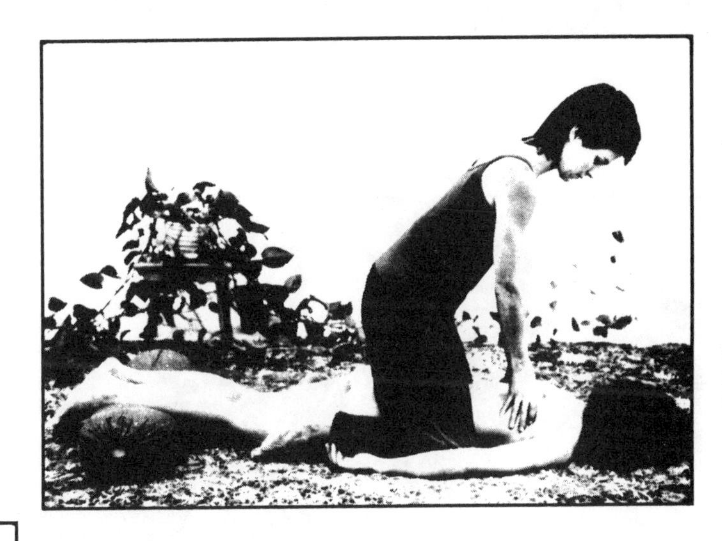

2) Assis, à la japonaise, à côté du receveur, parallèlement à sa colonne vertébrale.

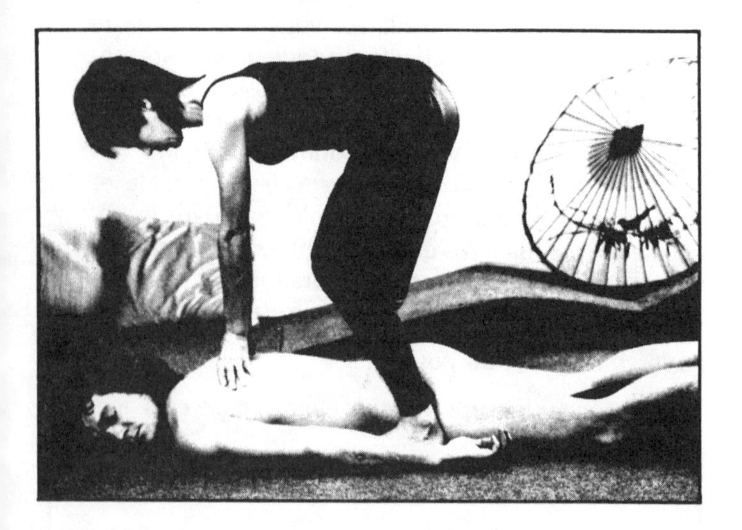

3) Debout, jambes pliées, en chevauchant le corps du receveur.

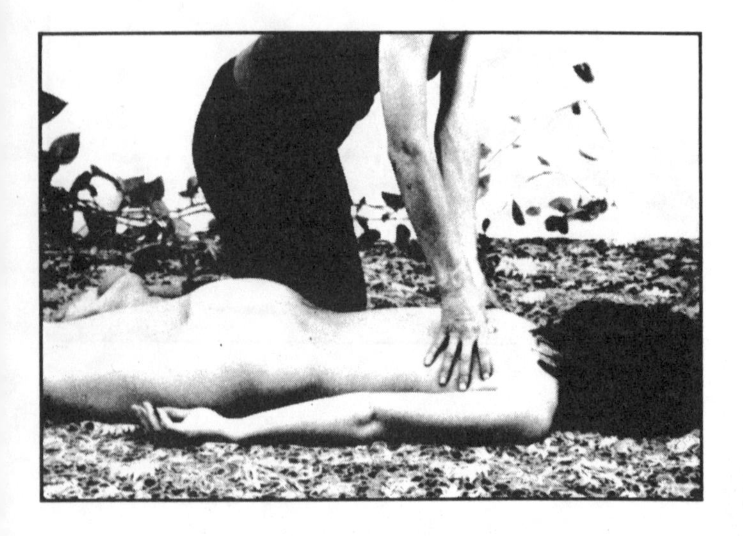

POSITION 1: recommandée si le receveur a un corps assez petit pour vous permettre de le chevaucher. Ne vous asseyez pas et ne vous appuyez pas sur lui en lui imposant le poids de votre corps.

POSITION 2: recommandée si le receveur a un corps assez petit pour vous permettre d'exercer une pression uniforme de chaque côté de sa colonne vertébrale en vous tenant à côté de son corps. Puisque plusieurs personnes trouvent la position 1 difficile à cause de leurs jambes qui ont tendance à se raidir, la position 2 leur offre une alternative plus agréable. Si vous décidez d'adopter la position 2, assurez-vous d'accorder la même force à chaque côté de la colonne vertébrale. Prenez soin de garder votre propre colonne vertébrale droite pendant que vous travaillez. Si votre dos est trop courbé, vous nuisez à vos muscles dorsaux.

POSITION 3: particulièrement utile lorsque le receveur est beaucoup plus large que le donneur. Cette position surélevée aide le donneur à mieux se servir du poids de son corps pour appliquer la pression, et elle l'empêche de faire intervenir sa force musculaire. Cette position distribue le poids du corps uniformément parce que le donneur travaille directement au-dessus du receveur.

Technique: Commencez les pressions et le massage des vertèbres de chaque côté et entre les cinquième et sixième vertèbres dorsales. Consulter le dessin.

Il existe deux façons de situer les cinquième et sixième vertèbres dorsales.

1) L'épine de l'omoplate se termine normalement entre les septième et huitième espaces intercostaux. Il faut s'assurer que les bras du receveur sont bien étendus le long de son corps avant de commencer à compter depuis la base de l'omoplate jusqu'aux cinquième et sixième vertèbres dorsales.

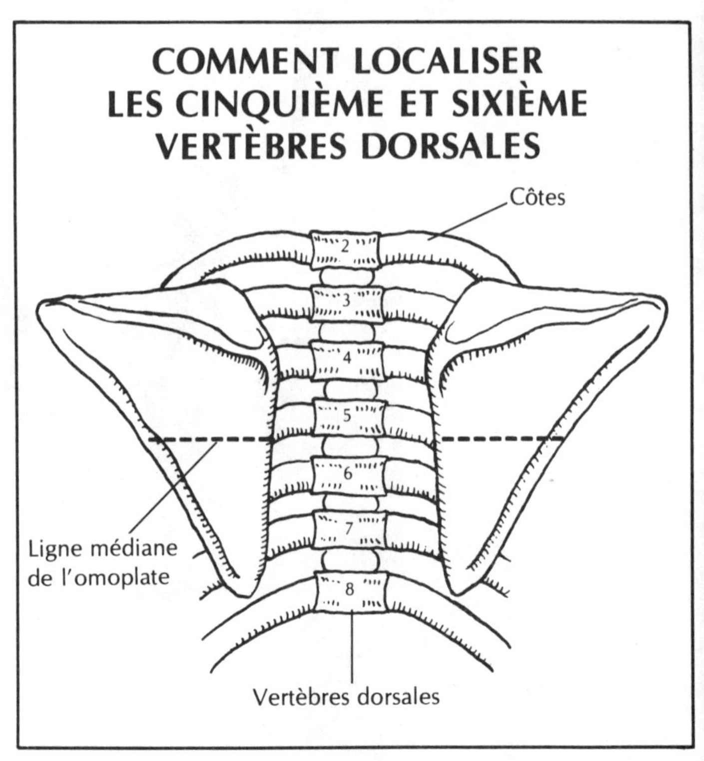

2) Situer approximativement les cinquième et sixième vertèbres dorsales en trouvant d'abord le centre de l'omoplate. Ces vertèbres sont généralement situées à mi-chemin entre la partie supérieure et la partie inférieure de l'omoplate.

Lorsque vous avez situé les cinquième et sixième vertèbres dorsales, procédez à la *phase 1*, puis à la *phase 2* et finalement à la *phase 3* de chaque côté et entre chaque paire de vertèbres dorsales et lombaires. Il y a douze vertèbres dorsales, mais pour l'instant vous pouvez ignorer la première à la cinquième. Quant aux vertèbres lombaires, elle sont au nombre de cinq. Elles sont situées directement en bas des vertèbres dorsales et se terminent au sacrum. La pression doit être exercée perpendiculairement à la colonne vertébrale. Si elle n'est pas perpendiculaire à la surface du corps, le donneur risque d'avoir mal aux bras, aux pouces ou aux vertèbres lombaires. Ne massez pas ou pressez directement sur les vertèbres. Ceci pourrait faire souffrir le receveur et même lui causer des torts dangereux. Vous travaillerez les vertèbres dorsales supérieures lorsque vous serez assis à la tête du receveur.

Répétition: PHASE 1: Utilisez une pression moyenne, avec le pouce, dans le sens des aiguilles d'une montre, de chaque côté de la colonne vertébrale entre les vertèbres. Répétez les rotations de trois à cinq reprises.

PHASE 2: Appliquer une pression ferme et pénétrante, avec compassion, de chaque côté de la colonne vertébrale. La pression est faite directement sur le nerf, là où il émerge de la colonne vertébrale. Utilisez les pouces. Si une zone est particulièrement sensible, relâchez et répétez la pression deux ou trois fois. Maintenez chaque pression pendant 5 secondes.

PHASE 3: Avec le pouce, dessinez des mouvements de massage circulaires et apaisants. Répétez les rotations de trois à cinq fois, selon l'intensité de la douleur qui affectait la zone touchée pendant la phase 2.

Durée: Un total approximatif de 5 minutes est requis pour le massage des vertèbres dorsales du milieu du dos et des vertèbres lombaires. Si le receveur est particulièrement tendu, on lui accordera plus de temps.

7) PRESSION SUR LE SACRUM

But: Cette technique fait disparaître les tensions du sacrum et améliore la circulation énergétique au niveau de l'intestin grêle, de la vessie et des organes sexuels.

Position: Il existe trois positions possibles.

1) S'asseoir parallèlement au corps du receveur.
2) Étendre le corps du receveur à califourchon sur vos genoux.
3) Debout, jambes pliées, à califourchon au-dessus du receveur.

Technique: Localisez les trous sacrés, ces quatre trous situés de chaque côté du sacrum qui transmettent les artères et les nerfs sacrés. Appliquez ensuite une pression ferme à chacune de ces dépressions. Faites les deux côtés simultanément.

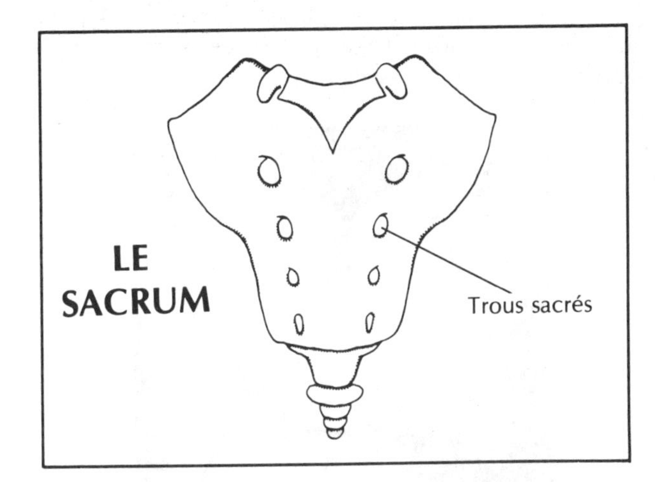

Répétition: Il n'est pas nécessaire de répéter sauf si le receveur a des problèmes au niveau de sa vessie, de son intestin grêle ou de ses organes sexuels.

Durée: Pressez chaque trou sacré de 3 à 5 secondes. Durée totale: environ 20 secondes.

8) RELAXATION ET ÉTIREMENT DU DOS

But: Cette technique indique au cerveau et au dos du receveur que le donneur commande aux muscles du dos de s'étirer et de se relaxer. Le receveur se sentira très bien après cet exercice.

Position: Même que pour le numéro 6 bien que la position 3 soit plus efficace dans le cas présent, i.e. debout, jambes pliées, à califourchon au-dessus du corps du receveur.

Technique: Commencez en plaçant les pouces de chaque côté du sacrum. Faites glisser les pouces vers le sacrum, puis à contresens. Soulevez délicatement la

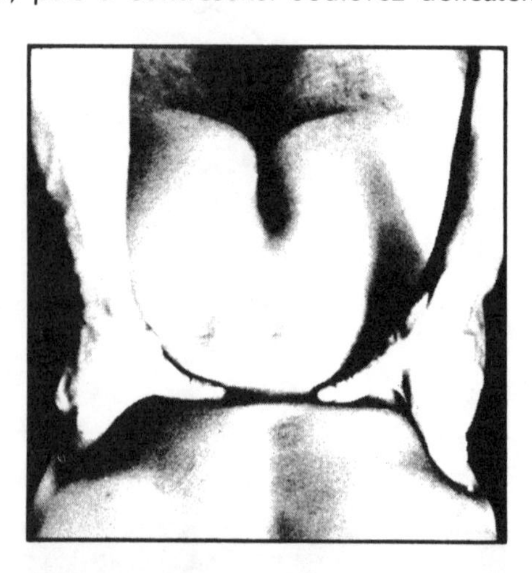

peau en faisant le mouvement à contresens et faites glisser les pouces le long de la chair et sur les fesses. Faites marcher les pouces le long du sacrum vers le haut, un seul pouce à la fois, jusqu'à ce que toute la région sacrée ait été touchée. Répétez la même technique en commençant de chaque côté et entre les quatrième et cinquième vertèbres lombaires en montant le long du dos jusqu'à ce que l'on ait atteint le cou.

Répétition: Aucune répétition nécessaire.

Durée: Environ 60 secondes.

9) SOULÈVEMENT DE LA TAILLE ET DES HANCHES

But: Cette technique aide à donner une forme plus harmonieuse à la taille. Elle stimule également les fonctions du foie et de la vésicule biliaire.

Position: Cette technique est plus efficace si le donneur se place debout, genoux fléchis, à califourchon

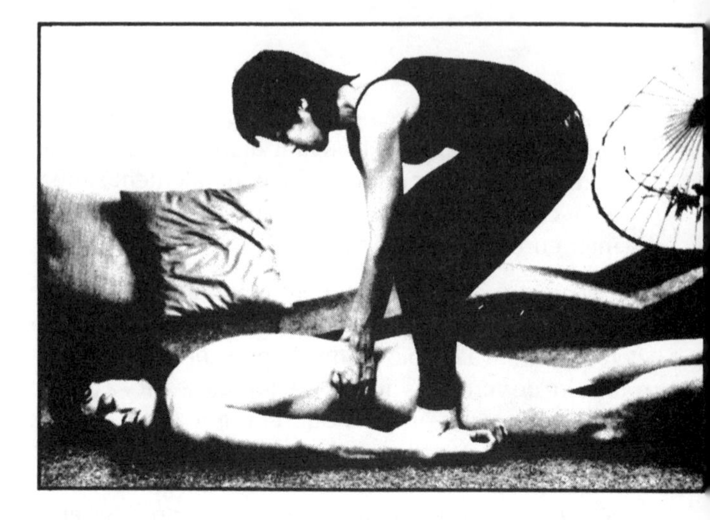

au-dessus du receveur. Le donneur peut aussi s'agenouiller à côté du receveur.

Technique: Glissez les mains autour et sous la taille du receveur. Saisissez la taille fermement et soulevez avec les mains. Si le receveur a des petits os et ne pèse pas trop lourd, on pourra soulever son corps de la carpette, mais il n'est pas nécessaire de le faire. Le plus important est de soulever la chair de la taille. On saisit ensuite les os des hanches pour soulever les hanches et les fesses au-dessus de la carpette.

Répétition: Soulevez la taille et les hanches deux fois.

Durée: 30 secondes.

10) PÉTRISSAGE DES FESSES

But: Pressez et massez les fesses est bénéfique pour le nerf sciatique qui est le plus gros nerf dans le corps humain. Cette technique sert aussi à masser les muscles du grand fessier et du moyen fessier. La kinésiologie appliquée a démontré que des muscles spécifiques correspondent à des organes particuliers. Les muscles fessiers correspondent aux organes sexuels et reproducteurs. La condition de ces muscles peut influencer l'état de santé général ainsi que le fonctionnement des organes qui leur sont reliés. Par exemple, les personnes qui ont des muscles fessiers faibles ou flasques souffrent souvent de problèmes au niveau des ovaires, de l'utérus, de la matrice ou de la prostate. Ces muscles étant souvent flasques, ils ont besoin du massage afin de tonifier la chair qui les recouvre et améliorer le flux énergétique au niveau des organes sexuels et reproducteurs.

Position: Agenouillez-vous entre les jambes du receveur. Le donneur doit veiller à garder sa colonne vertébrale droite pendant le massage.

Technique: Deux techniques de base procurent les résultats escomptés.

1) Avec la paume des mains, commencez à faire des mouvements de massage circulaires légers. Les fesses étant souvent sensibles ou endolories, le donneur doit donc travailler en faisant preuve d'attention. Massez toutes les fesses à deux reprises afin de les préparer pour les pressions plus fermes qui vont suivre.

2) Appliquez une lente et ferme pression sur les fesses avec la paume des mains. Augmentez la pression graduellement afin de percevoir le seuil de résistance du receveur. N'appuyez pas pour éviter que le receveur éprouve de la douleur. Une légère douleur favorise le relâchement des tensions et/ou des blocages, mais il n'est pas nécessaire de torturer le receveur. Quand la pression commence à provoquer un malaise, cessez de pénétrer davantage et maintenez la pression pendant 5 secondes. Plus les secondes passeront et plus la douleur s'atténuera, permettant ainsi à l'énergie qui était bloquée de circuler librement dans cette région. Les problèmes chroniques reliés au nerf sciatique nécessitent plusieurs pressions.

Répétition: Technique 1: Massez les fesses plusieurs fois. Technique 2: Appliquez une pression lente et ferme à cinq endroits différents sur les fesses. Maintenez la pression pendant 5 secondes.

Durée: Comptez environ 30 secondes pour le massage et 25 secondes pour la technique 2.

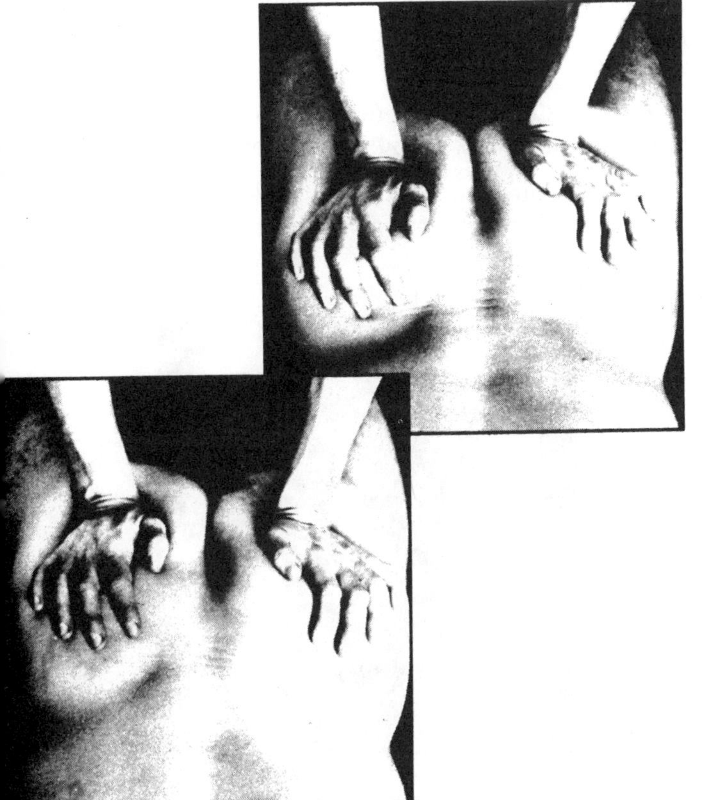

LE DERRIÈRE DES JAMBES

En massant le derrière des jambes, on applique une pression sur le méridien de la vessie. Cette stimulation aide le corps à corriger les problèmes de vessie dont il souffre. Une pression au niveau du méridien de la vessie peut guérir des problèmes suivants: besoins d'uriner trop fréquents, besoins d'uriner imaginaires et douleurs ressenties pendant la miction. Si vous souffrez d'infections des voies urinaires ou de la vessie, une pression appliquée sur ce méridien spécifique permettra à votre organisme de voir ses mécanismes naturels de défense agir plus rapidement. Le méridien de la vessie est également relié au fonctionnement du système hormonal des reins, au système nerveux autonome, aux organes d'élimination et de reproduction.

11) PRESSION SUR LE MÉRIDIEN DE LA VESSIE SUR LES CUISSES

But: Cette technique relaxe le derrière des jambes et agit sur le méridien de la vessie.

Position: Agenouillez-vous entre les jambes du receveur.

Technique: Utilisez la paume des mains. Commencez à appliquer une pression au-dessous du muscle grand fessier, i.e. juste sous les fesses. Faites les deux jambes simultanément, mais alternez la pression ferme entre la paume droite et la paume gauche en descendant derrière la jambe jusqu'à ce que l'on ait atteint le derrière des genoux. Maintenez chaque pression de 3 à 5 secondes.

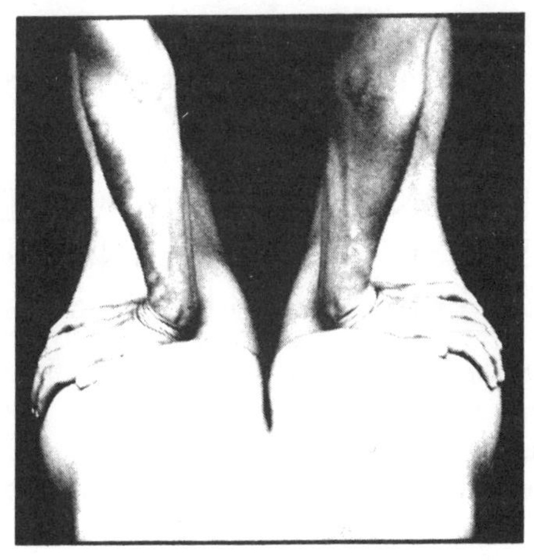

Répétition: Aucune répétition nécessaire.

Durée: 20 secondes.

12) POINTS DE PRESSION D'ACUPUNCTURE DERRIÈRE LES GENOUX

But: Cette technique opère une transformation positive au niveau du méridien de la vessie et des fonctions qui lui sont reliées. Elle permet aussi le relâchement des tensions accumulées dans les genoux.

Position: Agenouillez-vous entre les jambes du receveur.

Technique: Utilisez les pouces. Appliquez une pression ferme, régulière, mais pas trop brutale au centre du derrière des genoux. Le donneur doit garder son dos droit.

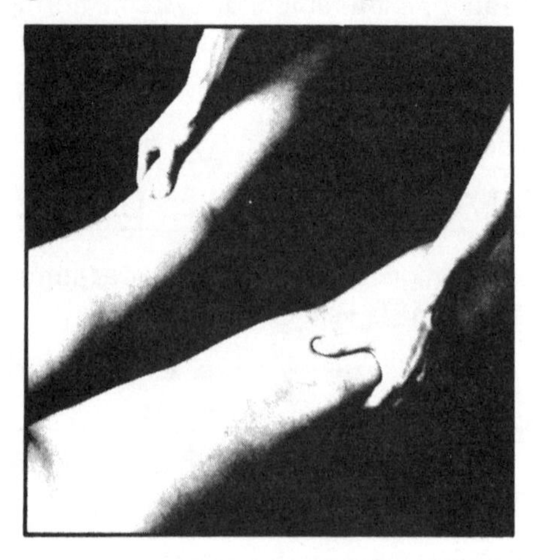

Répétition: Appliquez trois pressions successives et maintenez chacune d'elles pendant 3 secondes.

Durée: Environ 10 secondes.

13) PRESSION SUR LE MÉRIDIEN DE LA VESSIE SUR LA PARTIE INFÉRIEURE DU DERRIÈRE DES JAMBES

But: Cette pression agit sur le méridien de la vessie et favorise la relaxation du muscle du mollet. Ce muscle étant relié aux glandes surrénales selon la kinésiologie appliquée, cette pression renforce donc le fonctionnement des glandes surrénales du receveur.

Position: Agenouillez-vous entre les jambes du receveur.

Technique: Utilisez la paume des mains pour appliquer une pression lente et ferme au centre du muscle du mollet. La partie la plus large de ce muscle ne peut pas supporter une pression aussi forte que le reste de la jambe. Soyez très prudent au moment de faire la pression à cet endroit. Pressez deux fois moins fort que sur les autres parties du muscle.

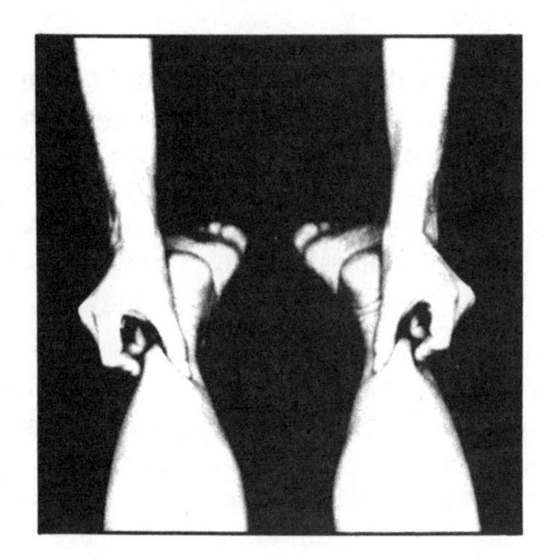

Répétition: Aucune répétition nécessaire.

Durée: 20 secondes.

14) COMPRESSION DU TENDON D'ACHILLE

But: La compression du tendon d'Achille agit sur la prostate, l'utérus, le rectum et les affections chroniques du nerf sciatique. Elle renforce et relaxe également le muscle du mollet. Les glandes surrénales, qui sont reliées au muscle du mollet, sont également touchées.

Position: Assis, à la japonaise, aux pieds du receveur.

Technique: Compressez toute la longueur du tendon en utilisant l'index et le pouce. Remontez jusqu'au muscle du mollet en compressant les gros muscles situés dans la partie inférieure des jambes. Arrêtez à la jointure des genoux.

Répétition: Compressez le tendon d'Achille et le muscle du mollet jusqu'aux genoux à deux reprises.

Durée: Maintenez chaque compression pendant 3 secondes. Exécutée deux fois, la technique complète prendra 30 secondes.

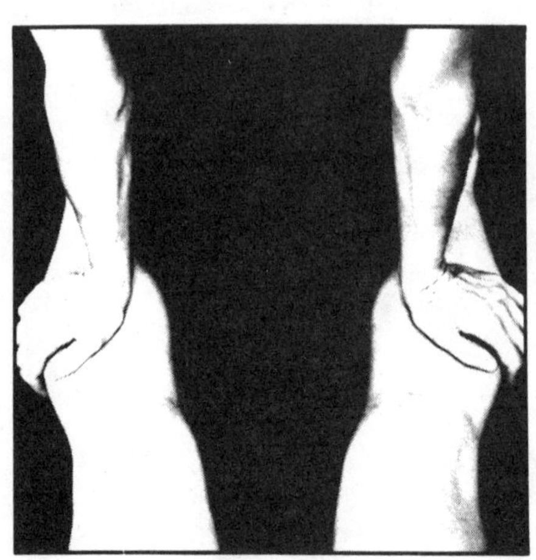

LA PLANTE DES PIEDS

Faire les deux pieds simultanément.

15) PREMIER CONTACT AVEC LA PLANTE DES PIEDS

But: Cette technique détend les pieds et les prépare pour les pressions spécifiques qui suivront.

Position: Assis, à la japonaise, aux pieds du receveur.

Technique: Utilisez les pouces pour masser fermement toute la plante des pieds. Laissez les pouces bouger librement en veillant à ce qu'ils soient flexibles et en

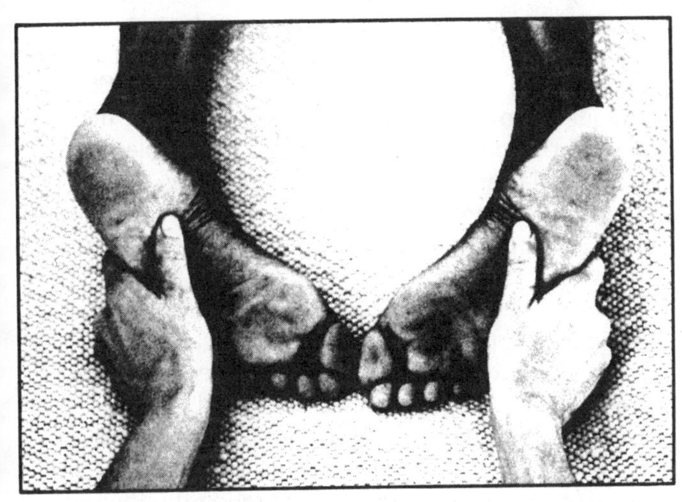

mouvement continu. N'essayez pas de vous attarder à des points précis avec cette technique. Il s'agit d'une technique de massage général dont le but premier est de permettre aux pieds de se relaxer avant de subir les traitements spécifiques à venir.

Répétition: Deux ou trois fois.

Durée: 30 secondes.

16) COMPRESSION DES TALONS

But: Cette technique aide à stimuler l'afflux de sang purifié dans les pieds et à relâcher les tensions accumulées dans les chevilles et les pieds.

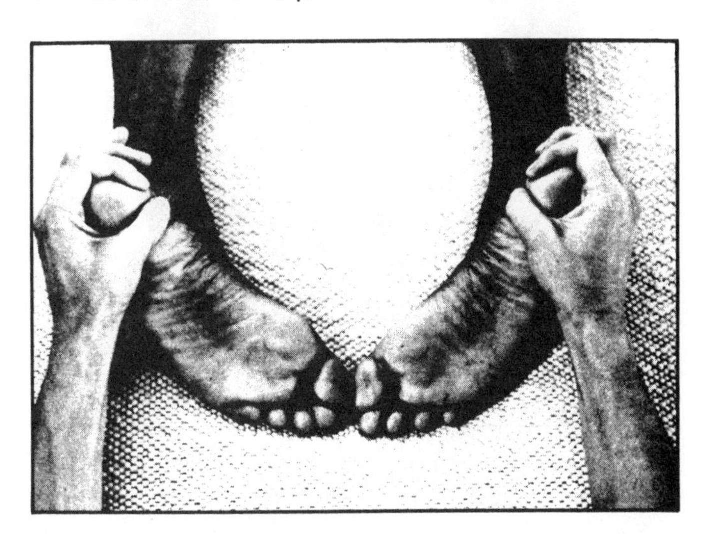

Position: Assis aux pieds du receveur.

Technique: Saisissez les talons, tenez-les fermement et compressez-les simultanément vers l'intérieur, puis vers l'extérieur.

Répétition: Répétez trois fois dans chaque direction.

Durée: 10 secondes.

Il est important de se familiariser avec la structure squelettique du pied au moment d'y appliquer une forte pression.

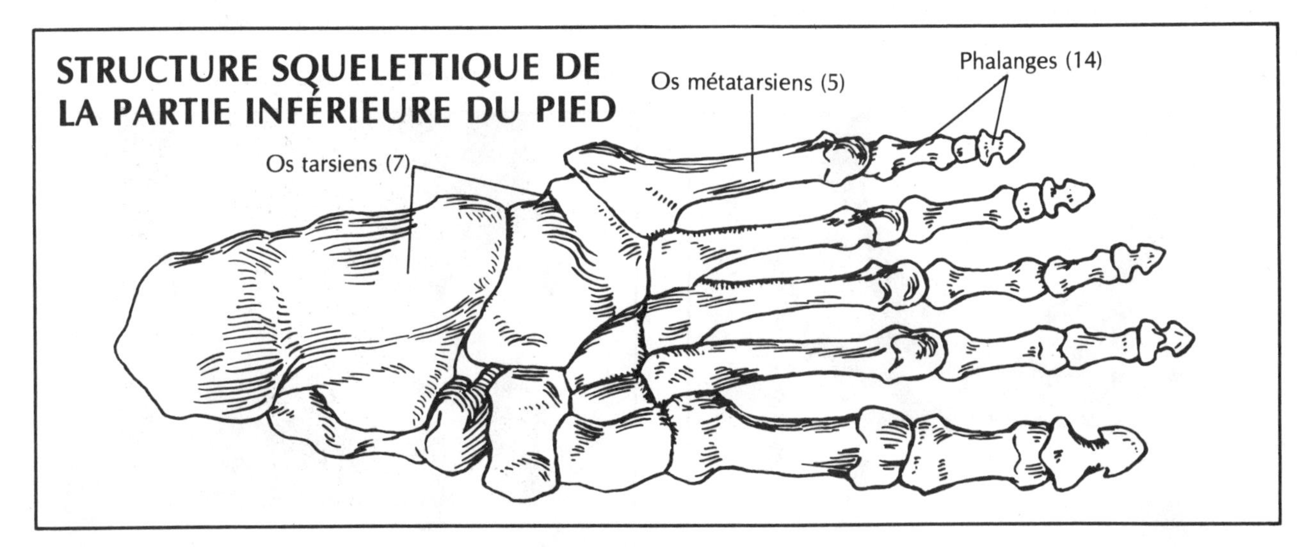

17) COMPRESSION ET TORSION DU CÔTÉ DES PIEDS

But: Ceci régénère le système nerveux.

Position: Assis aux pieds du receveur.

Technique: Commencez près du talon du côté extérieur du pied, puis descendez le long du pied vers les orteils.

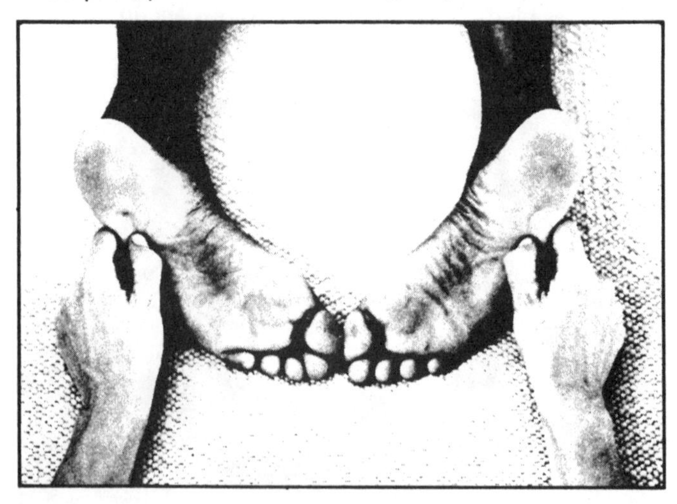

Soulevez la chair entre le pouce et l'index. Compressez et tordez doucement la peau.

Répétition: Aucune.

Durée: 10 secondes.

18) PRESSION SUR LE CÔTÉ EXTÉRIEUR DES PIEDS

But: Cette technique régénère le système nerveux. Elle aide également à améliorer la condition des épaules, des bras, des coudes, des hanches et des genoux. Les hémorroïdes répondent favorablement à une pression qui est appliquée derrière les talons. Plusieurs personnes ressentent des picotements le long de leur colonne vertébrale pendant cette technique. Cette sensation est causée par le mouvement de l'énergie nerveuse qui circule le long de la colonne vertébrale.

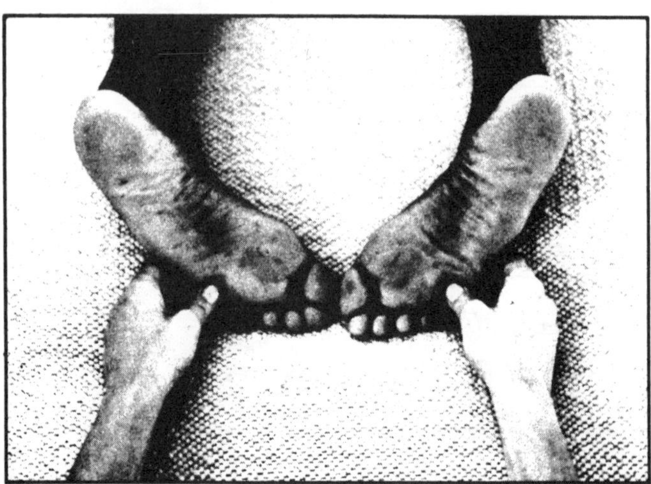

Position: Assis aux pieds du receveur.

Technique: Appliquez une pression ferme et pénétrante sur les deux pieds en même temps. Commencez sous le petit orteil et remontez jusqu'au talon en travaillant vers le haut.

Répétition: Inutile.

Durée: Maintenez chaque pression de 3 à 5 secondes. La technique complète prendra 35 secondes.

19) POINTS RÉFLEXES DE LA PLANTE DES PIEDS

But: Une pression exercée sur les différents points réflexes de la plante des pieds stimule les terminaisons nerveuses qui, à leur tour, stimulent le nerf complet ainsi que les muscles et les organes qui lui sont reliés. Cette technique encourage les mécanismes de défense naturels du corps à prendre le contrôle et à corriger les états de santé défaillants. Les toxines accumulées dans les pieds sont relâchées, améliorant ainsi l'état de santé général et la condition des différents nerfs impliqués.

Position: Assis aux pieds du receveur.

Technique: Appliquez une pression ferme avec les pouces ou les jointures sur chaque point à traiter. Maintenez la pression de 3 à 5 secondes. Au moment d'exercer une pression, dirigez votre pensée vers l'organe relié au point réflexe qui est touché. Essayez de visualiser l'organe concerné. Une bonne concentration du donneur procurera de meilleurs résultats au receveur.

Répétition: Si un point réflexe est douloureux ou tendu, répétez une autre pression. Ce rappel doit être effectué plus doucement que la première pression. Le but de cette répétition est d'apaiser la douleur dans cette région et de donner au point réflexe qui est tendu la pression nécessaire pour compléter le déclenchement des mécanismes de guérison naturels du corps.

Durée: 60 secondes.

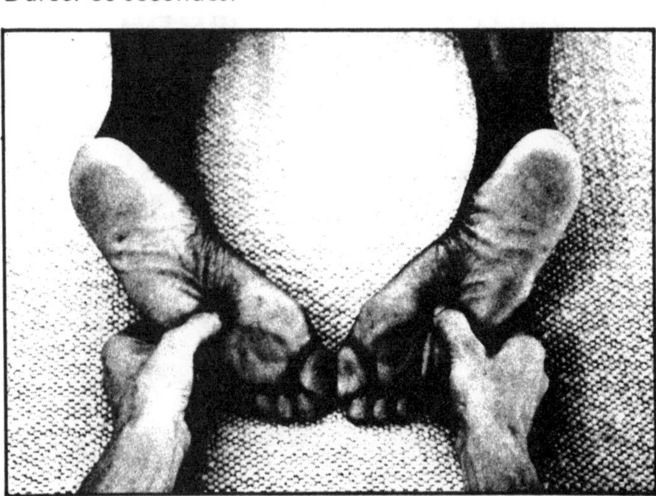

RÉFLEXOLOGIE DES PIEDS

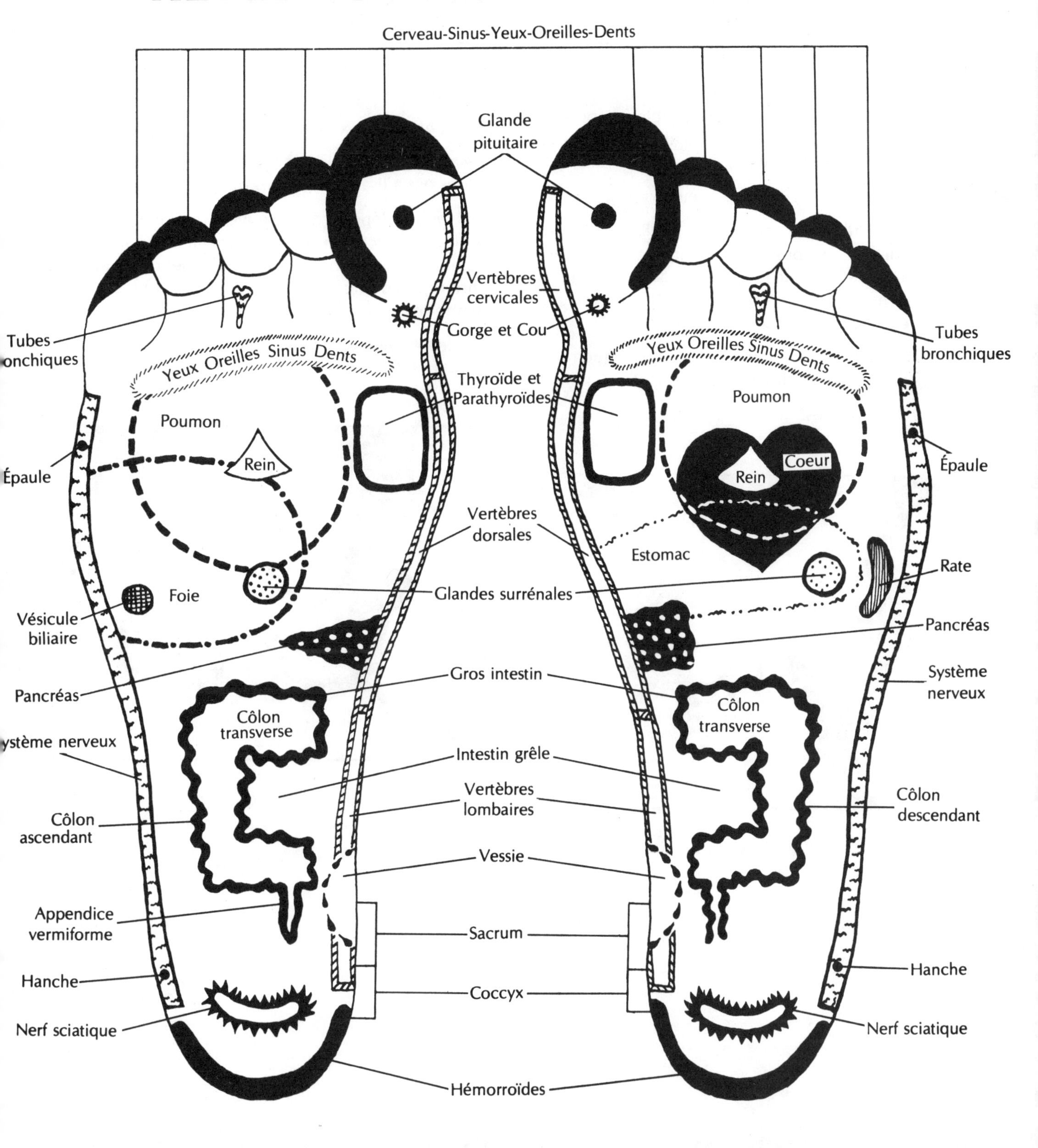

DROIT **GAUCHE**

20) PRESSION, MASSAGE ET COMPRESSION DES ORTEILS

But: L'action de masser et de compresser les orteils améliore la condition des sinus et élimine la fatigue du cerveau. Les personnes qui ont des troubles d'apprentissage et les autres qui souffrent de fatigue mentale bénéficieront de cette technique.

Position: Assis aux pieds du receveur.

Technique: Utilisez les pouces pour appliquer une pression ferme sur les coussinets des orteils. Commencez par le petit orteil de chaque pied et travaillez progressivement en allant vers le gros orteil. Compressez les côtés, le dessus et le bout de chaque orteil.

Répétition: Répétez si le receveur souffre fréquemment de troubles au niveau des sinus ou de la fatigue mentale.

Durée: 45 secondes.

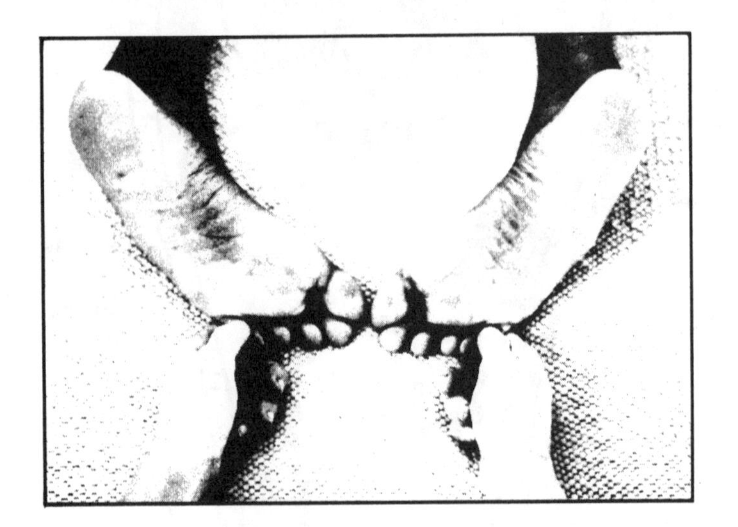

21) PRESSION SUR LES TALONS POUR LE NERF SCIATIQUE

But: Cette technique allège la douleur qui atteint le nerf sciatique.

Position: Assis aux pieds du receveur.

Technique: Appliquez une pression ferme au milieu des talons en utilisant les pouces ou les jointures.

Répétition: Répétez aussi souvent que nécessaire pour soulager le receveur des douleurs aiguës. S'il n'y a pas de douleur mais que l'on désire soigner des problèmes chroniques du nerf sciatique, appliquez une pression à quatre reprises sur chacun des talons.

Durée: Maintenez chaque pression de 3 à 5 secondes pour un total approximatif de 15 secondes.

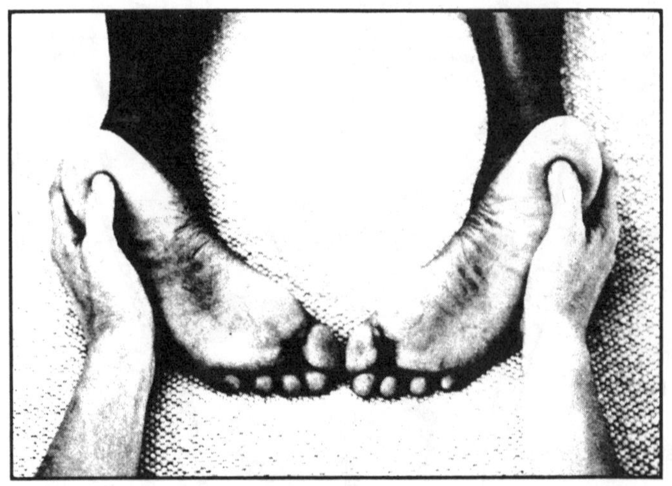

LES ÉPAULES ET LE HAUT DU DOS

22) HAUSSEMENT DES ÉPAULES

But: Utilisez en alternant avec la technique numéro 23 pour relaxer les épaules et les muscles situés dans la partie supérieure des bras.

Position: Assis à la tête du receveur.

Technique: Massez le muscle deltoïde, puis saisissez le dessus des bras et tirer les épaules vers la tête. Utilisez la

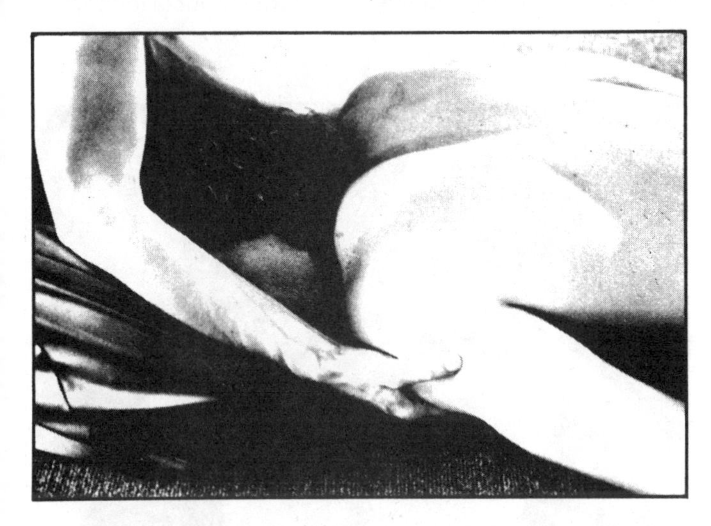

technique numéro 23 pour remettre les épaules à leur position normale.

Répétition: Répétez deux fois, mais faites suivre chaque haussement d'épaules de la technique numéro 23.

Durée: Voir la technique numéro 23.

23) GLISSEMENT DES ÉPAULES

But: Plusieurs personnes ont la mauvaise habitude de tenir leurs épaules près de leurs oreilles. Cette image est peut-être exagérée mais, effectivement, plusieurs accumulent énormément de tension dans cette partie de leur corps. Éventuellement, une tension chronique du cou et des épaules métamorphosera négativement la posture d'un individu. Cette technique aide à remettre les épaules à leur place. Elle permet également au receveur de prendre conscience de sa bonne ou de sa mauvaise posture.

Position: Assis à la tête du receveur. Accroupissez-vous afin que la pression ne fatigue pas les épaules et que la colonne vertébrale reste toujours droite.

Technique: Appuyez la paume des mains sur les épaules du receveur. Abaissez les épaules vers le bas et maintenez cet étirement pendant 5 secondes.

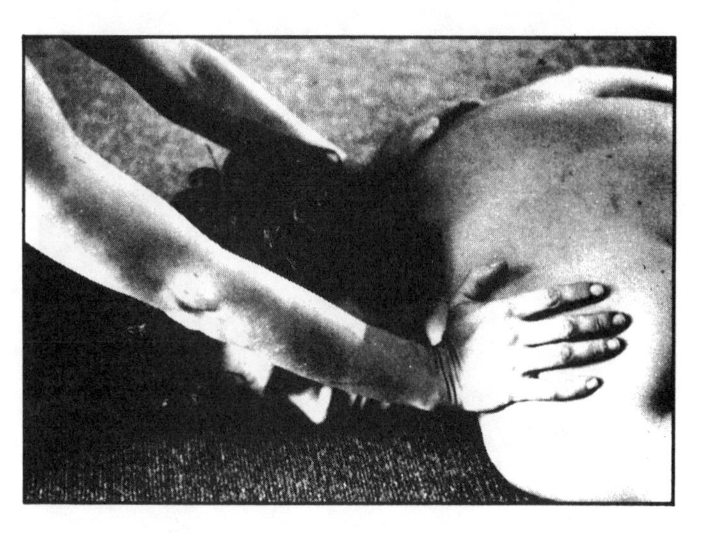

Répétition: Répétez deux fois en alternant avec la technique numéro 22.

Durée: 15 secondes.

24) ROTATIONS DES ÉPAULES

But: Les rotations des épaules relaxent le trapèze supérieur et les muscles des épaules. Elles relâchent ainsi la tension du cou et des épaules.

Position: Il existe deux positions possibles.

1) Assis, à la japonaise, à la tête du receveur.
2) Agenouillé parallèlement au receveur près de sa taille.

Technique: Si on adopte la *position 1*, saisir les épaules et accomplir des rotations vers soi. Soulevez les épaules du receveur pendant cette opération. Si celui-ci a un poids normal et une ossature délicate, on sera capable de faire faire des rotations à ses deux épaules simultanément. Si on adopte la *position 2*, glissez un bras sous le bras et l'épaule du receveur et utilisez l'autre main pour saisir cette même épaule. En utilisant ses bras et ses mains, faites faire des rotations à l'épaule. Faites trois

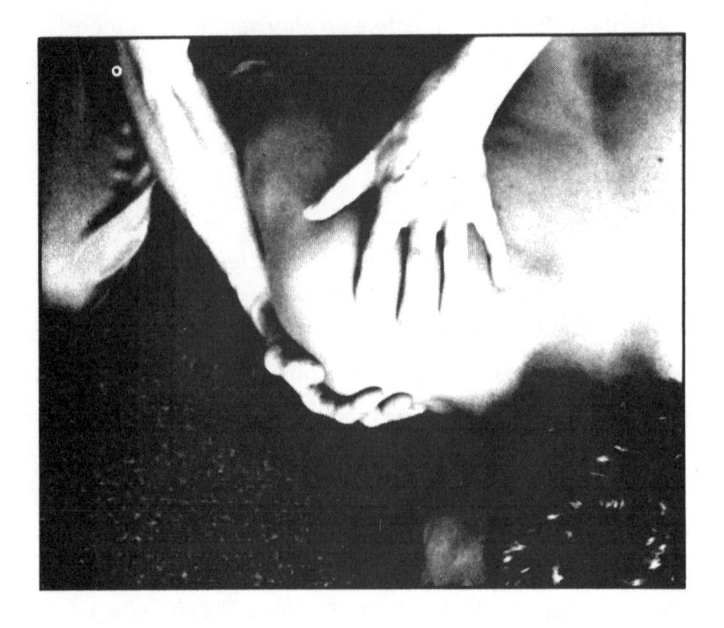

mouvements dans le sens des aiguilles d'une montre et trois autres de l'autre côté. Répétez avec l'autre épaule.

Répétition: Si le receveur souffre de tensions ou de douleurs chroniques aux épaules, augmentez le nombre de rotations.

Durée: Compter 5 secondes.

25) TECHNIQUE POUR LES VERTÈBRES DORSALES

But: Cette technique relaxe les muscles des épaules et du haut du dos. Les poumons, la thyroïde, les yeux, les oreilles, le coeur et l'estomac bénéficient grandement de cet exercice. Puisque les nerfs émergent de la colonne vertébrale, ils sont eux aussi soulagés de plusieurs tensions.

Position: Assis, à la japonaise, à la tête du receveur.

Technique: Commencez de chaque côté et entre les quatrième et cinquième vertèbres dorsales. Procédez en respectant les trois mêmes phases que pour la technique numéro 6.

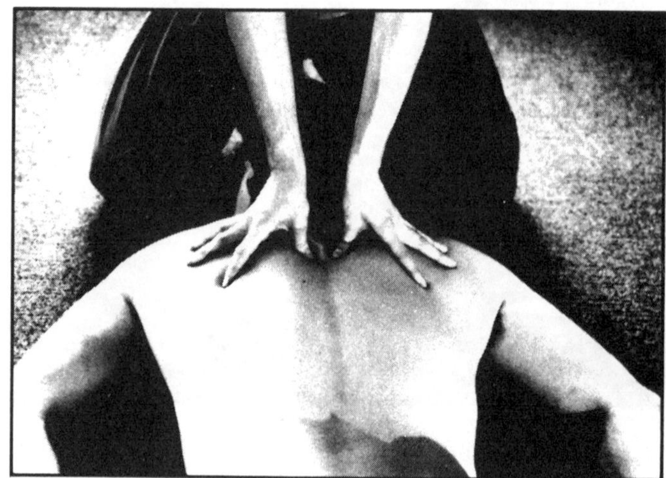

Répétition:

Phase 1: Massez entre et de chaque côté des vertèbres de trois à cinq fois en appliquant une pression moyenne avec les pouces.

Phase 2: Appliquez une pression des pouces de 3 à 5 secondes dans la même région. Si un point est particulièrement douloureux, répétez la pression.

Phase 3: Massez les mêmes zones de trois à cinq fois en exerçant de légères pressions avec les pouces.

Voir les photographies de la technique numéro 6 à la page 61.

Durée: 60 secondes.

26) PRESSION SUR LE TRAPÈZE SUPÉRIEUR

But: Le trapèze, le muscle le plus important des épaules, est souvent faible ou tendu. Cette technique lui permet de se débarrasser des tensions accumulées.

Position: Assis, à la japonaise, à la tête du receveur. Abaissez le torse pour exercer convenablement la pression.

Technique: Commencez par le côté extérieur des épaules, entre la clavicule et l'épine de l'omoplate. Exercez une pression du pouce tout le long du muscle. Travaillez de la partie extérieure des épaules vers les vertèbres du cou. Répétez la pression dans la même région. Elle doit être ferme et sensible. Plusieurs personnes sentiront de la douleur à cet endroit. Ne faites pas pénétrer les pouces dans le tissu musculaire. Pénétrez lentement mais fermement.

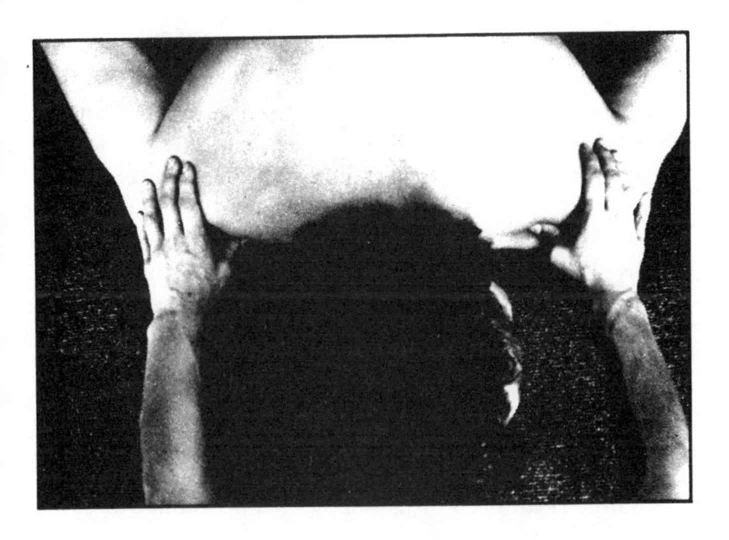

Répétition: Si le receveur souffre d'une tension des épaules chronique, répétez cette pression après avoir appliqué la technique numéro 27.

Durée: Maintenez chaque pression du pouce de 3 à 5 secondes. La technique complète demandera 25 secondes.

27) MASSAGE ET COMPRESSION DU TRAPÈZE SUPÉRIEUR

But: Cette compression améliore l'afflux sanguin au niveau des muscles qui ont été massés et relâche les poches de tension.

Position: Assis, à la japonaise, à la tête du receveur.

Technique: Utilisez les doigts et les pouces et massez avec délicatesse car les épaules sont toujours très tendues. Si une zone boursouflée attire l'attention, c'est un signe que l'on a trouvé l'endroit du blocage d'énergie ou la poche de tension. Concentrez-vous sur cette zone en faisant alterner un massager léger et une délicate compression. On peut aussi disperser les blocages d'énergie et les poches de tension en exerçant une pression délicate mais ferme du pouce directement sur la zone où l'on a relevé un blocage.

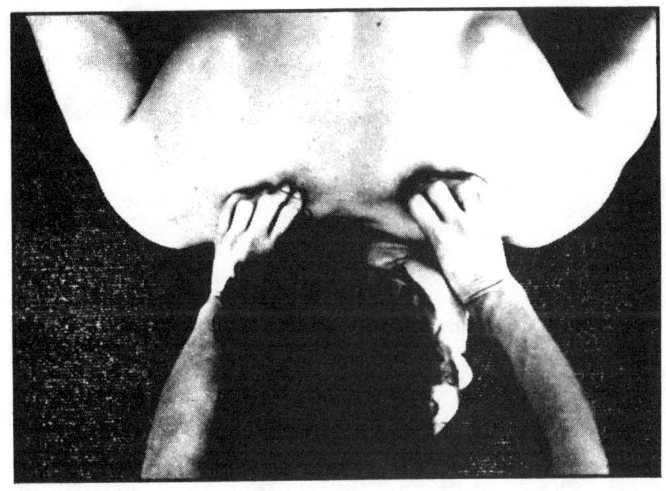

Répétition: Une pression du pouce appliquée directement sur un blocage d'énergie doit être maintenue de 5 à 7 secondes. Répétez le massage et la compression plusieurs fois.

Durée: La technique complète, incluant le massage, la pression et la compression, exigera 30 secondes.

28) PÉTRISSAGE DES ÉPAULES

But: Le pétrissage allège les tensions et libère les blocages d'énergie situés dans les épaules.

Position: Assis, à la japonaise, à la tête du receveur.

Technique: Utilisez la paume de chaque main. Pétrissez la partie des épaules la plus éloignée du cou en faisant

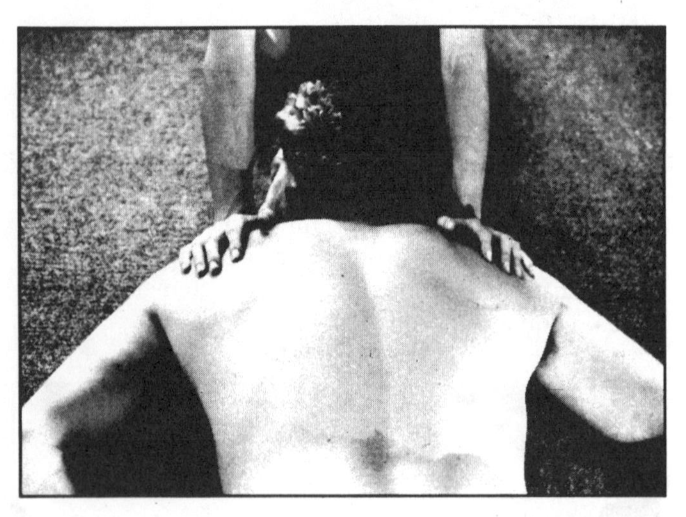

alterner la pression d'une paume à l'autre. Pétrissez *lentement* afin d'installer un agréable mouvement de bercement et de va-et-vient.

Répétition: Pétrissez chaque épaule cinq fois.

Durée: 10 secondes.

29) BALAYAGE VERTÉBRAL

But: Cette technique est une excellente façon de quitter la colonne vertébrale du receveur avant d'arriver au massage de ses pieds. Ce balayage vertébral est très relaxant.

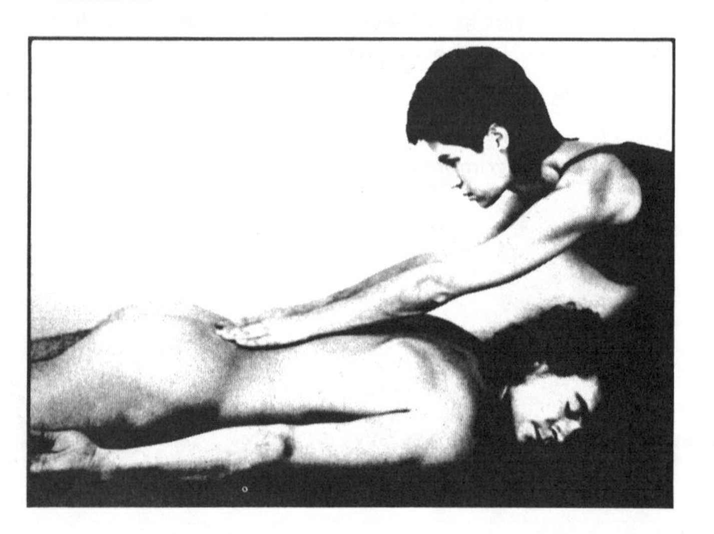

Position: Assis, à la japonaise, à la tête du receveur.

Technique: Étendez les mains à plat sur le sacrum. Appliquez une pression moyenne et faites monter les mains de chaque côté de la colonne vertébrale. Au moment d'atteindre le cou, utilisez un mouvement plus léger et balayez délicatement le cou et la tête.

Répétition: Répétez trois fois.

Durée: 20 secondes.

30) FRÔLEMENT DE LA COLONNE VERTÉBRALE

But: Ce léger frôlement, qui ressemble au passage d'une plume d'oiseau sur la colonne, est très agréable pour le receveur. Ce mouvement commande au cerveau de relaxer la partie qui est touchée par le frôlement. Cette technique très calme et délicate est une excellente façon de laisser une partie du corps du receveur sans couper le contact trop brutalement.

Position: Assis, à la japonaise, à la tête du receveur.

Technique: Flattez directement la colonne vertébrale. Commencez avec la main droite et alternez avec la main gauche. Flattez 7,5 cm le long du coccyx avec la main droite. Poursuivez avec la main gauche en la superposant à environ 2,5 cm de la zone qui vient d'être touchée par la main droite. Cette superposition continue des mains permet au donneur de ne négliger aucune partie de la colonne vertébrale. Poursuivre ce mouvement léger en se rendant jusqu'au cou et à la tête. Visualiser que l'on fait monter l'énergie le long du vaisseau gouverneur qui est relié au système nerveux et à toute la colonne vertébrale.

Répétition: Répétez tout le mouvement de frôlement deux fois. Terminez en laissant reposer les mains doucement sur la tête du receveur.

Durée: 20 secondes.

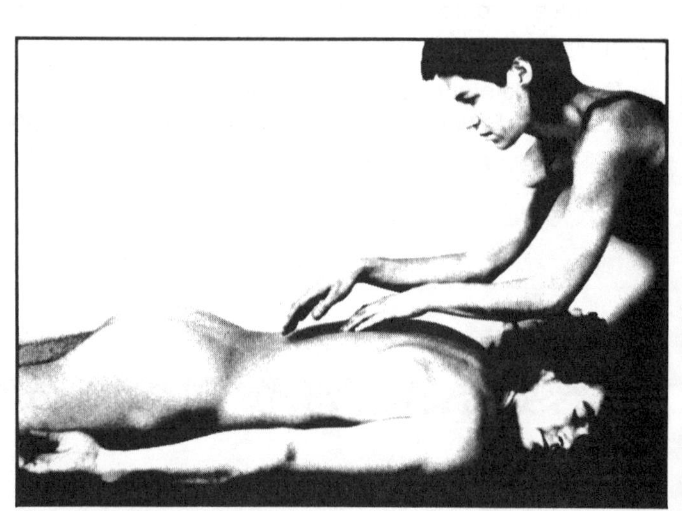

ÉTENDU SUR LE DOS

Quand la technique numéro 30 a été complétée, accordez un temps de répit de 15 à 20 secondes au receveur. Toujours en position assise, à la japonaise, maintenez sa tête dans vos mains. Prenez une trentaine de secondes pour enlever lentement, progressivement et imperceptiblement vos mains de sa tête. Ce retrait doit être effectué en douceur afin de ne pas le perturber. Cette séparation lente procure une sensation de calme, de sécurité et parfois même de somnolence au receveur. Utilisez un léger toucher et une voix douce pour le faire sortir de son état de sommeil et suggérez-lui de se retourner sur le dos lorsqu'il se sentira prêt et apte à le faire. Même s'il n'est pas endormi, utilisez cette méthode pour laisser son corps et rétablir la communication verbale.

Quelques ajustements devront être faits pour permettre au receveur d'être parfaitement à l'aise maintenant qui'il est étendu sur le dos.

A) Placez un oreiller replié sous chaque jambe. L'oreiller soulève les jambes légèrement, réduisant ainsi la pression au niveau lombaire. Les personnes qui souffrent de maux chroniques dans cette région apprécieront cette libération de la tension. Quant aux autres, elles pourront être plus détendues pendant toute la durée du massage.

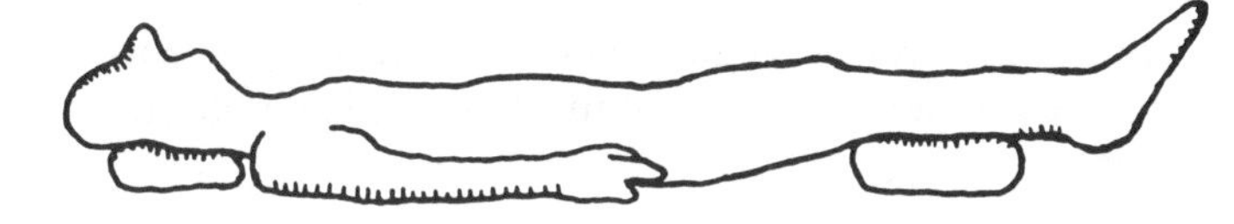

B) Accroupissez-vous à la tête du receveur. Placez vos mains et vos bras sous ses épaules et partiellement sous son dos. Saisissez son dos et étirez-le vers vous. Cette élongation de la colonne vertébrale élimine la courbure trop marquée au niveau lombaire, laquelle est le résultat de la faiblesse des muscles abdominaux et des tenseurs inférieurs. On favorisera ainsi un meilleur alignement du dos. Le fait de recevoir un massage alors que la colonne est étirée et relaxée correctement permet au corps de se débarrasser d'une grande partie de sa tension.

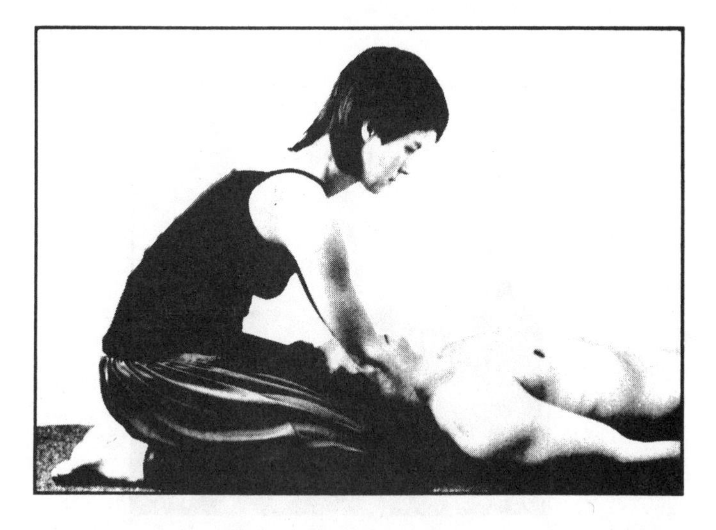

C) Saisissez les épaules et repoussez-les vers les orteils du receveur.

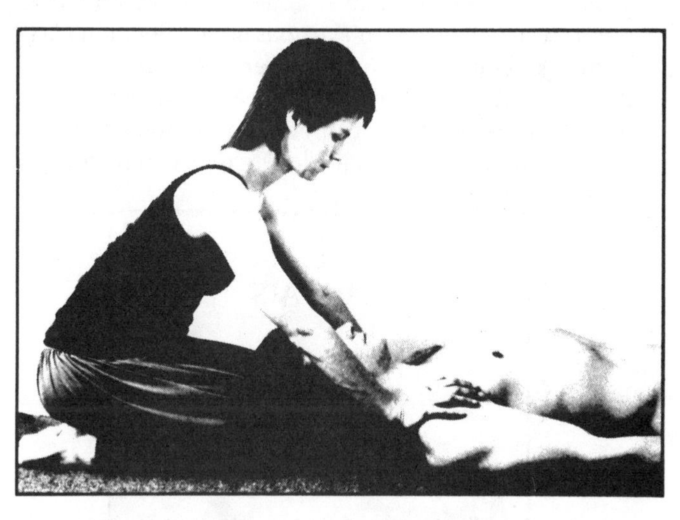

D) Saisissez la base de la tête et le cou du receveur pour ensuite les étirer et les compresser vers vous. Répétez cette technique trois fois.

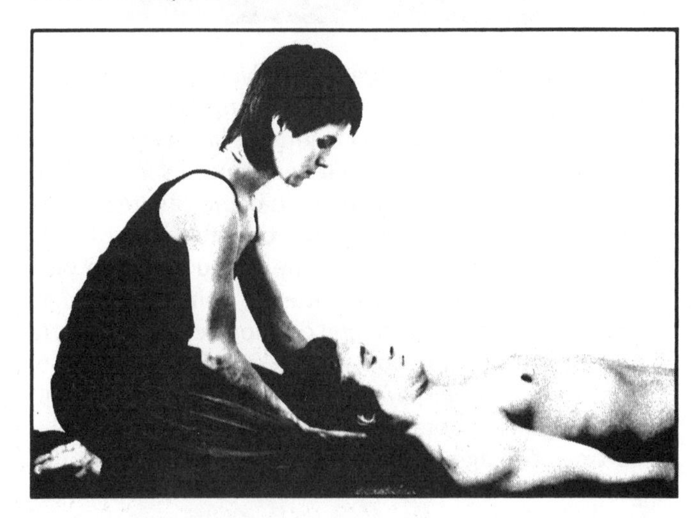

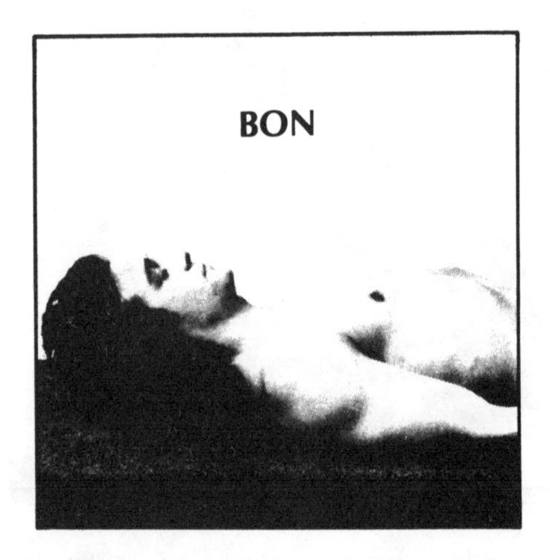

E) Soulevez doucement la tête et glissez un petit oreiller sous l'éminence occipitale, cette grosse bosse située derrière la tête. Si vous n'avez pas un oreiller mince à la portée de la main, utilisez une serviette qui a été bien pliée. Le but est de soulever la tête à environ 4 à 5 centimètres au-dessus de la carpette. La photographie suivante démontre que lorsque la tête repose directement

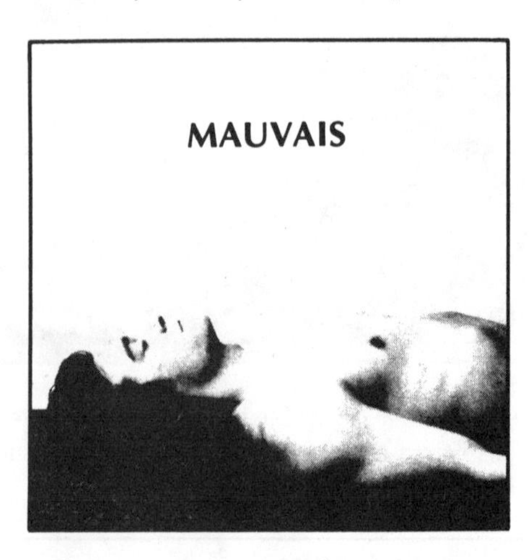

sur le sol, elle a tendance à se renverser vers l'arrière. Cette mauvaise position ajoute de la pression sur la première vertèbre cervicale et augmente la tension dans les épaules et le cou. Lorsque la tête repose sur l'oreiller, insérez vos doigts sous la base du crâne et étirez le cou une autre fois vers vous. Laissez ensuite reposer la tête sur l'oreiller en veillant à ce que le cou demeure bien étiré. Veillez à ce que le menton ne pointe pas trop en l'air. En adoptant cette bonne position, le receveur verra automatiquement la douleur qui était dans son cou et dans ses épaules disparaître pendant le massage. En fait, avant même de commencer le massage du cou, la plupart des blocages qui y étaient accumulés auront disparu.

F) Couvrez le receveur si vous sentez qu'il risque de prendre un coup de froid. Utilisez un drap si la température est chaude ou une couverture électrique si l'air est frais ou froid.

G) Si le receveur éprouve la moindre tension ou douleur dans le cou ou les épaules parce qu'il était étendu sur le ventre, massez cette partie du corps pendant une ou deux minutes en utilisant les techniques numéros 69 et 71. Celles-ci feront disparaître le malaise qui existe et elles vous permettront de procéder aux techniques suivantes.

Durée: 4 minutes.

LE DESSUS DES PIEDS

31) PREMIER CONTACT GÉNÉRAL AVEC LES PIEDS

But: Cette technique détend et relaxe les pieds avant de leur appliquer les pressions spécifiques qui vont suivre. Un massage rapide et léger qui précède des pressions plus fortes permet aux pieds de mieux supporter celles-ci par la suite.

Position: Assis aux pieds du receveur.

Technique: Prenez contact avec tout le pied en le massant doucement, en le caressant et en le pliant délicatement.

Répétition: Inutile.

Durée: 30 secondes.

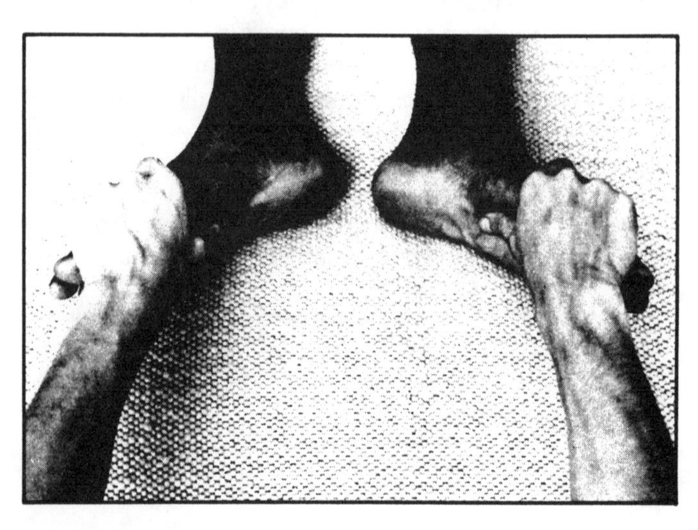

32) ÉTIREMENT ET MASSAGE DES ORTEILS (DEUX PIEDS)

But: Cette technique permet aux orteils de se relaxer. Elle retourne également le sang stagnant au coeur, permettant ainsi au sang oxygéné de circuler à nouveau librement au bout des pieds. Lorsque l'on regarde quel genre de chaussures la plupart des gens portent de nos jours et tout spécialement les femmes, il est facile de comprendre à quel point l'étirement et le massage des orteils sont toujours très appréciés par le receveur. La manipulation des orteils fait aussi bouger indirectement les os métatarsiens tout en aidant les muscles et les os du pied à se détendre. Ce massage améliore par ailleurs la condition des sinus et permet au receveur de se débarrasser de la fatigue mentale et des autres problèmes reliés à la condition cervicale.

Position: Assis, à la japonaise, aux pieds du receveur.

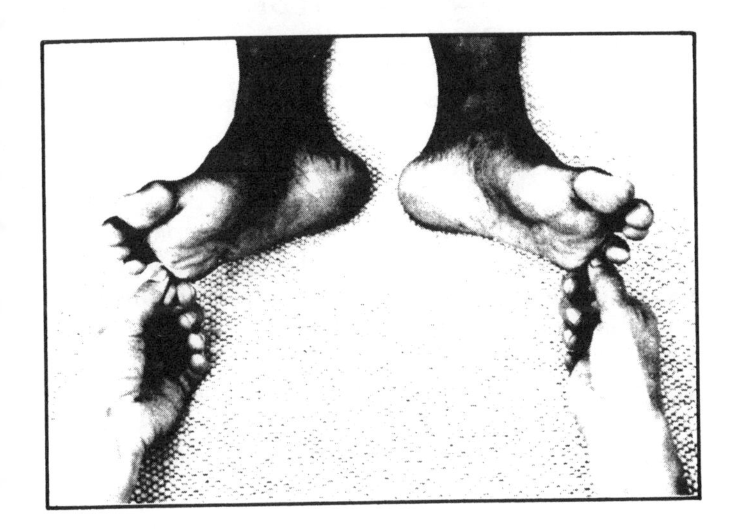

Technique: Commencez en massant les petits orteils. Méthodiquement, orteil par orteil, travaillez jusqu'aux gros orteils. Manipulez les mêmes orteils de chaque pied en même temps. Compressez et massez chaque orteil du bout jusqu'à la base qui le relie au pied. Si on commence par la base en se rendant jusqu'au bout, on empêche le sang stagnant de recirculer dans le coeur. Après avoir massé une paire d'orteils, on les étire fermement mais doucement en les tordant et en les étirant pour leur permettre de se relaxer davantage.

Répétition: Inutile.

Durée: Comptez 10 secondes pour chaque paire d'orteils. La technique totale demandera environ 50 secondes.

33) ROTATIONS DES CHEVILLES (UN PIED À LA FOIS)

But: Ces rotations relaxent et augmentent la flexibilité des chevilles. En plus d'améliorer la circulation sanguine et lymphatique, elles libèrent l'énergie stagnante qui est prisonnière dans cette partie du corps.

Position: Assis, à la japonaise, à côté du receveur. Se placer perpendiculairement aux muscles des mollets.

Technique: Saisissez le pied au niveau des éminences métatarsiennes. Laissez reposer le bas de la jambe du receveur sur les genoux du donneur. assurez-vous que la cheville et le pied du receveur n'ont aucun contact avec les jambes du donneur. Avec la paume d'une main, encerclez le bout du pied. Avec l'autre main, saisissez la jambe juste au-dessus de la cheville. Dessinez trois lentes et grandes rotations, d'abord vers la droite, puis vers la gauche.

Répétition: Complétez trois rotations dans une direction avant de faire les trois autres à contresens.

Durée: 10 secondes par pied.

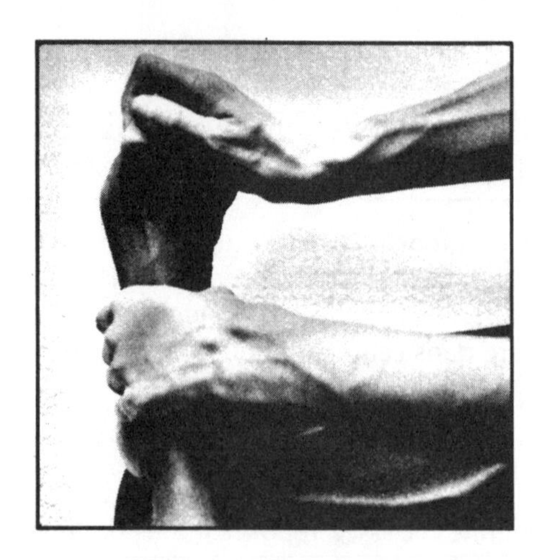

34) ROTATIONS DES CINQ ORTEILS (UN PIED À LA FOIS)

But: Cette technique relâche les os métatarsiens et les orteils gênés par des crampes.

Position: Même que pour la technique numéro 33.

Technique: Saisissez le pied avec une main et tenez les orteils avec l'autre. Faites faire des rotations aux cinq orteils en même temps.

Répétition: Trois rotations vers la droite et trois autres vers la gauche.

Durée: 5 secondes par pied.

35) ROTATIONS ET ÉTIREMENTS DE CHAQUE ORTEIL

But: Cette technique relaxe les orteils qui souffrent de crampes et de tensions. Elle améliore également la condition des sinus et guérit la fatigue mentale.

Position: Même que pour la technique numéro 33.

Technique: Faites faire une rotation à chaque orteil dans les deux directions et l'étirez ensuite fermement tout en le compressant légèrement. Si on entend un son sourd au niveau des orteils, c'est un signe que leur jointure a été relâchée avec succès. La plupart des gens apprécient les rotations et les étirements des orteils, mais d'autres

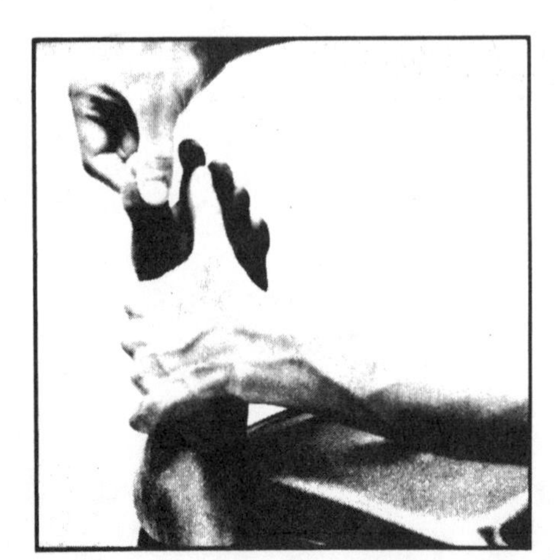

les trouvent très désagréables et parfois même douloureux. Si l'on s'aperçoit que le receveur ne se sent pas à l'aise, on doit faire des rotations très douces et des étirements très légers. Il ne faut pas le forcer à tolérer des mouvements plus fermes. N'oubliez jamais que le but de la technique n'est pas de faire mal et que l'on peut obtenir d'excellents résultats sans brusquer le receveur.

Répétition: Deux rotations de chaque orteil dans chaque direction et terminez par la compression. Si l'on n'entend pas le son qui souligne le parfait relâchement des jointures, essayez d'étirer l'orteil concerné une fois de plus. Si, toutefois, on obtient un échec la seconde fois, il est inutile d'insister et il faut passer à l'orteil suivant.

Durée: Comptez environ 10 secondes par orteil et un total de 50 secondes par pied.

36) PRESSION SUR L'ARCHE POUR LA COLONNE VERTÉBRALE (UN PIED À LA FOIS)

But: Une pression appliquée le long de l'arche du pied aide au relâchement des douleurs au niveau dorsal. Les tensions et les spasmes répondent rapidement à ces points réflexes. Si le receveur souffre parfois de maux de dos mais qu'il ne ressent aucune douleur au moment du massage, cette technique préviendra l'apparition d'autres maux semblables par la suite. Ceci lui permettra finalement de corriger sa posture. Les maux de dos aigus, ceux qui surviennent subitement suite à une chute ou au soulèvement d'un objet trop lourd, répondent très bien à ces points réflexes. Ces pressions exercées le long de l'arche régénèrent tout le système nerveux.

Position: Assis, à la japonaise, à la tête du receveur.

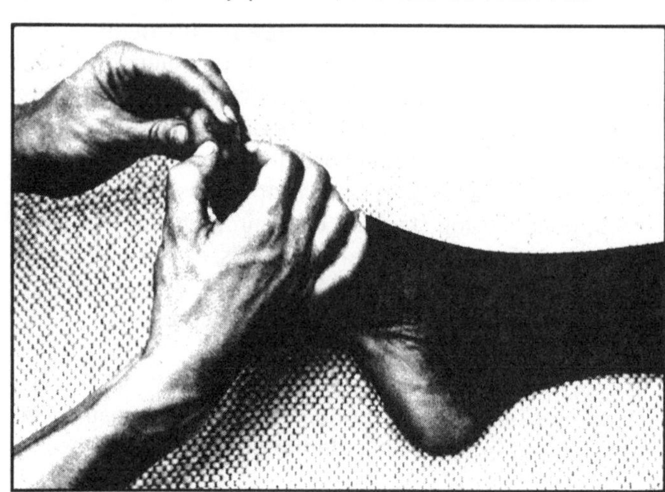

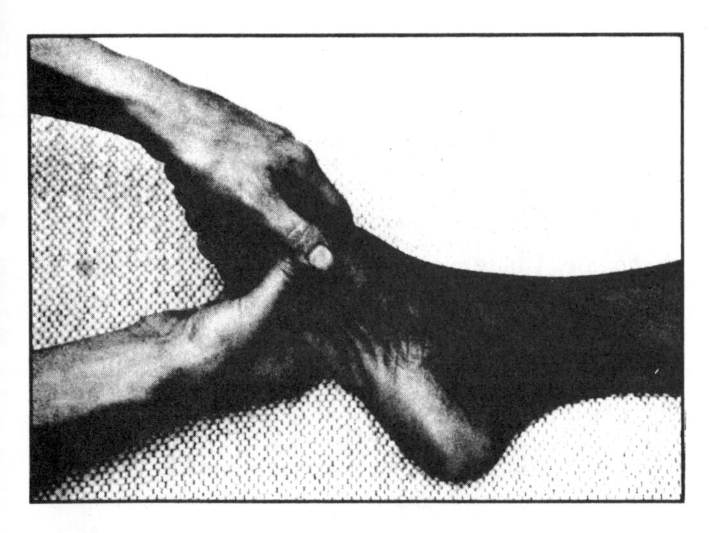

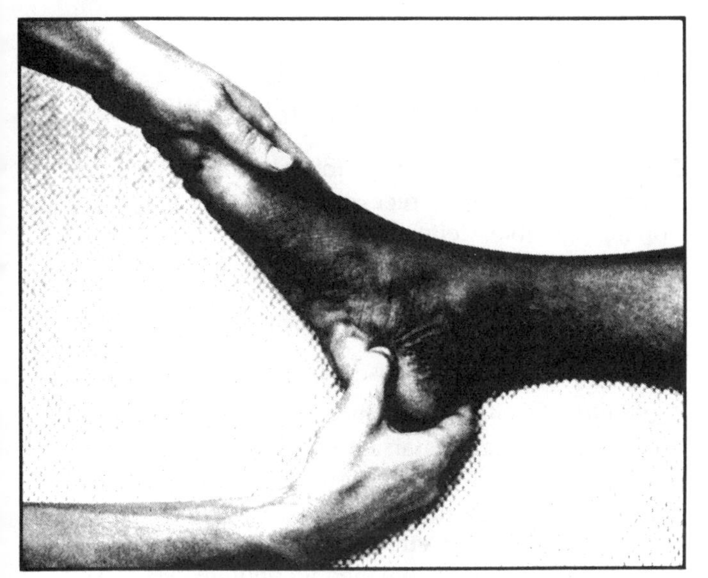

Technique: Appliquez une pression ferme à la base extérieure du gros orteil, près de l'ongle, et continuez tout le long de l'arche en se rendant jusqu'à l'arrière du talon. Utilisez le bout du pouce pour exercer une pression ferme depuis la base de l'ongle jusqu'à l'os sésamoïde qui est l'éminence osseuse la plus large située sous le gros orteil. Utiliser ensuite le gras du pouce et, en s'aidant de l'autre pouce, exercez une pression ferme qui longera l'arche de l'os sésamoïde jusqu'au talon. Utilisez le bout du pouce pour le talon. Ne négligez aucune partie de l'arche. Exercez une pression sur chaque partie de l'arche.

Répétition: Si le receveur souffre de maux de dos au début du massage, plusieurs pressions seront nécessaires pour le soulager. Si ce n'est pas le cas, la technique appliquée une seule fois (du gros orteil au talon) sera suffisante.

Durée: Maintenez chaque pression de 3 à 5 secondes. Comptez environ 50 secondes par pied.

37) MASSAGE POUR LES REINS ET DES ORGANES SEXUELS ET REPRODUCTEURS (UN PIED À LA FOIS)

But: Les points réflexes qui correspondent aux reins et aux organes sexuels sont presque situés au même endroit. Une pression exercée sur la zone appropriée assistera les reins dans leur processus d'élimination tout en tonifiant les organes sexuels féminins et masculins. Les désordres reliés aux problèmes de menstruation, de reproduction ou de prostate ainsi que les autres problèmes des organes sexuels pourront être corrigés grâce à des pressions régulières sur ces points réflexes.

Position: Assis, à la japonaise, aux pieds du receveur.

Technique: Tenez le pied du receveur dans un main et exercez plusieurs pressions fermes sur la partie creuse située juste au-dessous de l'intérieur de l'astragale.

Répétition: Répétez seulement si le receveur souffre d'un problème pouvant être soigné par ces points réflexes.

Durée: Environ 10 secondes par pied.

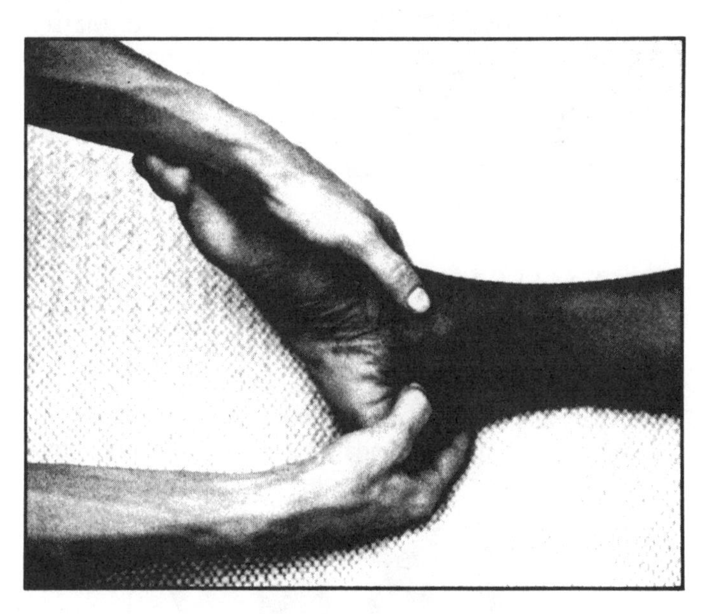

38) MASSAGE DE L'ASTRAGALE (UN PIED À LA FOIS)

But: Le fait de masser directement autour de l'astragale bénéficie aux organes reproducteurs de l'homme et de la femme. Le receveur se sent très bien après ce massage.

Position: Assis, à la japonaise, aux pieds du receveur.

Technique: Placez les doigts et le pouce de chaque main autour des protubérances osseuses d'un pied. Massez cette zone en bougeant tous les doigts à l'unisson. Restez près de l'astragale.

Répétition: Répétez uniquement si le receveur a des problèmes de santé correspondant à ces points réflexes.

Durée: 5 secondes par pied.

39) MASSAGE LYMPHATIQUE DES CHEVILLES (LES DEUX PIEDS)

But: Cette technique draine le système lymphatique au niveau des chevilles en faisant circuler les toxines stagnantes. La lymphe a tendance à stagner dans les pieds à cause de la vie sédentaire que la plupart d'entre nous vivent, entraînant ainsi un ralentissement de la circulation dans le corps.

Position: Assis, à la japonaise, aux pieds du receveur.

Technique: Utilisez les quatre doigts dans un mouvement de va-et-vient. Mettez plus d'énergie dans le mouvement qui va vers le haut afin de drainer les toxines en dehors des pieds. Remettez les doigts dans la position de départ en préparation pour le prochain mouvement vers le haut. Faites les deux pieds simultanément.

Répétition: Cinq mouvements fermes vers le haut et cinq mouvements de glissement légers vers le bas.

Durée: 5 secondes.

40) GLISSEMENTS SUR LES MÉTATARSES (LES DEUX PIEDS)

But: Le fait de faire glisser ses doigts le long des rainures des os métatarsiens du receveur lui procure une sensation très agréable. Cette technique envoie de l'énergie à la poitrine et aux poumons. Tout problème de santé relié à cette partie du corps guérira plus rapidement si on traite régulièrement les points réflexes correspondants.

Position: Assis, à la japonaise, aux pieds du receveur.

Technique: Placez les quatre doigts des deux mains sur les rainures des os métatarsiens du receveur, c'est-à-dire à la base des orteils sur le dessus des pieds. Bougez les doigts avec fermeté dans un glissement lent qui monte jusqu'aux chevilles. Cette technique est plus agréable pour le receveur si le mouvement continue vers le haut pour aller toucher les chevilles. Puisque les os métatarsiens ne se rendent pas jusqu'aux chevilles, il est normal de sortir des rainures correspondantes. La pression des doigts qui glissent sur les chevilles est une continuation logique de ce mouvement qui procure des sensations agréables à la peau.

Répétition: Répétez trois fois en travaillant sur les deux pieds simultanément.

Durée: Un total de 10 secondes est requis.

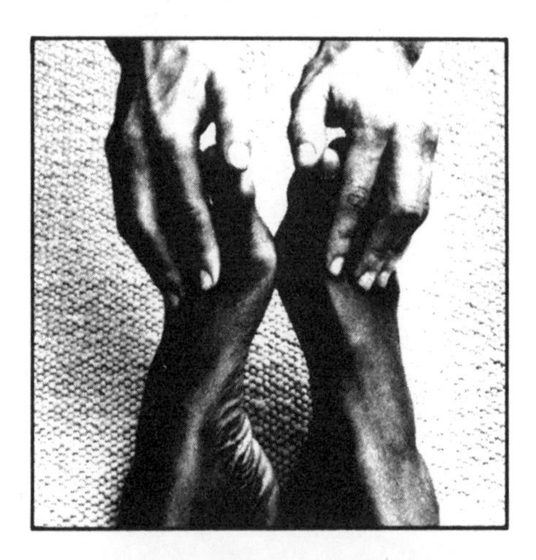

41) TORSION DU DESSUS DU PIED (UN PIED À LA FOIS)

But: Relaxez les pieds.

Position: Assis entre les pieds du receveur.

Technique: Saisissez un pied avec les mains. Tordez le pied vers la droite avec une main et vers la gauche avec l'autre.

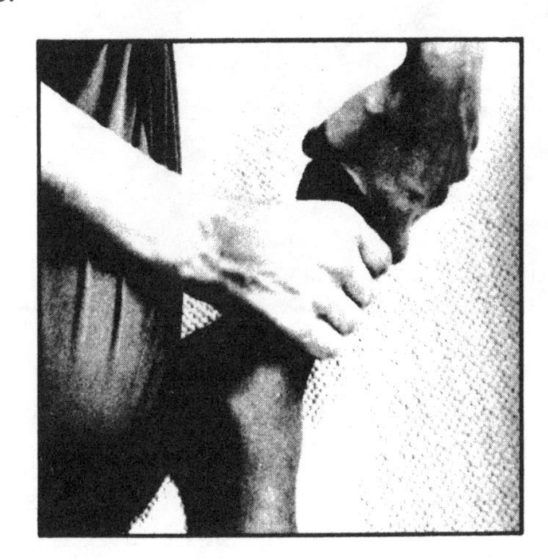

Répétition: Deux fois pour chaque pied.

Durée: 7 secondes par pied.

Vous avez maintenant complété le massage minutieux d'un pied. Répétez les techniques numéros 33 à 38, puis la technique numéro 41, avant de procéder à la technique numéro 42.

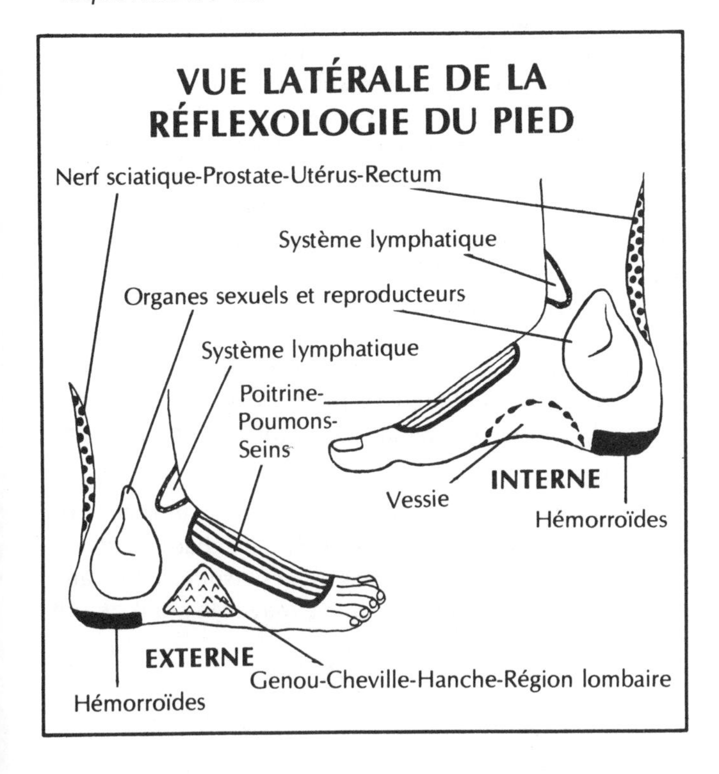

Le devant des jambes

42) UNE AIDE POUR LE FOIE

But: Le fait d'appliquer une pression sur les points qui correspondent au foie et qui sont situés le long du tibia aidera cet organe à mieux remplir les 500 fonctions connues qu'on lui attribue. Parce qu'il travaille énormément, le foie a besoin de toute l'aide que vous pouvez possible lui apporter. Les personnes qui boivent beaucoup d'alcool trouveront ces points particulièrement utiles.

Position: Assis, à la japonaise, légèrement entre les jambes du receveur.

Technique: Commencez aux chevilles. Exercez une pression des pouces ferme de 3 secondes tel qu'indiqué sur la photo et monter le long des tibias.

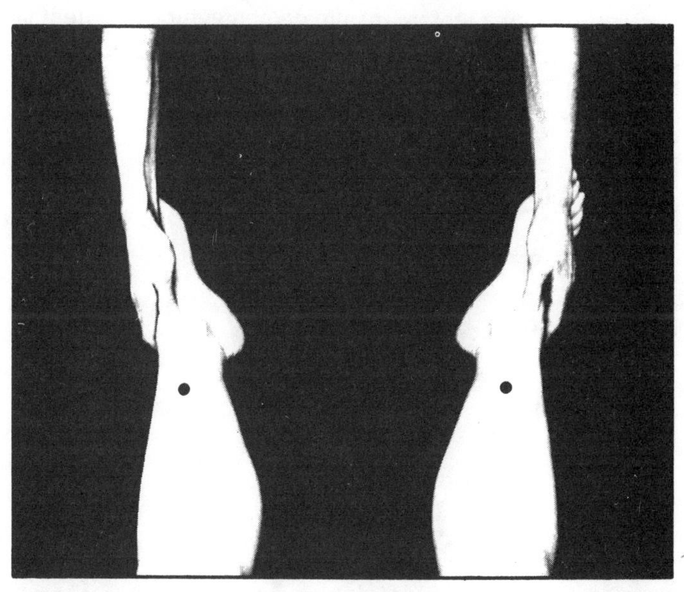

Répétition: Aucune répétition n'est nécessaire sauf si le receveur souffre d'une faiblesse ou d'une maladie spécifique du foie. Dans un tel cas, répétez la pression sur tous les points à trois reprises et maintenir chacune pendant 10 secondes.

Durée: 10 secondes si le receveur ne souffre pas d'un trouble quelconque du foie.

43) MASSAGE LYMPHATIQUE DES GENOUX

But: Cette technique dégage les ganglions lymphatiques qui sont situés autour des genoux et qui renforcent les tendons des muscles qui se trouvent dans cette partie du corps. Les douleurs du genou répondent favorablement à ce massage.

Position: Assis, à la japonaise, entre les jambes ouvertes du receveur.

Technique: En utilisant les quatre doigts, et dans un mouvement de massage circulaire, massez autour des deux genoux simultanément. Si le receveur souffre d'un problème aux genoux, exercez une ferme pression des pouces dans cette zone après avoir massé avec les quatre doigts. Ne pas masser directement la rotule car ceci procurerait une sensation désagréable au receveur. Au moment d'appliquer une ferme pression avec les pouces, pénétrez lentement afin de percevoir clairement la structure osseuse sous la peau. Si la pression est exercée trop rapidement, le donneur peut faire un faux mouvement et blesser le receveur.

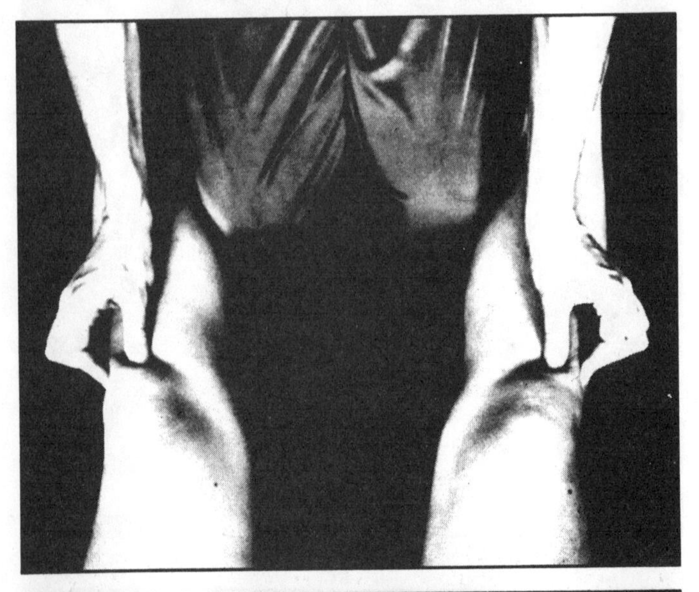

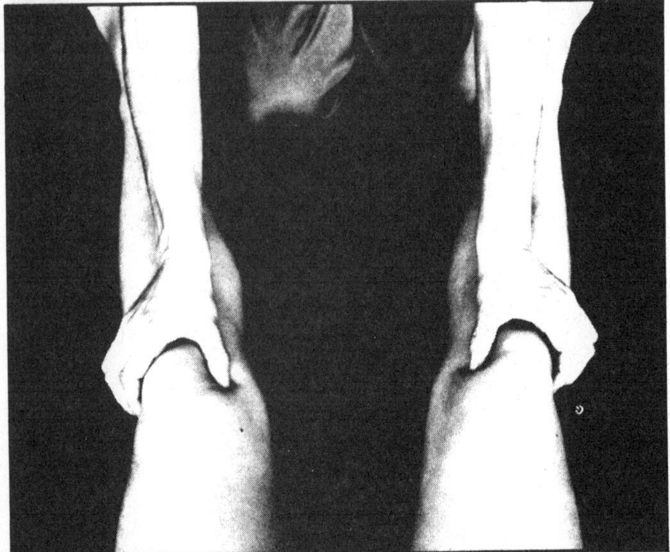

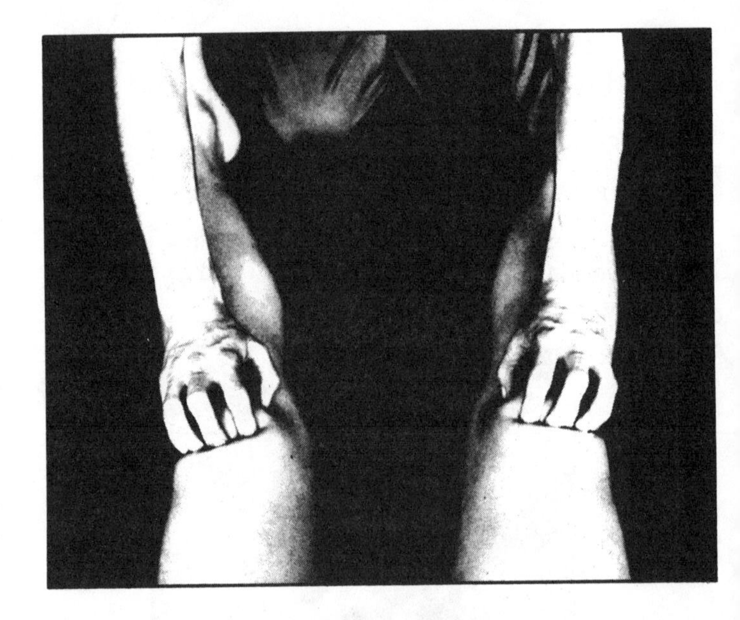

Répétition: Massez chaque zone avec les quatre doigts à cinq reprises. Au moment de presser avec les pouces, maintenir chaque pression de 3 à 5 secondes.

Durée: 30 secondes.

44) DRAINAGE LYMPHATIQUE DES CUISSES

But: Ce drainage est utile pour plusieurs raisons. Il améliore d'abord le fonctionnement du gros intestin, de l'intestin grêle et des organes sexuels et reproducteurs. Le massage de l'intérieur des cuisses agit également sur le tonus et le fonctionnement des muscles abdominaux, des tendons du jarret et du moyen fessier. Les douleurs lombaires, les maux de tête et les hémorroïdes répondent favorablement eux aussi à un massage et à une manipulation effectués dans cette zone. Le massage de la partie extérieure des cuisses soulage les douleurs de la poitrine avant, pendant ou après la période menstruelle. Ceci stimule également beaucoup le côlon. La constipation, la diarrhée et les autres troubles du côlon peuvent être soignés grâce à un massage régulier effectué sur ces points.

Position: Agenouillé au-dessus du genou du receveur. Les genoux du donneur doivent être de chaque côté de la jambe du receveur. Ne pas s'asseoir sur la jambe afin de ne pas incommoder le receveur avec le poids de son corps.

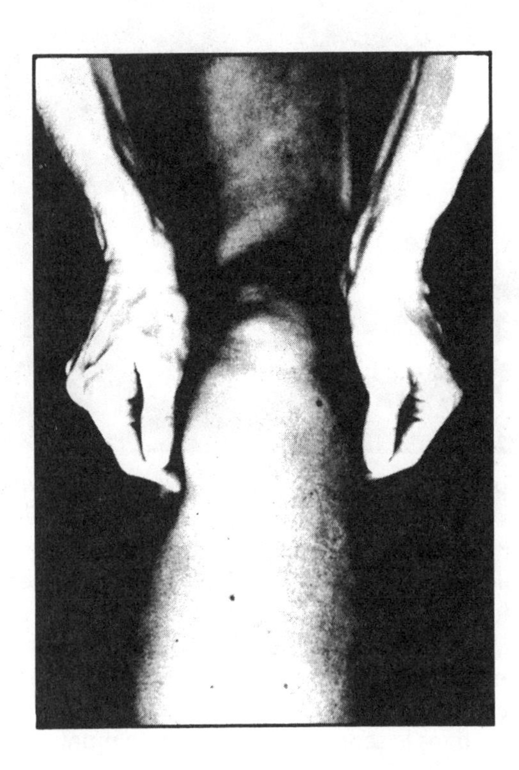

Technique: Placez les quatre doigts de chaque main de chaque côté d'une cuisse, juste à côté du genou. Massez une seule jambe à la fois. Faites un mouvement de massage circulaire et progressif tout en montant le long de la cuisse. Exercez une pression moyenne à ferme. Agissez avec délicatesse car cette zone est souvent très sensible.

Répétition: Répétez deux fois, ou plus si un problème relié aux zones touchées par ce massage lymphatique est connu.

Durée: 60 secondes.

45) COMPRESSION DES CUISSES

But: Cette compression est formidable. Elle stimule la circulation sanguine dans les cuisses et aide les méridiens qui s'y trouvent à améliorer leur courant énergétique. Les méridiens impliqués sont ceux du foie, des reins, de la rate, de la vésicule biliaire et de l'estomac.

Position: Le donneur s'asseoit à califourchon au-dessus de la jambe opposée à celle qui subira la compression. Le receveur doit avoir les jambes entrouvertes.

Technique: Commencez près du genou et compressez en montant le long de la cuisse. Placez une main à l'intérieur de la cuisse et l'autre à l'extérieur. Faites travailler les mains dans des directions contraires, l'une vers le haut et l'autre vers le bas. Ajoutez un léger mouvement de compression en pressant sur la cuisse et en la relâchant à tour de rôle. Lorsqu'une zone de la cuisse a été compressée, recommencez la même opération un peu plus haut en prenant soin d'inverser le rôle des mains: celle qui était à l'intérieur est placée à l'extérieur et vice-versa; celle qui appuyait sur la cuisse s'occupe du relâchement et vice-versa. Ceci permettra au donneur de faire une meilleure compression. Placez la paume de la main à plat sur la cuisse du receveur pour pousser avec plus de force et compresser en fournissant moins d'effort. Travaillez lentement.

Répétition: Répétez deux fois, c'est si agréable pour le receveur!

Durée: 30 secondes pour les deux jambes.

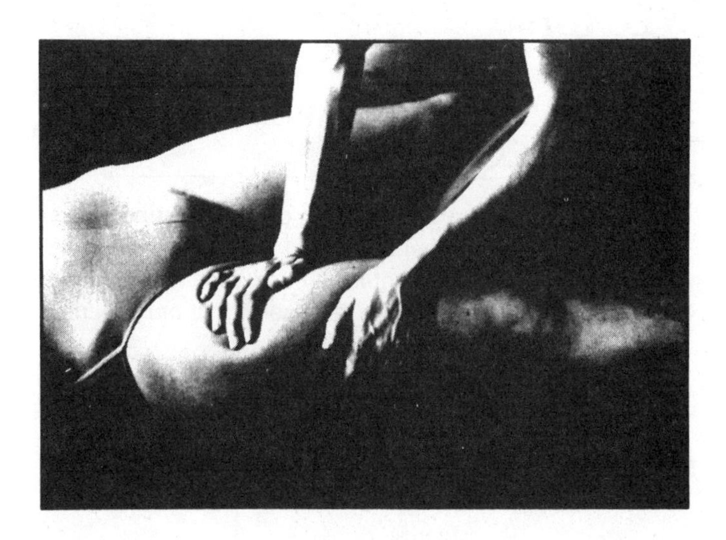

46) DRAINAGE LYMPHATIQUE DU PUBIS

But: Cette technique pousse le fluide lymphatique situé dans la région de l'aine vers la poitrine d'où il peut être ensuite éliminé. Elle stimule également les fonctions et les désirs sexuels.

Position: Assis, à la japonaise, entre les jambes du receveur.

Technique: Utilisez toute la paume de la main pour appuyer très légèrement sur cette zone située de chaque côté de l'os pubien. Bougez dans un mouvement vers le haut.

Répétition: Appuyez légèrement sur les deux côtés simultanément à cinq reprises.

Durée: 10 secondes.

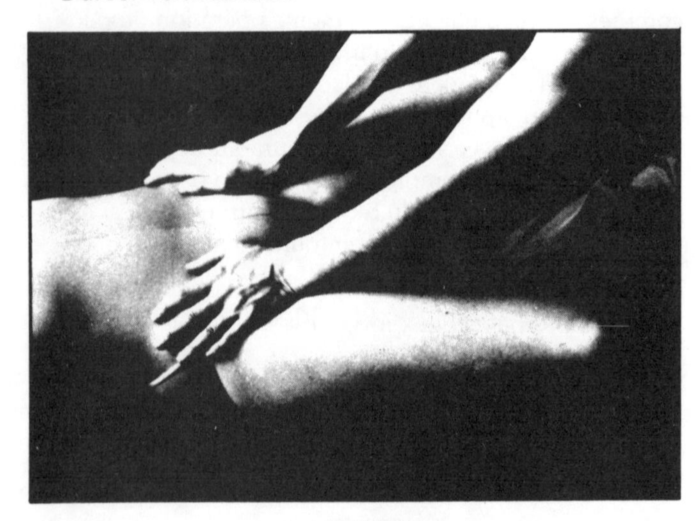

Le torse

47) MASSAGE DE L'ABDOMEN ET DU CÔLON

But: Cette technique soulage de la constipation et apporte du sang régénéré dans la région abdominale. Les organes internes sont irrigués de sang frais et d'éléments nutritifs qui aident à leur bon fonctionnement.

Position: Assis, à la japonaise, à la taille du receveur. Le côté de la jambe du donneur doit toucher le corps du receveur. Ne pas s'appuyer sur le corps de celui-ci pendant le massage afin de ne pas l'incommoder avec son poids.

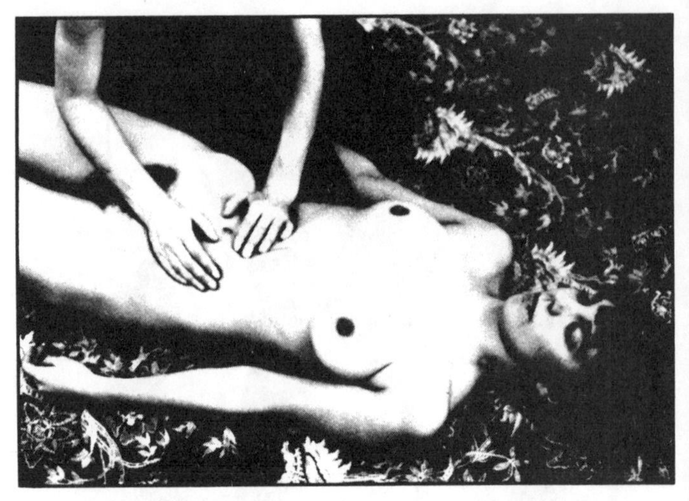

Technique: Assoyez-vous à côté du receveur. Déposez doucement les deux mains sur l'abdomen en agissant avec une tendresse extrême car cette partie du corps est particulièrement vulnérable. À moins que le donneur ne procède avec la plus grande précaution, le receveur va sursauter pour commencer. Quand les mains reposent délicatement sur l'abdomen du receveur, on est prêt à commencer le massage. Débuter par un mouvement circulaire dans le sens des aiguilles d'une montre. Commencez par le côté inférieur droit de l'abdomen, continuez vers le haut, faites le tour et terminez par le côté inférieur gauche. Utilisez les deux mains qui se succéderont en suivant la direction du mouvement des fèces.

Répétition: Répétez de trois à cinq fois.

Durée: 10 secondes.

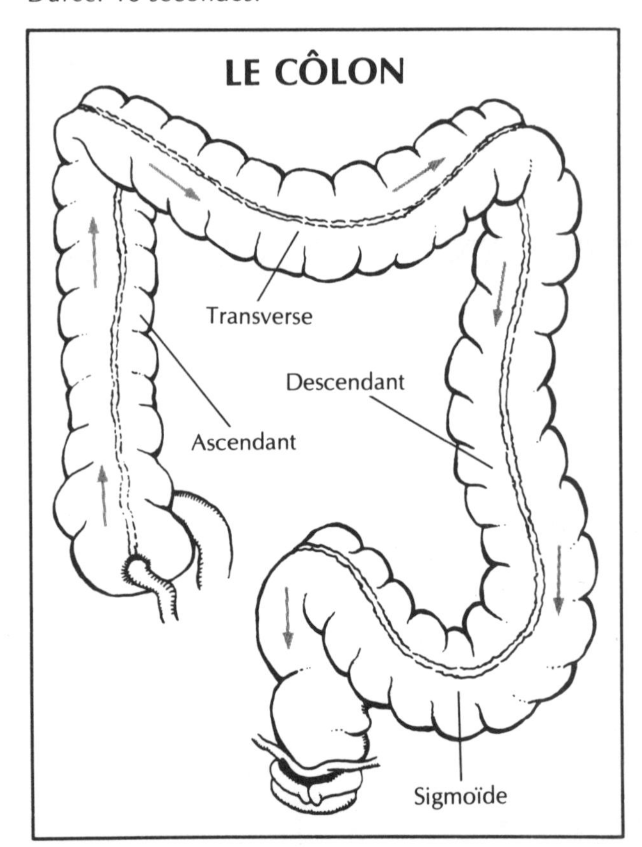

48) STIMULATION DES INTESTINS

But: Cette technique stimule les mouvements péristaltiques du gros intestin.

Position: Assis, à la japonaise, à côté du receveur.

Technique: Commencez par la partie inférieure droite de l'abdomen. Étendez la main droite doucement sur l'abdomen et augmentez progressivement la pression. Une pression légère à moyenne est suffisante. Placez ensuite les quatre doigts de la main gauche entre le pouce et l'index droits. Faites pénétrer les doigts doucement et lentement dans l'abdomen. Observez le visage du receveur afin de vous assurer que vous ne lui faites aucun mal. Le secret de cette stimulation est d'agir *très* lentement et *très* doucement. Si le receveur sent que le donneur travaille avec attention et prudence, il sera plus calme et plus confiant et il n'y aura aucun malaise entre les deux personnes. Recommencez la même chose en débutant par le côté supérieur droit du côlon, puis passez par le côlon tranverse et terminer par le côlon descendant du côté gauche de l'abdomen. Au moment d'atteindre cette dernière zone, maintenez la pression un peu plus longtemps que les autres. Complétez la stimulation en bougeant la main et le bras afin que les vibrations, après avoir passé par les doigts, arrivent à l'abdomen du receveur.

Répétition: Aucune répétition nécessaire. Si le receveur souffre de constipation chronique, répétez la dernière stimulation et les vibrations qui suivent à trois reprises. Il faut toujours exercer la force de pénétration en respectant le mouvement des fèces dans l'intestin.

Durée: Maintenir les pénétrations pendant 3 secondes pour le côlon ascendant, le côlon transverse et le côlon descendant. Maintenez la dernière stimulation pendant 5 secondes et les vibrations pendant 5 autres secondes. Durée totale: 40 secondes.

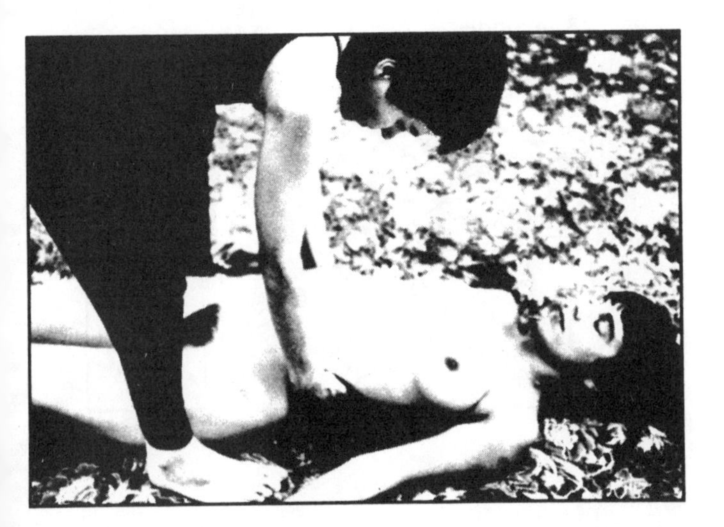

49) SOULÈVEMENT DE LA TAILLE

But: Cette technique affine la taille et stimule les fonctions du foie et de la vésicule biliaire.

Position: Le donneur chevauche le receveur. Ses pieds sont près de la taille et des hanches de celui-ci. Le donneur se penche au-dessus du receveur mais il veille à ce que sa colonne demeure bien alignée. Il place ses mains sous l'arche du dos du receveur.

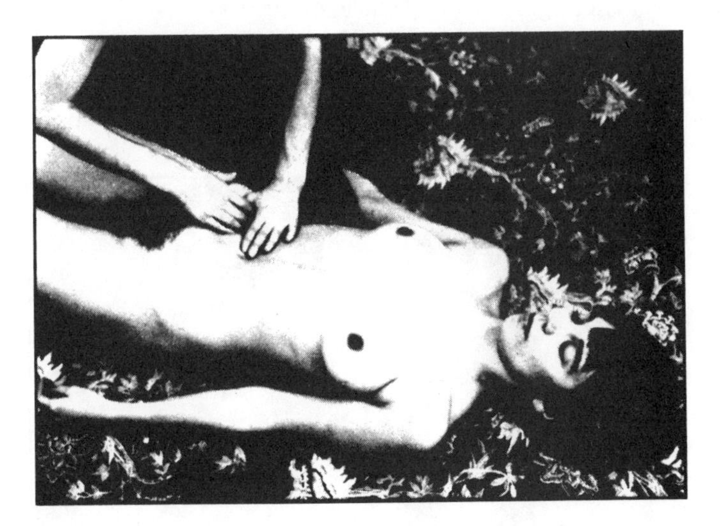

Technique: Penché au-dessus du receveur, les pieds de chaque côté de son corps et les mains placées dans la courbe de son dos, soulevez et tirez. Pliez les genoux en exécutant ce mouvement afin de ne pas éprouver de douleur au niveau lombaire. Si le donneur est assez fort, il peut soulever partiellement le corps du receveur de la carpette. Il ne doit pas s'en faire s'il n'y parvient pas. Le but premier de cette technique est de soulever la chair qui recouvre la taille. Il est préférable d'agir lentement pour obtenir de meilleurs résultats.

Répétition: Répétez trois fois.

Durée: 15 secondes.

50) DRAINAGE LYMPHATIQUE AVEC LES DOIGTS

But: Cette technique libère le fluide lymphatique stagnant dans les ganglions lymphatiques situés entre les côtes. Elle favorise également la digestion et stimule les muscles internes entre les côtes.

Position: Le donneur chevauche le receveur en plaçant ses pieds de chaque côté de la taille de celui-ci. Il peut aussi s'agenouiller à la taille du receveur.

Technique: Commencez sur le côté de la cage thoracique près de la taille. Insérez les doigts dans les espaces intercostaux. Appliquez suffisamment de pression pour

que les doigts tiennent confortablement entre les côtes et continuez à exercer une pression en faisant monter les doigts vers la poitrine. Essayez de toujours garder les doigts dans les espaces intercostaux, mais ne pas s'en faire si un doigt glisse de temps à autre. C'est l'effet global qui importe.

Répétition: Répétez la technique deux fois pour chaque zone des côtes.

Durée: 15 secondes.

51) DRAINAGE LYMPHATIQUE DU FOIE ET DE L'ESTOMAC

But: Cette technique améliore le fonctionnement du foie et de l'estomac. Elle est également d'une aide inestimable pour les fonctions digestives.

Position: Assis, à la japonaise, à côté du receveur.

Technique: Insérez les pouces dans l'espace intercostal entre les cinquième et sixième côtes de chaque côté du sternum. Commencez près du sternum. Faites des petits mouvements circulaires et massez entre les côtes. Localisez l'espace intercostal qui est directement sous la ligne de la poitrine chez la femme et directement sous le grand pectoral sternal chez l'homme. Massez les deux côtés en même temps. Massez depuis le sternum jusqu'au-dessus des mamelons sur le côté de la poitrine.

Répétition: Masser chaque zone de l'espace intercostal entre les cinquième et sixième côtes en faisant trois mouvements circulaires, puis s'occuper de la zone suivante entre les mêmes côtes.

Durée: 15 secondes.

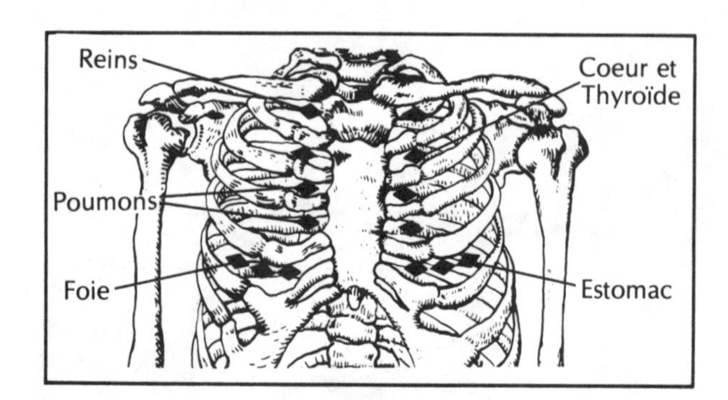

52) DRAINAGE LYMPHATIQUE DES POUMONS

But: Nos poumons supportent la fumée de cigarette et la pollution excessive. Cette technique aide à libérer les poumons de leur charge trop lourde à supporter. Si vous êtes un fumeur, il sera bon pour vous de masser ces points plusieurs fois par jour.

Position: Assis, à la japonaise, à côté du receveur.

Technique: Insérez les doigts dans l'espace intercostal entre les troisième et quatrième côtes, puis dans l'espace entre les quatrième et cinquième côtes, de chaque côté du sternum. Pressez fermement dans ces espaces en appliquant des petits mouvements de massage circulaires.

Répétition: Massez les espaces intercostaux des deux côtés simultanément de trois à cinq fois.

Durée: 10 secondes.

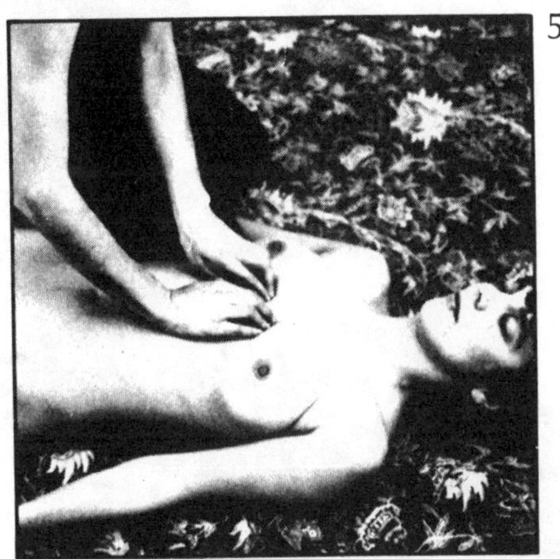

52

53

53) POINTS LYMPHATIQUES DU COEUR ET DE LA THYROÏDE

But: Ces points améliorent les fonctions du coeur et de la thyroïde. Les problèmes cardiaques et les troubles thyroïdiens répondent à un massage régulier de ces points.

Position: Assis, à la japonaise, à côté du receveur.

Technique: Insérez les pouces dans l'espace intercostal entre les deuxième et troisième côtes de chaque côté du sternum. Utilisez les pouces pour dessiner un petit mouvement de massage circulaire. Massez près du sternum uniquement.

Répétition: Massez la zone sept fois.

Durée: 5 secondes.

54) DRAINAGE LYMPHATIQUE DES REINS

But: Cette technique aidera à améliorer les fonctions rénales. Utilisée régulièrement et fréquemment, elle soignera les désordres reliés aux reins.

Position: Assis, à la japonaise, à côté du receveur.

Technique: Masser directement sur la première côte qui est située sous les protubérances des os claviculaires. Il est parfois difficile de localiser la première côte. Ne pas s'inquiéter. Il suffit de s'assurer que l'on est bien sous les éminences osseuses à la base du cou.

Répétition: Massez la zone six ou sept fois dans un mouvement circulaire.

Durée: 10 secondes.

54

55) EXAMEN DES SEINS

But: Le massage est tout indiqué pour vérifier si les seins ont des bosses ou des nodules. Cet examen doit être fait régulièrement, mais puisque plusieurs femmes craignent de vérifier elles-mêmes leur poitrine, la personne qui donne le massage ne doit pas hésiter à profiter de l'occasion pour rendre ce service à sa patiente. Une détection faite à temps peut éviter bien des ennuis.

Position: Assis, à la japonaise, près du receveur.

Technique: Un toucher très doux est nécessaire. Tâtez la poitrine entière en faisant des petits mouvements circulaires très légers avec les doigts. Vérifiez si la poitrine ne présente pas de couleurs irrégulières à certains endroits. Ne pas oublier que juste avant, pendant et parfois après la période menstruelle, la poitrine de la femme a tendance à présenter de petites bosses parce que ses glandes sont gonflées. S'il y a gonflement et que celui-ci ne disparaît pas après les menstruations, il est recommandé de consulter un homéopathe. J'insiste sur le fait de voir un homéopathe plutôt qu'un autre consultant parce que les herbes utilisées en homéopathie ont sauvé plusieurs femmes de l'opération que leur recommandaient les omnipraticiens. La chirurgie doit être envisagée comme dernier recours. Il est bien connu que trop de mastectomies sont faites chaque année. Plusieurs poitrines ont été opérées inutilement.

Répétition: Répétez uniquement en cas d'incertitude.

Durée: 30 secondes.

56) PÉTRISSAGE DES ÉPAULES

But: Les épaules tendues et trop élevées répondent bien à cette technique. Un pétrissage lent leur permet un relâchement et une relaxation bénéfiques. Ces mêmes points stimulent également les fonctions cervicales et pulmonaires.

Position: Agenouillé près de la poitrine du receveur, la paume des mains placée dans le creux des épaules de celui-ci.

Technique: Lentement, mais fermement, en utilisant le poids de son corps, commencer un mouvement de bercement. Faire alterner son poids entre l'épaule droite et l'épaule gauche.

Répétition: Bercer chaque épaule cinq fois, ou bercer les deux épaules simultanément à dix reprises.

Durée: 10 secondes.

LES MAINS ET LES BRAS

Faire une main et un bras minutieusement avant de faire l'autre côté

57) MAIN EN ÉVENTAIL

But: Cette technique aide la main à se détendre et à relâcher les tensions accumulées. Elle améliore aussi la circulation de l'énergie dans les méridiens qui se terminent dans les mains. Ceci affecte donc le fonctionnement des méridiens du gros intestin, de l'intestin grêle, du coeur, des poumons, du constricteur du coeur et du triple réchauffeur ainsi que celui des organes reliés à ces méridiens.

Position: Assis, à la japonaise, à côté du receveur, au bout d'une de ses mains.

Technique: Ouvrez la main du receveur en l'étendant. Appuyez d'abord les pouces sur le dessus de la main, puis sur les paumes. Ne déployez pas trop de pression afin de ne pas donner l'impression au receveur que l'on est en train de blesser la peau de ses mains.

Répétition: Répétez trois fois de chaque côté de la main.

Durée: 10 secondes.

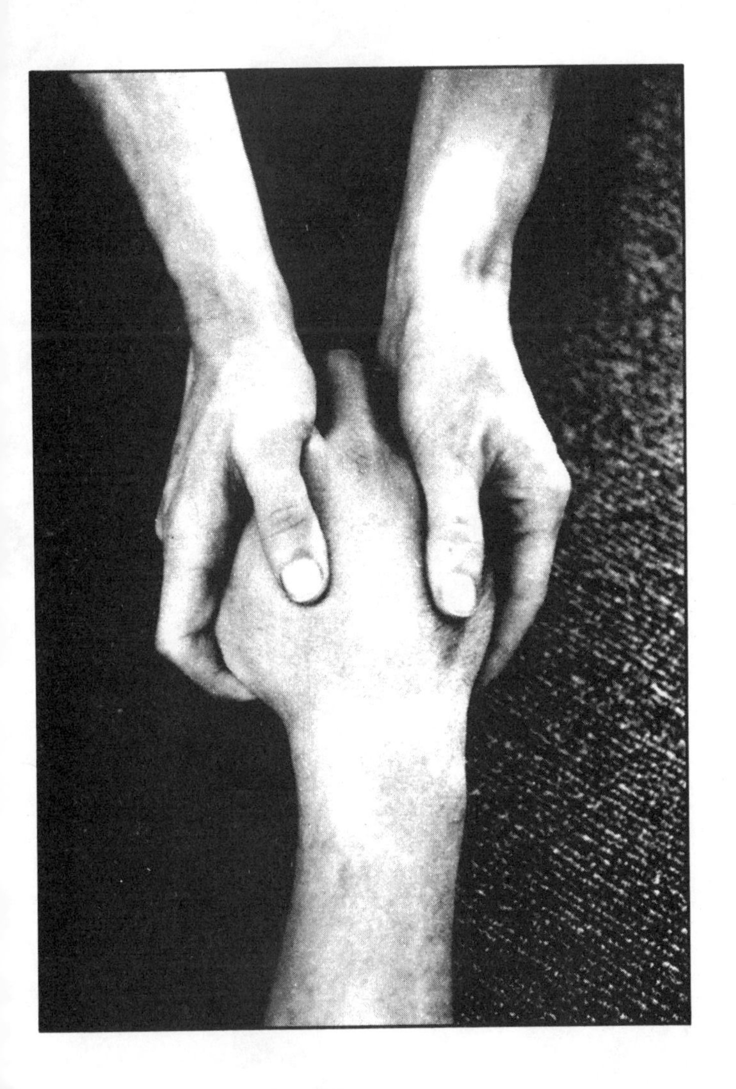

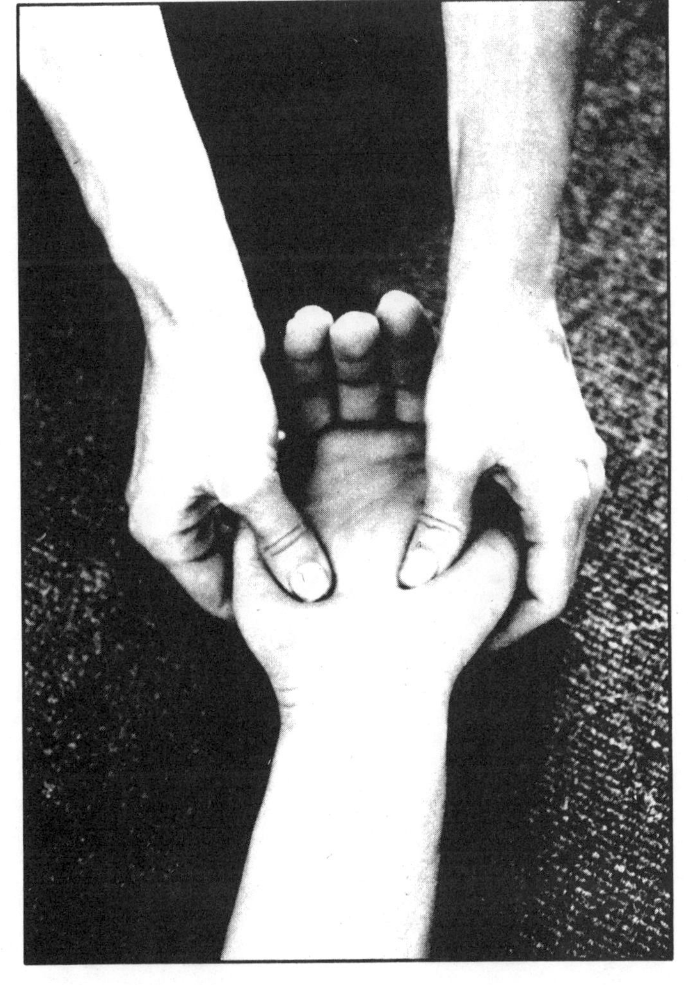

58) MASSAGE DES DOIGTS ET DES POUCES

But: Cette technique retourne le sang qui est dans les doigts et les mains vers le coeur. Ceci permet donc au sang régénéré de circuler à nouveau dans cette partie du corps. Ce massage stimule la circulation de l'énergie dans les méridiens énumérés dans la technique numéro 57.

Position: Assis, à la japonaise, à côté du receveur.

Technique: Commencez par masser les doigts à la base des ongles. Utilisez le pouce et l'index pour appliquer une ferme pression de chaque côté de la base de l'ongle. Cette technique stimule la circulation de l'énergie dans les méridiens qui se terminent ou qui commencent dans le doigt qui est massé. Puis, dans un mouvement de massage et de compression énergique, montez du bout du doigt jusqu'à la main. Tenez la main du receveur en lui massant les doigts. Tordez chaque doigt dans toutes les directions. Si l'on entend un son sourd, ne pas s'alarmer. Ce son est bon car il indique que les jointures ont été relâchées. Tirez ensuite sur chaque doigt. Répétez la même technique pour chaque doigt et le pouce. Ne massez pas l'autre main avant d'avoir minutieusement terminé la première.

Répétition: Aucune répétition nécessaire.

Durée: 50 secondes pour chaque main.

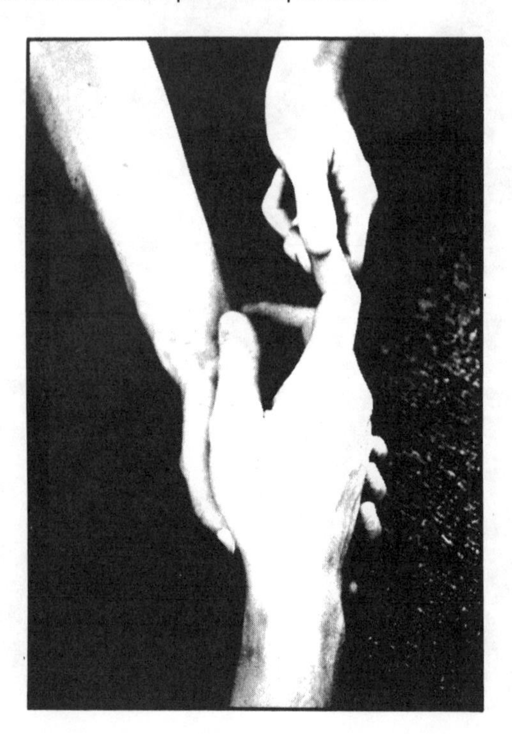

59) ÉTIREMENTS DES POIGNETS

But: Cette technique améliore la flexibilité de la jointure du poignet et, par le fait même, la circulation de l'énergie dans les méridiens qui voyagent le long du bras pour se rendre jusqu'à la main. Voir la technique numéro 57.

Position: Assis, à la japonaise, à côté du receveur, au bout d'une de ses mains.

Technique: Soulevez le bras du receveur avec une main. Pliez le poignet vers l'arrière et vers l'avant avec l'autre. Puis, pliez le poignet vers la droite et vers la gauche. Agissez avec douceur afin de ne pas faire mal au receveur.

Répétition: Aucune répétition nécessaire.

Durée: 15 secondes.

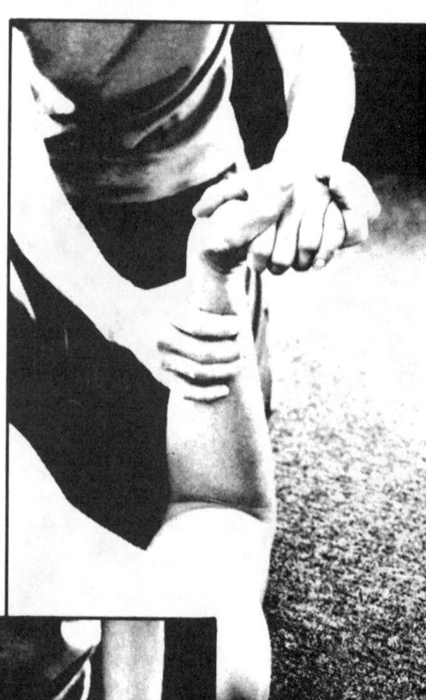

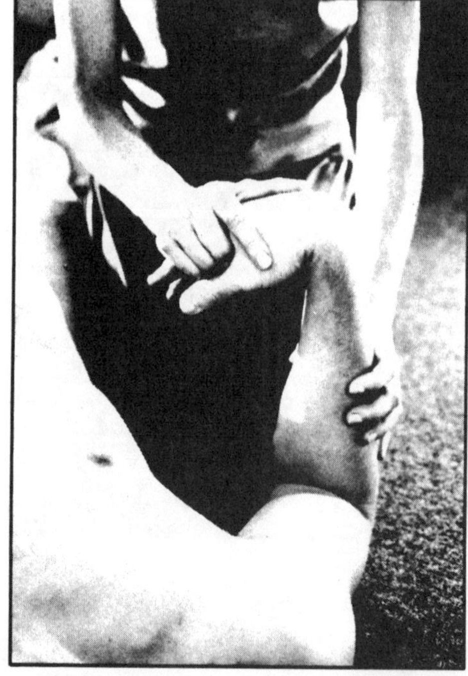

60) MASSAGE DE L'AVANT-BRAS

But: Cette technique générale force le sang qui est dans le bras à retourner au coeur.

Position: Assis, à la japonaise, près du bras du receveur.

Technique: Commencez par le poignet. Massez vers le haut en se rendant jusqu'au coude. Placez les pouces sur le dessus de l'avant-bras et les doigts en dessous. Utilisez un mouvement de compression et d'étirement depuis le poignet jusqu'au coude.

Répétition: Deux fois.

Durée: 15 secondes.

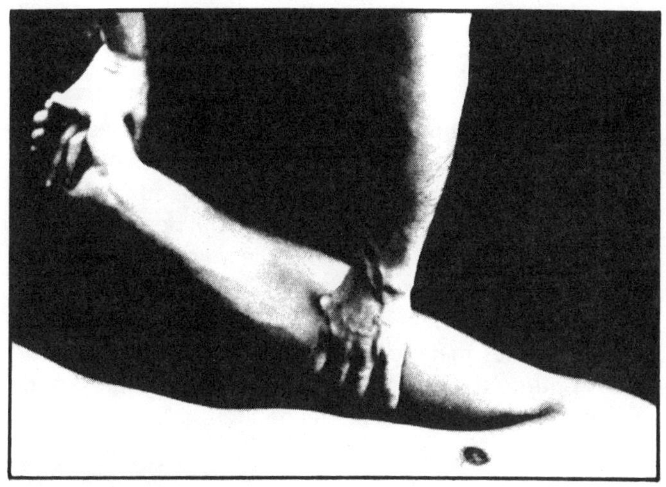

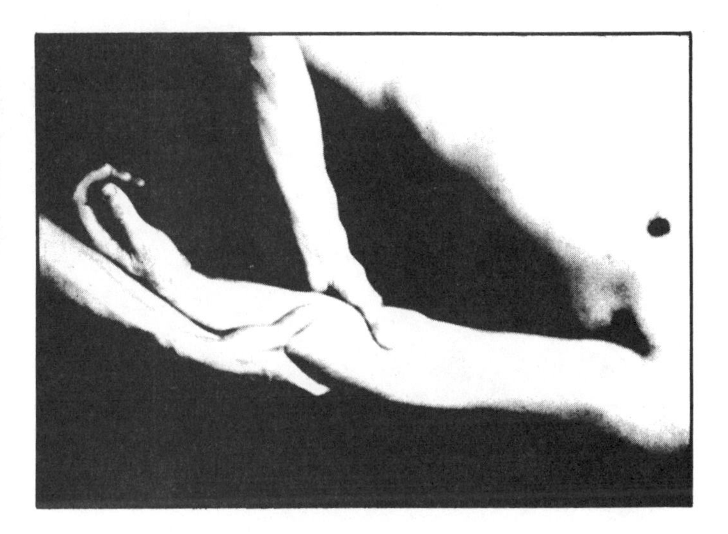

61) AVANT-BRAS: POINTS RÉFLEXES DES POUMONS, DU MAÎTRE DU COEUR (CIRCULATION/-ORGANES SEXUELS) ET DU COEUR

But: Une pression appliquée sur les points réflexes du méridien des poumons corrige les désordres pulmonaires. Une pression exercée sur les points réflexes du maître du coeur touche la circulation et les organes sexuels, sans toucher le coeur lui-même. Le méridien du coeur, qui court près du méridien du maître du coeur, est quant à lui relié au coeur.

Position: Assis, à la japonaise, près du bras du receveur.

Technique: Appliquez une pression ferme et pénétrante sur les points de ces trois méridiens. Faites tous les points d'un seul méridien avant de toucher les points des autres méridiens. Utilisez le pouce pour faire cette pression. Le donneur doit surveiller sa propre posture pendant cet exercice. Voir la photo correspondante. La pression doit être faite perpendiculairement à la surface de l'avant-bras du receveur si on veut éviter de se fatiguer. Commencez par le creux du coude en descendant vers le poignet.

Répétition: Maintenez chaque pression de 3 à 5 secondes. Faites une pression de 5 secondes pour les méridiens qui sont plus importants pour la santé du receveur.

Durée: 50 secondes.

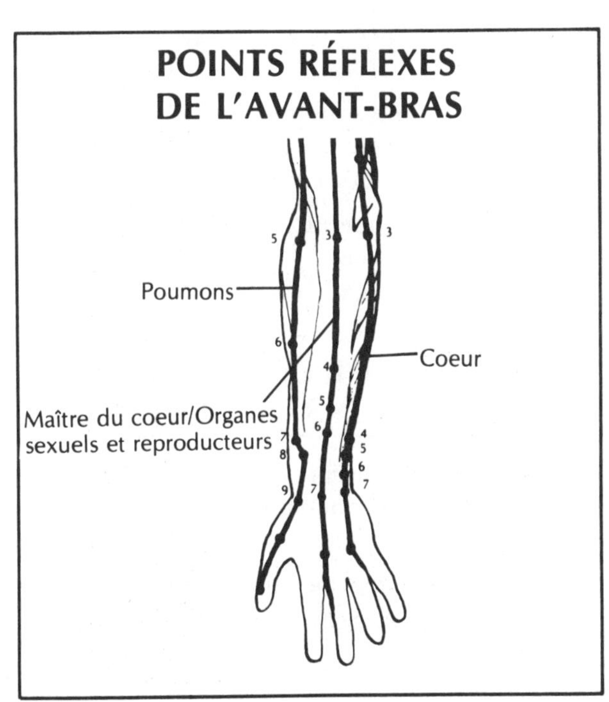

62) COMPRESSION ET ÉTIREMENT DU BRAS

But: Cette technique procure de merveilleuses sensations au receveur et il s'agit là de la principale raison pour l'utiliser. Incidemment, elle donne aux méridiens du bras une excellente compression qui permet à l'énergie d'y circuler plus librement. Elle fournit aussi un petit massage agréable aux deltoïdes et aux triceps, ce qui permet un relâchement de la tension qui réside dans ces muscles. Les méridiens impliqués sont ceux du coeur, des poumons, du maître du coeur, du gros intestin, de l'intestin grêle et du triple réchauffeur.

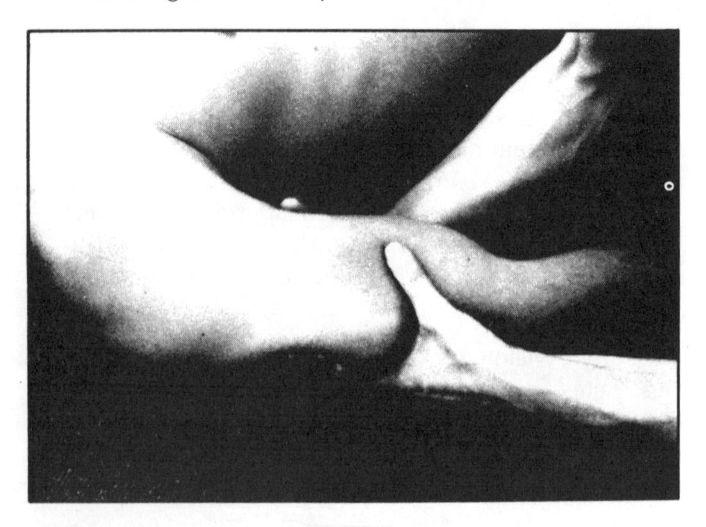

Position: Le bras du receveur appuyé sur les genoux du donneur.

Technique: Tenez le bras du receveur dans vos mains. Compressez et pétrissez doucement tout en l'étirant légèrement. Continuez vers le haut jusqu'à l'épaule.

Répétition: Étirez, compressez et pétrissez chaque partie du bras à trois reprises.

Durée: 10 secondes.

63) PRESSION SUR LE MÉRIDIEN DES POUMONS DU BRAS

But: Cette technique améliore la circulation de l'énergie le long du méridien des poumons et corrige les troubles pulmonaires.

Position: Exécutez cette technique alors que l'on se trouve près du bras du receveur.

Technique: Utilisez la paume de la main pour exercer une pression de 3 secondes sur les points du méridien

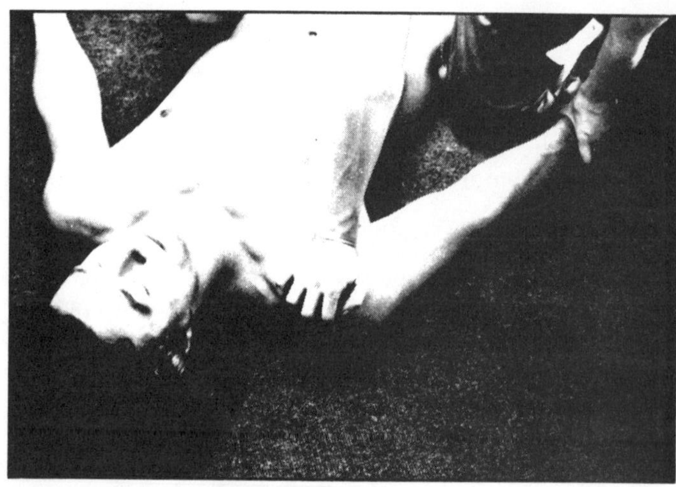

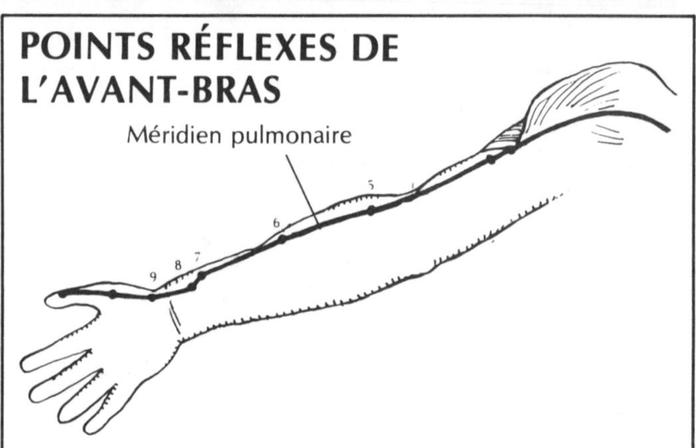

des poumons situés dans la partie supérieure du bras. Commencez devant l'épaule et descendez jusqu'au coude.

Répétition: Aucune répétition nécessaire.

Durée: 10 secondes.

64) MASSAGE DES TRICEPS

But: Le massage des triceps aide à renforcer ces muscles tout en favorisant le système d'immunisation. Il régularise aussi le métabolisme du sucre dans l'organisme. Les triceps ont tendance à être les premiers muscles à fléchir. Qui n'a pas vu ces personnes aux bras flasques qui portent des chemises à manches courtes? Les triceps peuvent être raffermis et tonifiés par des massages réguliers de l'attache et de la base. L'attache est située dans le corps supérieur de l'humérus et le long du côté externe de l'omoplate. La base est quant à elle placée juste au-dessous du coude sur l'avant-bras. Chaque muscle du corps est relié à un ou à des organes spécifiques, pouvant ainsi affecter les fonctions organiques. Les triceps correspondent au système d'immunisation et à la rate aussi bien qu'au pancréas. Plusieurs personnes

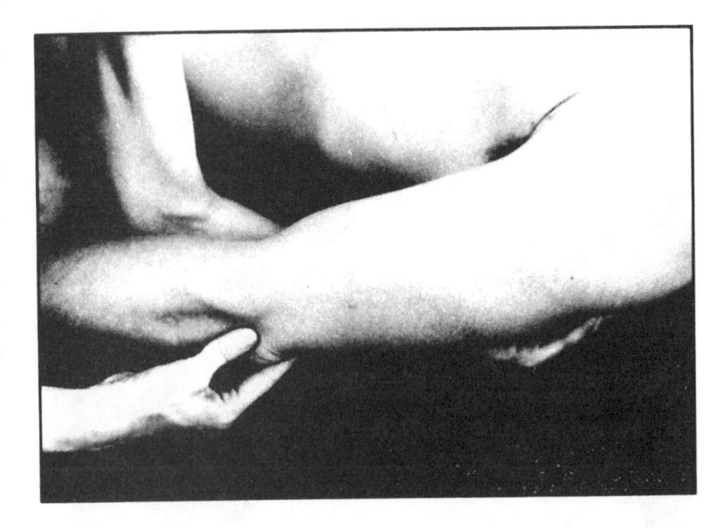

par conséquent, auraient avantage à recevoir un massage de ce muscle.

Position: Chevauchez le bras du receveur. Placez les doigts d'une main sur le dessus de l'humérus près du côté externe de l'omoplate, et placez ensuite les doigts de l'autre main juste au-dessous de l'os du coude.

Technique: Utilisez les doigts en faisant un massage circulaire au niveau de l'attache et de la base du muscle.

Répétition: Massez en profondeur l'attache et la base du muscle.

Durée: 10 secondes.

65) TORSION DU BRAS

But: Cette torsion relâche les tensions logées entre l'épaule et le coude.

Position: Tenez l'avant-bras et la partie supérieure du bras en tordant doucement mais fermement tout le bras. Tordez d'abord vers la gauche, puis vers la droite.

Répétition: Une torsion dans chaque direction est suffisante.

Durée: 5 secondes.

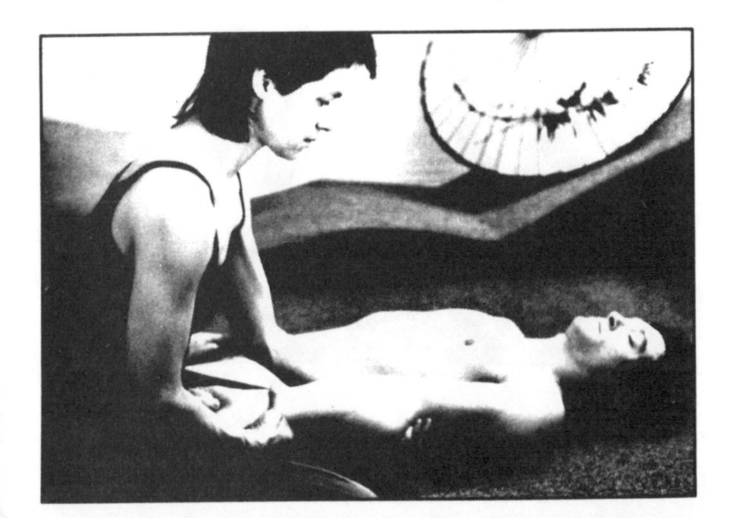

66) TECHNIQUE DE LA TRAVERSÉE

But: Cette technique permet au donneur de se placer de l'autre côté du corps du receveur sans déranger celui-ci. Si elle est exécutée correctement, le receveur ne s'aperçoit pas que le donneur est passé de l'autre côté. Quand cette traversée en douceur est accomplie, on peut commencer à travailler sur l'autre bras.

Position: Agenouillé entre le bras qui vient d'être massé et le corps du receveur.

Technique: Repoussez l'autre bras du receveur loin de son corps. Placez les paumes des mains dans le creux des épaules du receveur. Le donneur transfère graduellement le poids de son corps de ses genoux à la paume de ses mains et à ses pieds. Utilisez les mains comme points pivotants en amenant d'abord une jambe, puis l'autre, de l'autre côté du receveur. Cette technique est complétée lorsque les genoux du donneur sont entre le corps du receveur et le bras à masser.

Répétition: Inutile.

Durée: 5 secondes.

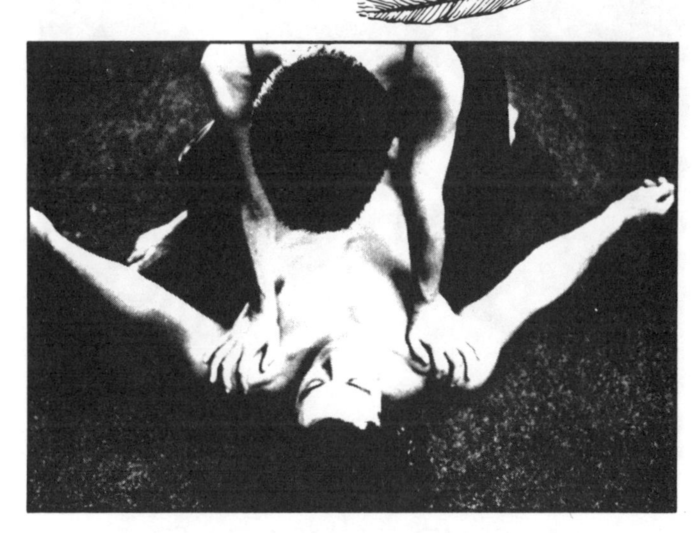

Maintenant que vous avez terminé un bras, répétez les techniques 57 à 65 pour l'autre bras.

LES ÉPAULES ET LE COU

67) GLISSEMENT ALTERNÉ DES ÉPAULES

But: Cette technique aide les épaules à se débarrasser de leurs tensions.

Position: Assis, à la japonaise, à la tête du receveur.

Technique: Poussez lentement une épaule vers le bas en direction des pieds du receveur. Bien épouser les contours des épaules avec les mains. Faites glisser une épaule, puis l'autre. En poussant avec douceur, on permet au trapèze supérieur de se relaxer. Si on pousse avec trop de force, on crée de la tension, ce qu'il faut justement éviter pendant un massage.

Répétition: Repoussez chaque épaule vers le bas à trois reprises.

Durée: 10 secondes.

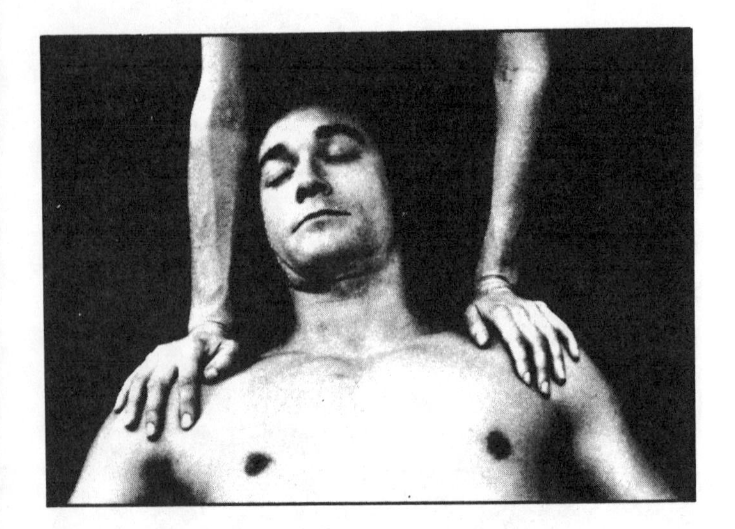

68) GLISSEMENT SIMULTANÉ DES ÉPAULES

But: Cette technique permet aux épaules de retrouver leur position de relaxation complète. Elle relâche les tensions dans les muscles des épaules et prépare celles-ci pour la technique suivante.

Position: Assis, à la japonaise, à la tête du receveur.

Technique: Épousez la forme des épaules avec les mains et poussez lentement les épaules vers le bas en direction des pieds. Poussez les deux épaules simultanément.

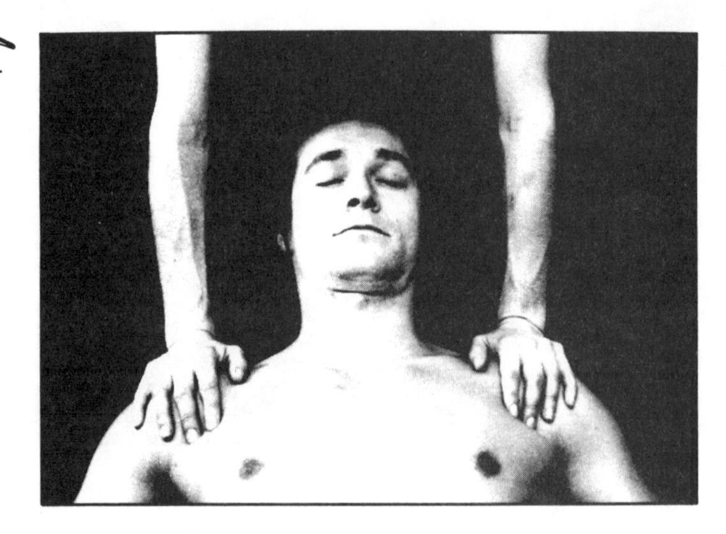

Répétition: Une fois est suffisante.

Durée: 5 secondes.

69) MASSAGE DU TRAPÈZE SUPÉRIEUR

But: Ce massage relâche les tensions accumulées au niveau du trapèze supérieur, le principal muscle des épaules.

Position: Assis, à la japonaise, à la tête du receveur.

Technique: Placez les doigts sous les épaules et les pouces au centre du trapèze supérieur. Massez et compressez toute cette zone. Au même moment, exécutez une légère torsion. Ne pas masser ou compresser avec trop de force car plusieurs personnes trouveront cela trop douloureux. Déterminez le seuil de tolérance du receveur en observant les réactions sur son visage. Quand il commence à grimacer, le donneur devine qu'il a déployé trop de force.

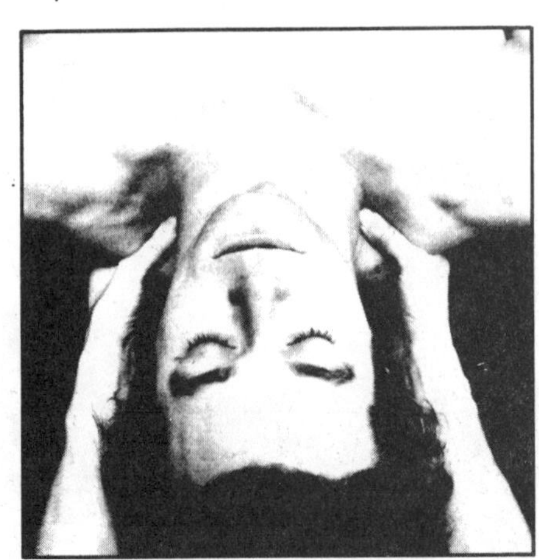

Répétition: Massez minutieusement la zone en faisant environ vingt-cinq compressions, torsions et massages complets. Cette région a besoin de plusieurs manipulations. Le donneur répétera cette technique ultérieurement, une fois que les effets de cette première application auront été absorbés. Au moment de recommencer cette technique, le donneur remarquera que la zone touchée est plus relâchée et moins tendue car le premier massage aura fait disparaître une grande partie de la tension qui pesait sur les épaules.

Durée: 30 secondes.

70) GLISSEMENT SIMULTANÉ DES ÉPAULES

But: Répéter la technique numéro 68. Les épaules ont tendance à se soulever de leur position relaxée et étirée pendant qu'on les masse. Cette répétition permet de les replacer dans une position de détente et de les préparer pour la technique suivante.

71) PRESSION DES POUCES SUR LE TRAPÈZE SUPÉRIEUR

But: Cette technique permet d'appliquer une ferme pression du pouce sur toute la longueur des épaules, ce qui les soulage de leurs tensions.

Position: Assis, à la japonaise, à la tête du receveur.

Technique: Commencez en appliquant une pression sur le côté externe des épaules entre la clavicule et l'épine de l'omoplate. Le donneur percevra un petit creux avec ses doigts; c'est à cet endroit qu'il doit commencer à

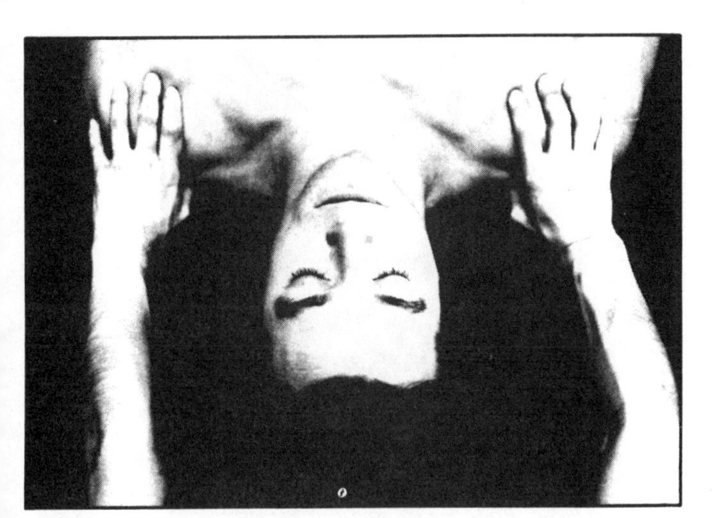

exercer sa pression. Avancez de 2,5 cm à la fois tout en pressant fermement du côté externe des épaules, puis sur le dessus des épaules en allant vers le cou. Ne négligez aucune zone.

Répétition: Appliquez une pression ferme de 3 à 5 secondes sur chaque zone.

Durée: 20 secondes.

72) MASSAGE DU HAUT DU THORAX

But: Cette technique relâche les tensions de la région de l'omoplate et des épaules. Le fait de masser de chaque côté des vertèbres dorsales supérieures stimule les poumons, la thyroïde et l'estomac.

Position: Assis, à la japonaise, à la tête du receveur.

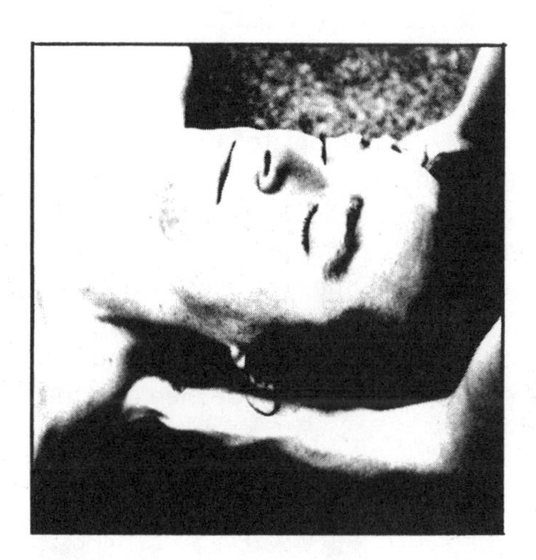

Technique: Placez les mains, paumes tournées vers le haut, de chaque côté de la colonne vertébrale. Massez et pressez le dos en le soulevant très légèrement de la carpette dans un mouvement de bercement. Glissez les mains progressivement le long de la colonne vertébrale en massant tout le long des vertèbres. Arrêtez-vous à la base du cou.

Répétition: Cinq fois.

Durée: 40 secondes.

73) MASSAGE DU TRAPÈZE SUPÉRIEUR

But: Répétez la technique numéro 69. Parce que les épaules sont un des endroits les plus tendus du corps, plusieurs personnes ne sont pas satisfaites physiquement ni émotivement par un seul massage du trapèze supérieur. La répétition de cette technique indiquera au donneur si la tension a complètement disparu ou s'il en reste encore dans cette région. Ce rappel de la technique numéro 69 permet au receveur de se libérer de presque toute la tension qui était prisonnière dans ses épaules. Si le receveur souffre d'un problème de tension chronique dans cette partie du corps, répéter la technique numéro 69 une autre fois à un moment ultérieur du massage.

74) ÉTIREMENT DE L'OMOPLATE

But: Le muscle rhomboïde prend naissance le long des vertèbres dorsales supérieures et il s'insère le long du côté vertébral de l'omoplate. Quand ce muscle est tendu, il empêche l'omoplate de rester dans sa position normale. En appuyant ses doigts le long du côté interne de chaque omoplate et en tirant celles-ci comme pour les éloigner de la colonne vertébrale, le donneur permet au muscle rhomboïde de se relaxer. Il aide également les omoplates à retrouver leur position naturelle. Cette technique fait aussi beaucoup de bien aux épaules tendues.

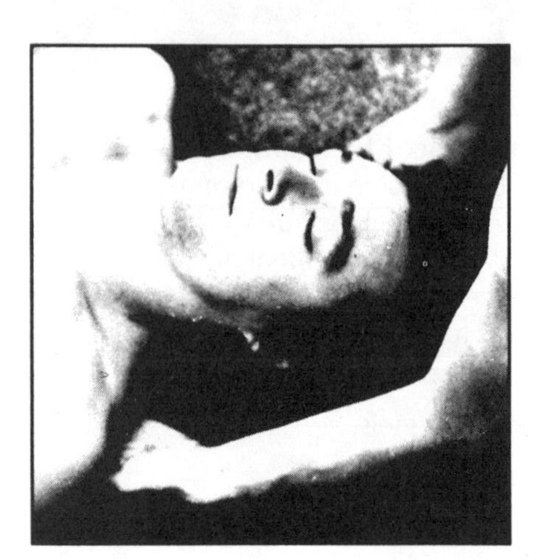

Position: Assis, à la japonaise, à la tête du receveur. Le donneur doit abaisser suffisamment son torse pour pouvoir travailler correctement mais il doit veiller à ce que sa colonne vertébrale ne soit pas déplacée.

Technique: Insérez les mains, paumes tournées vers le haut, sous la partie supérieure du dos. Agrippez les doigts de chaque main sous les côtés de l'omoplate près de la colonne vertébrale. Lentement mais fermement, tirez sur l'omoplate comme pour l'éloigner de la colonne.

Répétition: Répétez trois fois.

Durée: 10 secondes.

75) GLISSEMENT SIMULTANÉ DES ÉPAULES

But: Répétez la technique numéro 68. L'exécution de la technique numéro 74 a tendance à faire perdre aux épaules leur position de détente vers le bas et cette répétition les aidera à la retrouver. Ce rappel donnera également l'occasion au receveur de prendre conscience de l'endroit où ses épaules devraient être pour être parfaitement détendues.

76) MASSAGE DE L'OMOPLATE

But: Ce massage favorise le relâchement de la tension dans les épaules et les omoplates. Il améliore également le fonctionnement de l'intestin grêle.

Position: Assis, à la japonaise, à la tête du receveur. Le donneur doit se pencher suffisamment pour bien exécuter cette technique.

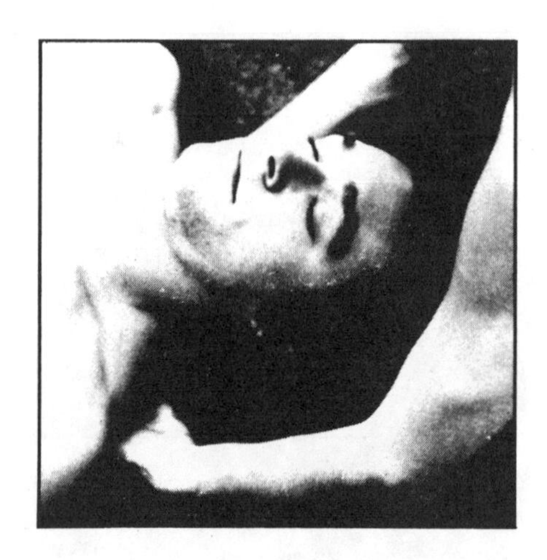

Technique: Massez toute la surface et les côtés de l'omoplate avec les quatre doigts. Il n'est pas nécessaire d'exercer beaucoup de pression parce que le poids du receveur sur les doigts en mouvement permettra une pénétration adéquate. Faites un mouvement des doigts circulaire et le faire suivre par une pénétration des quatre doigts pour compléter la manipulation de chaque zone de l'omoplate.

Répétition: Massez chaque zone de l'omoplate, puis faites suivre par une pression des quatre doigts répétée deux ou trois fois.

Durée: 20 secondes.

77) PREMIER CONTACT AVEC LE COU

But: Cette technique indique au receveur que le donneur s'apprête à lui masser le cou. Parce qu'elle procure relaxation et plaisir, plusieurs personnes préfèrent cette technique à toute autre. Bien exécutée, elle permet au receveur de sentir sa tête légère et son cuir chevelu animé de picotements agréables qui se propageront au cou, aux épaules et à la colonne vertébrale. Parfois les picotements voyageront jusqu'aux orteils. J'interprète ces sensations comme des impulsions nerveuses qui partent de la région cervicale et irradient le corps tout entier lorsque l'énergie est libérée au niveau du cou, un endroit où les blocages sont souvent accumulés d'une façon critique. Ces picotements aident le corps à se débarrasser d'une bonne partie de ses tensions.

Position: Assis, à la japonaise, à la tête du receveur.

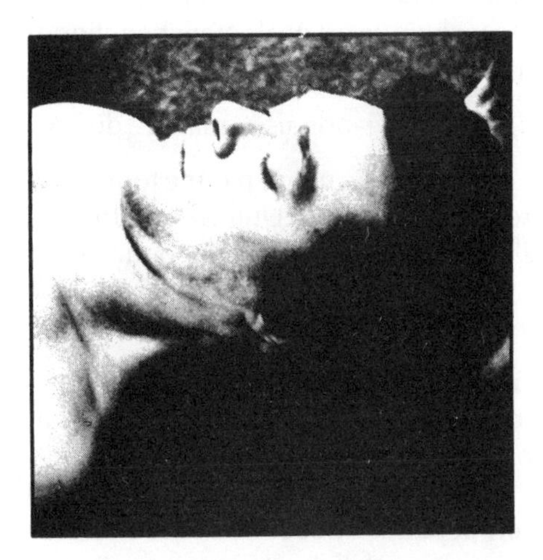

Technique: Placez une main à la base du crâne et l'autre sous le cou. À tour de rôle, les mains tirent vers le haut en caressant le cou et la base du crâne. Les mains doivent épouser les contours du cou afin de conserver une bonne prise pendant toute l'exécution.

Répétition: Une dizaine de fois.

Durée: 15 secondes.

78) MASSAGE DU COU

But: Cette technique favorise le relâchement et la relaxation des muscles tendus du cou.

Position: Assis, à la japonaise, à la tête du receveur.

Technique: Placez une main, paume tournée vers le bas, sur le front du receveur, et l'autre, paume vers le haut, sous son cou. Utilisez les doigts et le pouce de la main qui est sous le cou pour le masser et appliquer des pressions de chaque côté du cou entier. Renversez le rôle des mains et répétez. La main sur le front doit rester immobile.

Répétition: Massez dix fois avec chaque main.

Durée: 20 secondes (10 fois avec chaque main).

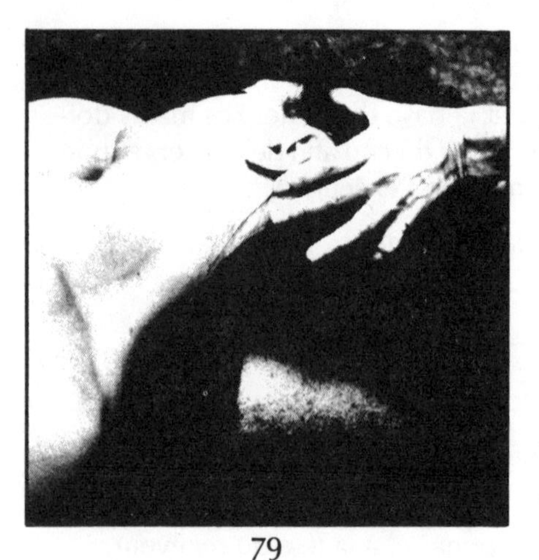
79

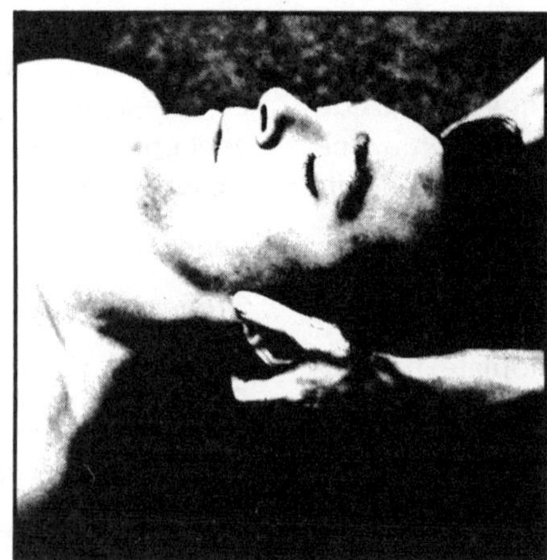
80

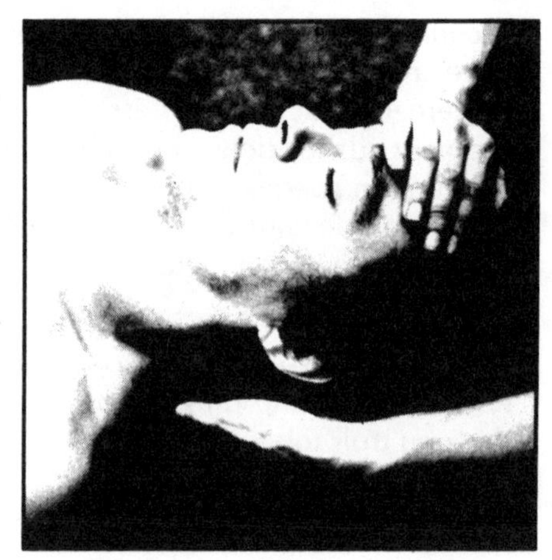
81

79) ROULEMENT DE LA TÊTE

But: En plus de relaxer les muscles du cou et des épaules, cette technique aide à soulager les tensions cervicales.

Position: Assis, à la japonaise, à la tête du receveur.

Technique: Prenez la tête entre vos mains et la rouler de droite à gauche. Lui permettre le meilleur étirement possible dans les deux directions. Le receveur doit collaborer pour permettre au donneur d'agir librement sans affronter de résistance. Le donneur doit veiller à ce que le mouvement soit doux et contrôlé afin que le receveur se sente en confiance et s'abandonne.

Répétition: Roulez la tête de droite à gauche à cinq reprises.

Durée: 15 secondes.

80) ÉMINENCES EXTERNES DE L'OS OCCIPITAL

But: Masser et appliquer une pression sur les deux éminences de chaque côté de la base du crâne permet de relâcher les tensions accumulées dans le cou et les épaules. Cette technique fait également beaucoup de bien à la vésicule biliaire.

Position: Assis, à la japonaise, à la tête du receveur.

Technique: Placez quatre doigts de chaque côté des éminences osseuses à la base du crâne. Faites alterner un mouvement de massage circulaire sur et autour de ces éminences avec une pression ferme exercée avec les quatre doigts. La pression doit être exécutée lentement. Au moment d'appliquer la pression, soulevez la tête légèrement et l'étirer vers l'arrière avec les doigts. La tête reposera alors sur le bout des doigts. Pressez fermement tout en étirant légèrement le cou.

Répétition: Faites alterner trois massages circulaires avec une pression ferme des quatre doigts pour un total de trois mouvements complets.

Durée: 15 secondes.

81) LA COURBE À LA BASE DU CRÂNE

But: Le fait de masser et d'appliquer une pression sur les points situés à la base du crâne soulage les tensions du cou. Cette technique est également bénéfique pour tout le système nerveux.

Position: Assis, à la japonaise, à la tête du receveur.

Technique: Placer une main, paume tournée vers le bas, sur le front du receveur. Utilisez les doigts de l'autre main, d'abord pour masser puis pour appliquer une pression ferme et pénétrante dans le creux situé à la base du crâne. Alternez entre ces deux façons de procéder.

Répétition: Pendant que l'on masse, dessinez un mouvement circulaire avec les trois doigts. Après avoir complété cinq massages circulaires, appliquez une pression ferme et pénétrante avec les mêmes doigts. Maintenez la pression pendant 3 secondes. Alternez entre le massage et la pression des doigts à trois reprises.

Durée: 25 secondes.

82) PRESSION DU POUCE SUR LES CERVICALES POUR LA TENSION DU COU

But: Cette technique soulage les tensions logées dans le cou.

Position: Assis, à la japonaise, à la tête du receveur.

Technique: Tournez la tête du receveur d'un côté et placez une main sur son front. Cette main reste immobile. Avec le pouce et l'autre main, appliquez une pression le long des vertèbres d'où émergent les nerfs. Commencez le plus près possible de la base du crâne et descendez le long des cervicales. Utilisez une pression moyenne. Même si une pression ferme peut accomplir d'excellents résultats, elle est habituellement trop douloureuse. La pression moyenne peut causer de la douleur au receveur mais celui-ci l'interprétera comme étant une bonne douleur et il la tolérera plus facilement puisqu'il sentira rapidement les effets positifs de cette technique. Quand on a complété un côté du cou, on tourne la tête de l'autre côté pour répéter la même chose. Renversez le rôle des mains.

Répétition: Appliquez une pression à six reprises sur le côté de chaque vertèbre cervicale. Maintenez chaque pression de 7 à 10 secondes. Ne pas répéter cette technique car une seule application est généralement suffisante.

Durée: 60 secondes pour chaque côté du cou pour un total de 2 minutes.

83) ÉTIREMENT DU COU

But: Cette technique étire et relaxe les muscles du cou.

Position: Assis, à la japonaise, à la tête du receveur.

Technique: Saisissez la tête avec les deux mains. La soulever à la verticale pour que le menton du receveur touche les os claviculaires, ces deux saillies osseuses à la base du cou sur le devant du corps. Répétez le soulèvement, mais dirigez cette fois la tête et le menton vers l'épaule droite, puis vers la gauche.

Répétition: Étirez deux fois dans chaque direction.

Durée: 15 secondes.

84) TRACTION DE LA TÊTE ET DU COU

But: Cette technique relaxe le cou et l'aide à la libération des tensions qui s'y logent.

Position: Assis, à la japonaise, à la tête du receveur.

Technique: Placez les deux mains, paumes tournées vers le haut, sous la base du crâne de manière à ce que les pouces soient au-dessous des oreilles. Saisissez la tête fermement et tirez-la vers vous.

Répétition: Deux fois.

Durée: 5 secondes.

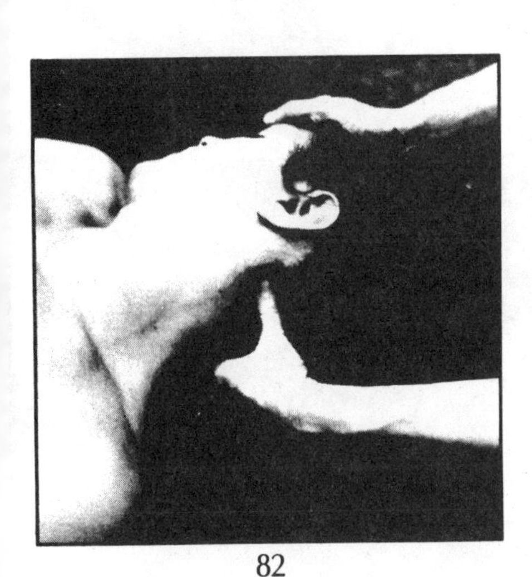

82

83

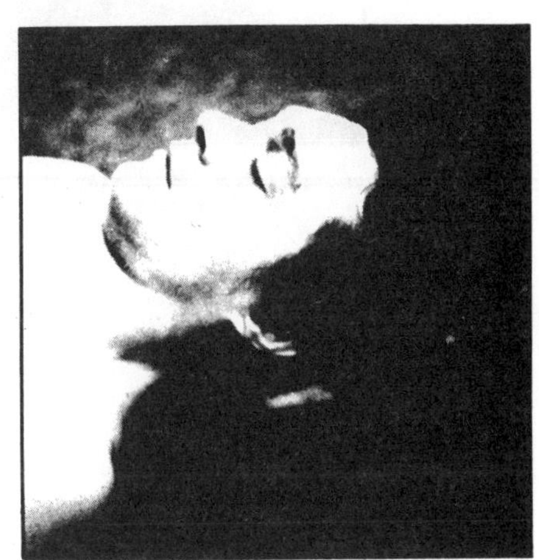

84

85) ONDULATIONS DU COU

But: Cette dernière technique appliquée au niveau du cou est merveilleuse elle aussi. En plus de relaxer le cou et de le libérer des tensions qui s'y trouvent, elle procure au receveur la sensation que sa tête et son cou flottent et dansent sur des vagues. Tout le monde l'aime.

Position: Assis, à la japonaise, à la tête du receveur.

Technique: Placez les deux mains, paumes tournées vers le haut, sous le cou. Tirez le cou vers le haut avec les mains et laissez la tête rouler librement en harmonie avec les mouvements ondulatoires. Tracez un cercle imaginaire tout en maintenant le cou soulevé. Le cercle doit bouger dans une direction: du receveur en allant vers le donneur. Le cou est soulevé de la carpette au point le plus élevé de ce cercle imaginaire et il lui touche au point de plus bas.

Répétition: Faites dix cercles.

Durée: 15 secondes

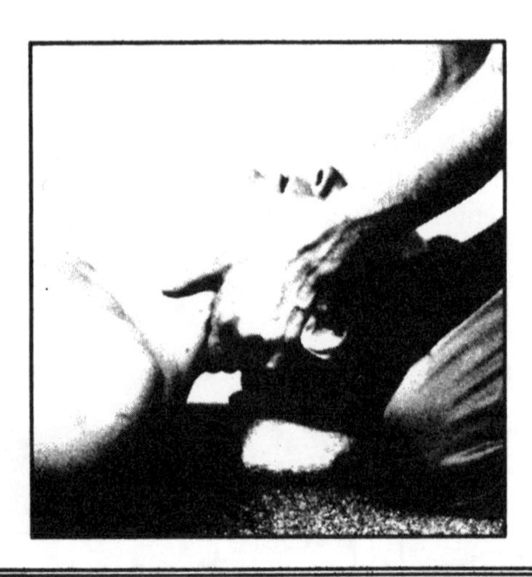

La tête et les oreilles

86) GRATTEMENT DU CUIR CHEVELU AVEC LES DOIGTS

But: Cette technique est SENSATIONNELLE! C'est l'une des plus populaires. Elle améliore la circulation sanguine au niveau du cuir chevelu, du visage, des yeux et des sinus. Elle est également bénéfique pour la condition des cheveux. Si on l'applique fidèlement plusieurs fois par jour, elle peut favoriser la pousse des cheveux.

Position: Assis, à la japonaise, à la tête du receveur.

Technique: Utilisez le bout des doigts et non pas les ongles. Placez les doigts et les pouces derrière et de chaque côté des oreilles. Dans un mouvement de va-et-vient, grattez tout le cuir chevelu. Gardez les doigts plutôt rigides et variez la direction du mouvement pour obtenir de meilleurs résultats.

Répétition: Couvrez chaque zone du cuir chevelu plus d'une fois. Le mouvement doit être fait lentement. Même si un mouvement rapide peut donner de bons résultats, il risque de perturber la quiétude des pensées du receveur.

Durée: 25 secondes.

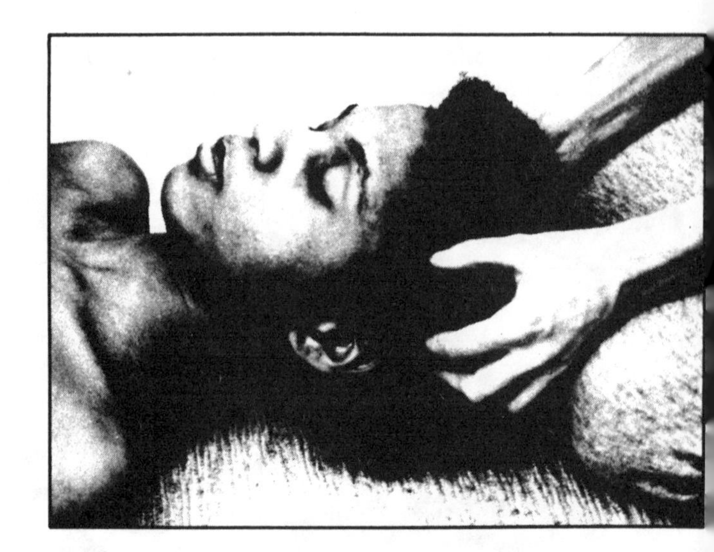

87) PRESSION SUR LA VÉSICULE BILIAIRE

But: Cette pression stimule et améliore les fonctions de la vésicule biliaire. Elle est également agréable pour le receveur.

Position: Assis, à la japonaise, à la tête du receveur.

Technique: Exercez une pression ferme le long du méridien de la vésicule biliaire qui court autour de l'oreille. Utilisez l'index, le majeur et l'annulaire. Consultez l'illustration qui indique le chemin suivi par le méridien concerné autour de l'oreille.

Répétition: Répétez deux fois. Maintenez chaque pression de 3 à 5 secondes.

Durée: 10 secondes.

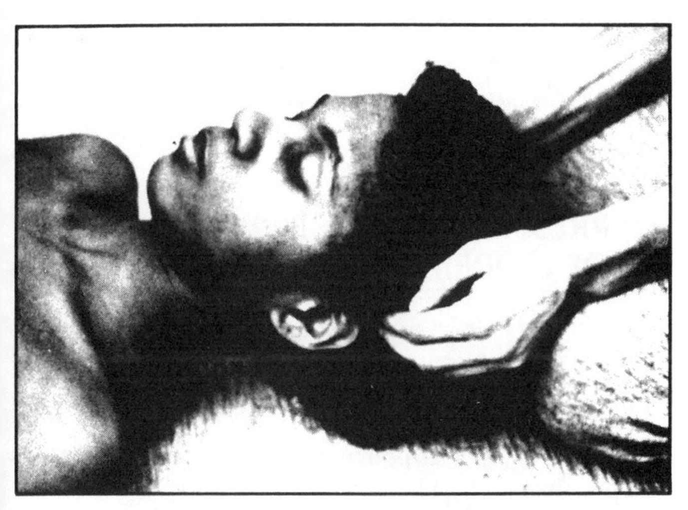

PORTION DU MÉRIDIEN DE LA VÉSICULE BILIAIRE

7 8 9 10 11 12

88) PRESSION SUR LES SINUS

But: Cette technique soulage de la congestion et des autres troubles des sinus.

Position: Assis, à la japonaise, à la tête du receveur.

Technique: Exercez une ferme pression des pouces en commençant par la racine des cheveux au niveau du front. Reculez le long d'une ligne centrale imaginaire jusqu'au point où le crâne commence à présenter une courbe descendante. Il est impossible d'appliquer une bonne pression derrière le crâne avec cette position.

Répétition: Répétez deux fois.

Durée: 20 secondes.

89) GRATTEMENT DU CUIR CHEVELU AVEC LES DOIGTS

But: Répéter la technique numéro 86.

90) STIMULATION GÉNÉRALE DES OREILLES

But: Stimuler toute la surface de l'oreille prépare le receveur pour le massage des oreilles qui suivra.

Position: Assis, à la japonaise, à la tête du receveur.

Technique: Placez l'index et le majeur de chaque côté de l'oreille du receveur. Dans un mouvement de va-et-vient, prendre pleinement contact avec l'oreille. Faites les deux oreilles simultanément.

Répétition: Glissez les doigts vers l'avant et vers l'arrière à cinq reprises.

Durée: 10 secondes,

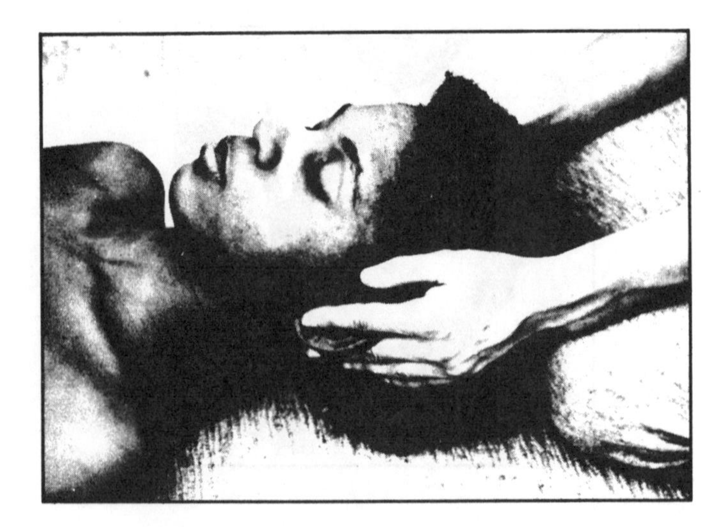

91) MASSAGE DES OREILLES

Consulter le dessin des points réflexes connus en auriculothérapie.

But: Cette technique procure une sensation agréable. Elle stimule également les points réflexes de l'oreille. L'auriculothérapie est pratiquée depuis plusieurs années en France. Le docteur Bordes a été le premier médecin à établir une relation entre les points réflexes de l'oreille et les problèmes du nerf sciatique. Ayant remarqué que plusieurs de ses patients qui souffraient de tels problèmes avaient une cicatrice sur le même point réflexe, il a poussé ses recherches pour finalement découvrir que le forgeron de leur localité avait brûlé leur oreille au niveau de ce point précis afin de les soulager de leur douleur.

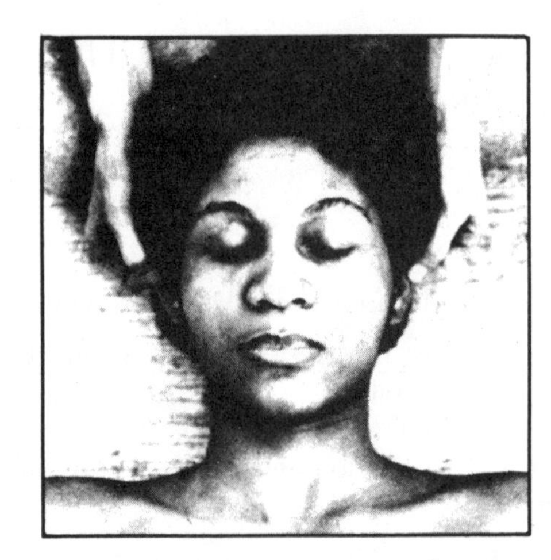

Position: Assis, à la japonaise, à la tête du receveur.

Technique: Utilisez les doigts et les pouces pour masser toute l'oreille. Ne pas s'arrêter sur un point en particulier, mais plutôt se concentrer sur un massage et une manipulation de toute la surface de l'oreille.

Répétition: Massez toute l'oreille deux fois.

Durée: 30 secondes.

92) PRESSION SUR LE LOBE DE L'OREILLE

But: Cette technique est bénéfique pour le visage, les yeux, les sinus et les oreilles.

Position: Assis, à la japonaise, à la tête du receveur.

Technique: Utilisez les pouces et les index pour exercer une pression sur tout le lobe de l'oreille.

Répétition: Maintenez la pression pendant 3 secondes.

Durée: 10 secondes.

93) MASSAGE ET PRESSION SUR L'OREILLE

But: Cette technique aide à stimuler encore davantage les points réflexes de l'oreille connus en acupuncture.

Position: Assis, à la japonaise, à la tête du receveur.

Technique: Insérez l'index dans les éminences et les dépressions de l'oreille. Faites alterner massage et pression.

Répétition: Deux fois.

Durée: 15 secondes.

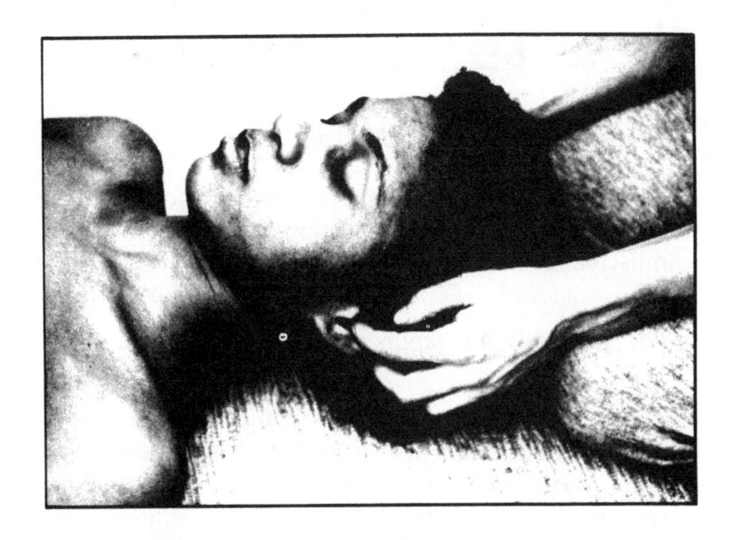

AURICULOTHÉRAPIE

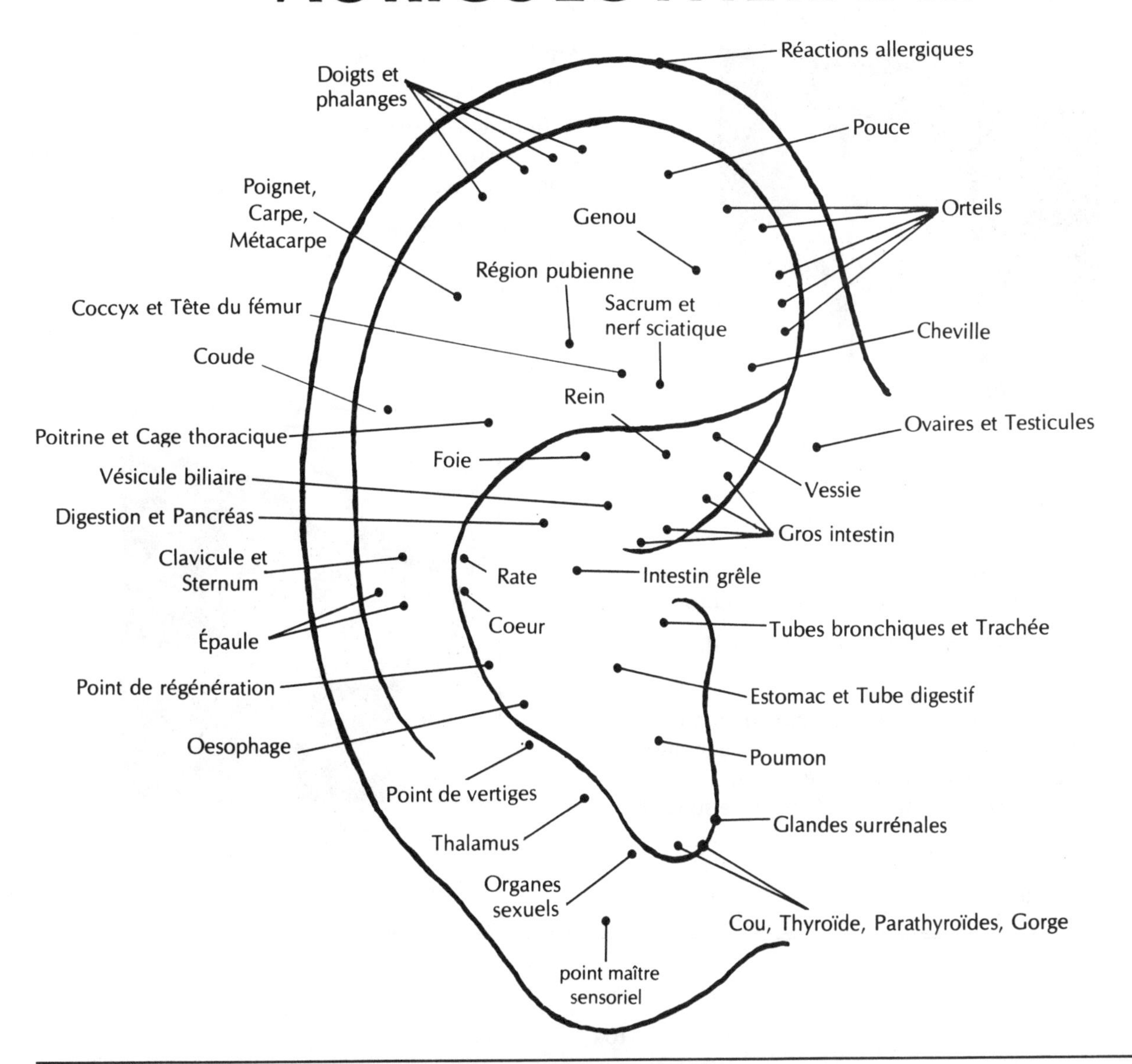

Le visage

94) MASSAGE DU VISAGE

But: Cette technique est extrêmement bénéfique pour le visage. Elle améliore la circulation sanguine et le tonus musculaire. Elle procure aussi une sensation très agréable.

Position: Assis, à la japonaise, derrière la tête du receveur.

Technique: Placez les mains de chaque côté du visage du receveur. Commencez par les mâchoires, glissez les mains vers le haut du visage en passant sur les pommettes et sur le front. Les mains doivent suivre harmonieusement les contours du visage du receveur.

Répétition: Répétez deux fois.

Durée: 5 secondes.

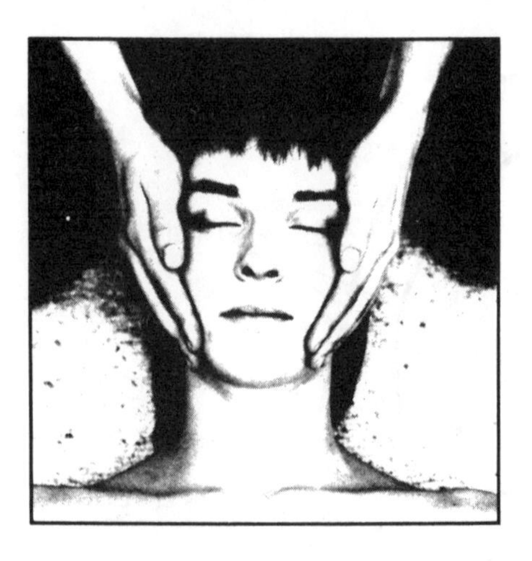

95) MASSAGE DU MENTON

But: Cette technique favorise le relâchement des mâchoires et est bénéfique à la détente du menton.

Position: Assis, à la japonaise, derrière la tête du receveur.

Technique: Placez les doigts sous la ligne du menton et les pouces au-dessus. Commencez au centre du menton et caressez doucement vers les mâchoires. Un peu d'huile aide à exécuter ce massage ainsi que le suivant.

Répétition: Répéter trois fois.

Durée: 5 secondes.

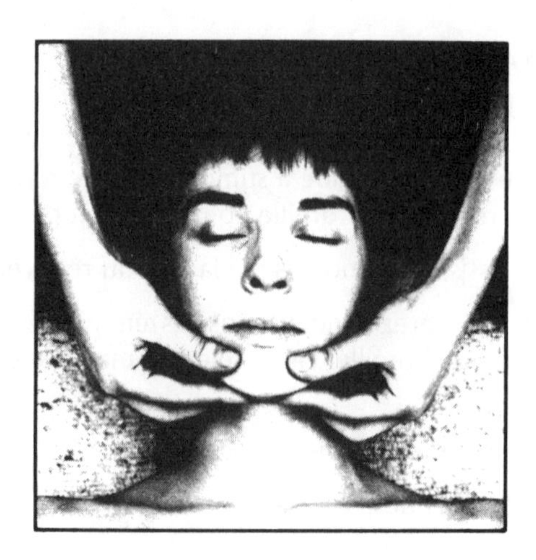

96) RAFFERMISSEMENT DU MENTON

But: Cette technique aide à diminuer le double ou le triple menton.

Position: Assis, à la japonaise, derrière la tête du receveur.

Technique: Utilisez les doigts du milieu pour caresser le dessous du menton du receveur. Alternez avec la main droite et la main gauche pour masser.

Répétition: Caressez chaque côté du menton, sous la mâchoire inférieure, à cinq reprises. Répétez souvent si le receveur a un double menton.

Durée: 10 secondes.

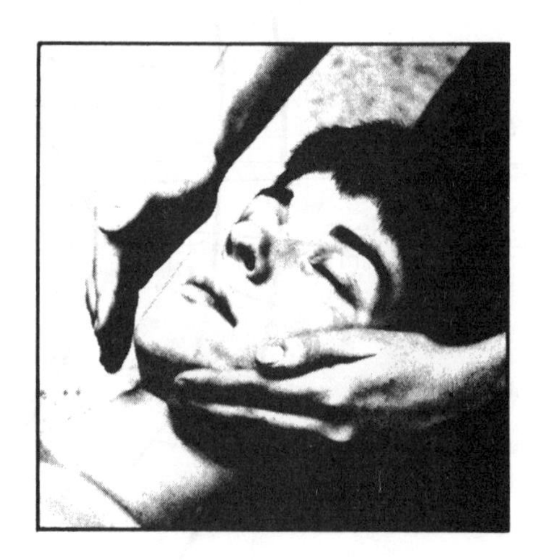

97) PRESSION SUR LES GENCIVES

But: Cette technique améliore la circulation au niveau des gencives et des nerfs des dents. Elle est aussi bénéfique au raffermissement de la ligne des lèvres.

Position: Assis, à la japonaise, derrière la tête du receveur.

Technique: Appliquez une pression légère à travers la peau pour atteindre les gencives inférieure et supérieure. Utilisez la technique de pression des quatre doigts. Ne pas presser trop fortement car les tissus sont très sensibles à cet endroit.

Répétition: Une pression sur chaque partie des gencives est suffisante.

Durée: 5 secondes.

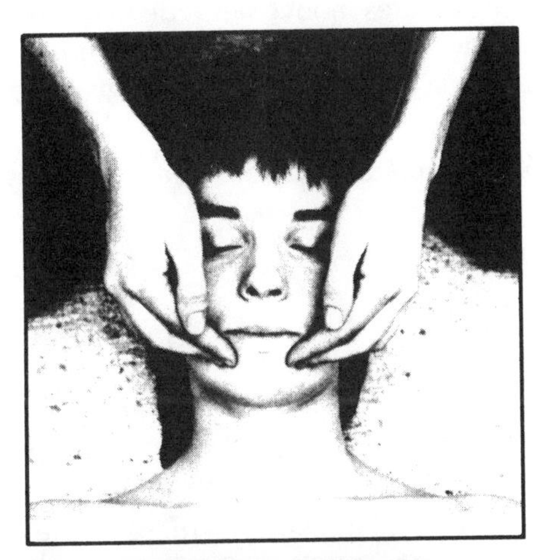

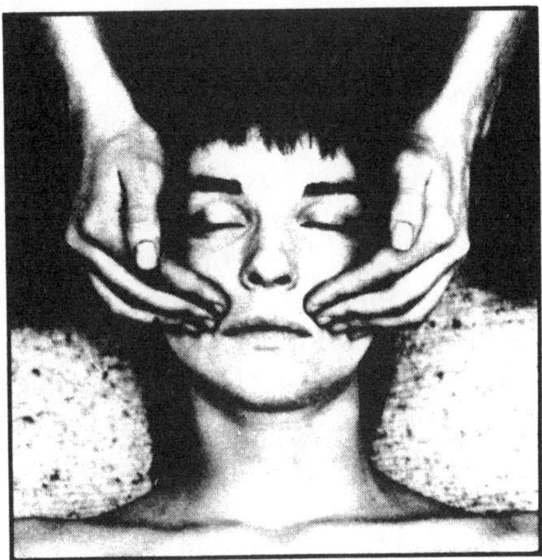

98) MASSAGE DE LA MÂCHOIRE INFÉRIEURE

But: Plusieurs personnes accumulent des tensions dans les muscles de la mâchoire inférieure. Cette technique favorise le relâchement de ces tensions.

Position: Assis, à la japonaise, derrière la tête du receveur.

Technique: Faites des mouvements de massage circulaires avec trois doigts sur la jointure des mâchoires. Appliquez ensuite une pression assez ferme pendant 3 secondes en faisant toutefois preuve de délicatesse car cet endroit est souvent très douloureux. Surveillez le visage du receveur pour apercevoir les signaux de malaise qu'il pourrait manifester.

Répétition: Répétez deux ou trois fois. Il est important de masser complètement les muscles situés autour et sur la partie flexible de la mâchoire avant d'appliquer une pression ferme sur la jointure des mâchoires.

Durée: 30 secondes.

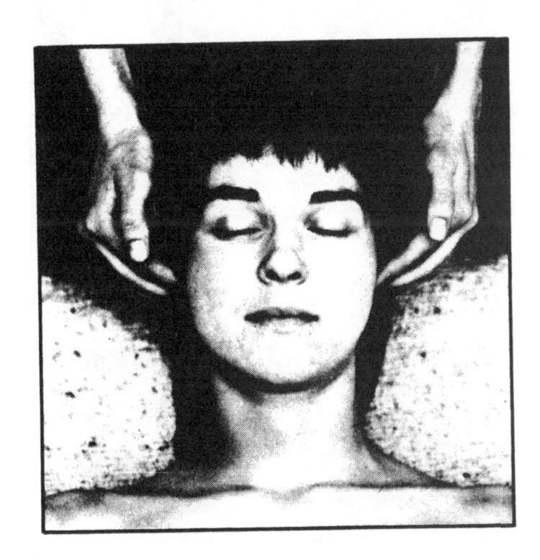

99) PRESSION SUR LES POMMETTES POUR LES PROBLÈMES DES SINUS

But: Une pression appliquée sur les pommettes aide à dégager les sinus qui sont bloqués.

Position: Assis, à la japonaise, derrière la tête du receveur.

Technique: Appuyez trois doigts sur la partie inférieure des pommettes et les pouces sur la partie supérieure. Appliquez une pression ferme.

Répétition: Répétez plusieurs fois si le receveur souffre de problèmes chroniques ou aigus des sinus.

Durée: 15 secondes.

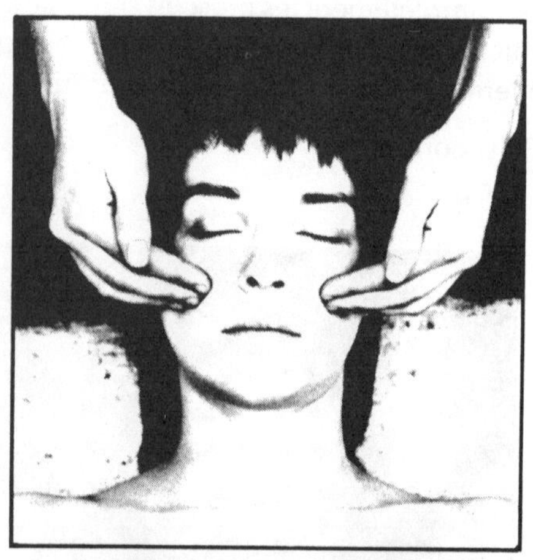

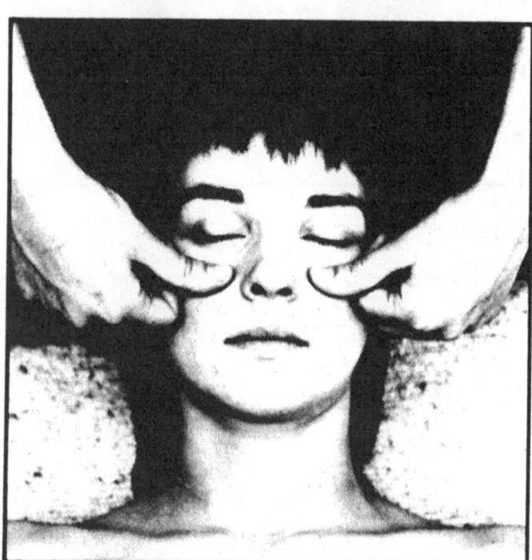

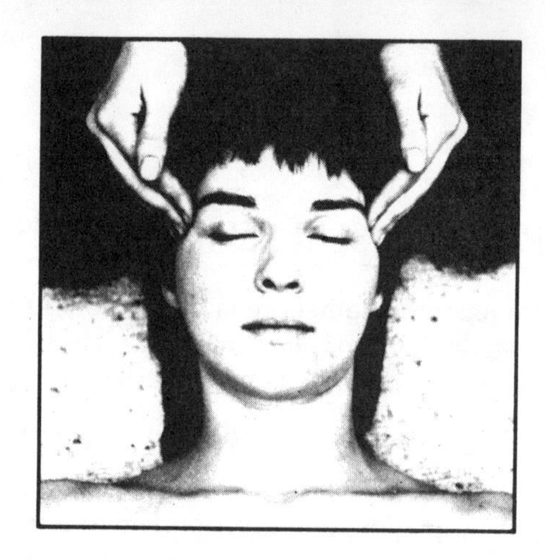

100) MASSAGE DES TEMPES

But: Cette technique procure calme et relaxation au receveur. Elle aide à relâcher les tensions du visage et elle est bénéfique pour les yeux.

Position: Assis, à la japonaise, derrière la tête du receveur.

Technique: Utilisez trois doigts pour masser les tempes. Commencez par des mouvements de massage circulaires plutôt légers et augmentez la pression progressivement. Utilisez la partie charnue des doigts et non pas le bout des doigts.

Répétition: Complétez dix mouvements de massage circulaires.

Durée: 10 secondes.

101) GLISSEMENT SUR LE FRONT

But: Cette technique ne détend pas seulement les muscles du front, mais elle prévient également l'apparition des rides verticales et horizontales.

Position: Assis, à la japonaise, derrière la tête du receveur.

Technique: Placez les pouces entre les sourcils et les faire glisser vers l'extérieur tout le long du front en allant jusqu'à la racine des cheveux situés juste au-dessus des oreilles. Placez les pouces au centre des sourcils, un peu au-dessus de l'endroit qui vient d'être massé, et répétez le glissement vers les oreilles. Continuez ainsi jusqu'à ce que tout le front ait été massé. Utilisez ensuite les quatre doigts pour relaxer le front dans un mouvement vers le haut. Commencez en plaçant les doigts des deux mains au-dessus des sourcils. Glissez les doigts légèrement sur la peau jusqu'à ce que l'on atteigne la racine des cheveux.

Répétition: La première partie de la technique de massage doit être faite une seule fois. Le glissement vertical qui va des sourcils vers la racine des cheveux peut être répété deux ou trois fois.

Durée: 20 secondes.

101A

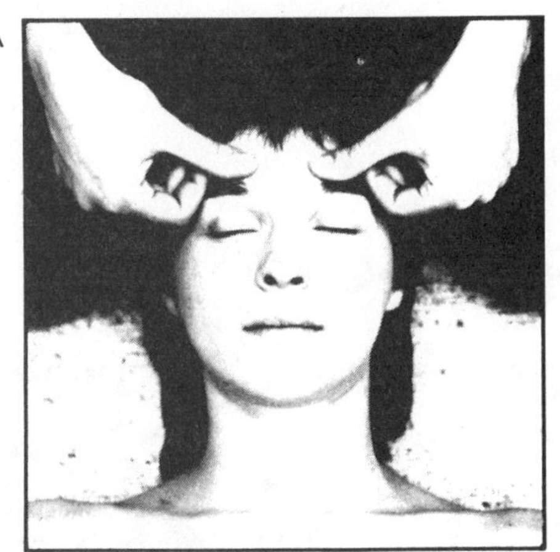

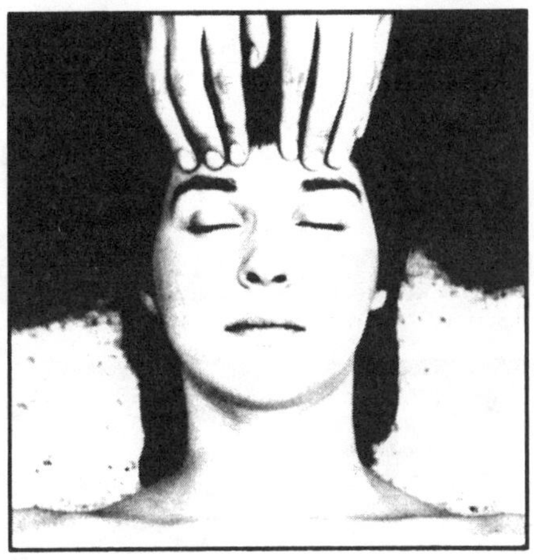

101B

102) LES ORBITES DES YEUX PRESSION POUR LES SINUS ET LA FATIGUE DES YEUX

But: Une pression appliquée sur les orbites des yeux améliorera la condition des sinus et diminuera la fatigue des yeux. Les yeux bénéficient toujours de cette technique, quelle que soit leur condition.

Position: Assis, à la japonaise, derrière la tête du receveur.

Technique: Appliquez une pression sur la partie supérieure des orbites des yeux avec les quatre doigts. La pression des pouces convient davantage à la partie inférieure des orbites. Ne pas appuyer trop fortement avec les mains. Ces points sont souvent tendus.

Répétition: Deux pressions suffisent pour les orbites supérieures. Appliquer une pression sur les orbites inférieures en allant du coin intérieur vers le coin extérieur des yeux. Chaque pression doit durer de 3 à 5 secondes. Une pression du pouce sur chaque partie des orbites inférieures suffit.

Durée: 20 secondes.

103) PRESSION SUR LE GLOBE DES YEUX

But: Une pression sur le globe des yeux relaxe et renforce les yeux.

Position: Assis, à la japonaise, derrière la tête du receveur.

Technique: Appuyez les quatre doigts de chaque main sur le globe des yeux et les pommettes. Appliquez une pression légère à moyenne. Relâchez la pression et faites glisser les doigts lentement pour découvrir le globe des yeux et les pommettes.

Répétition: Inutile.

Durée: 10 secondes.

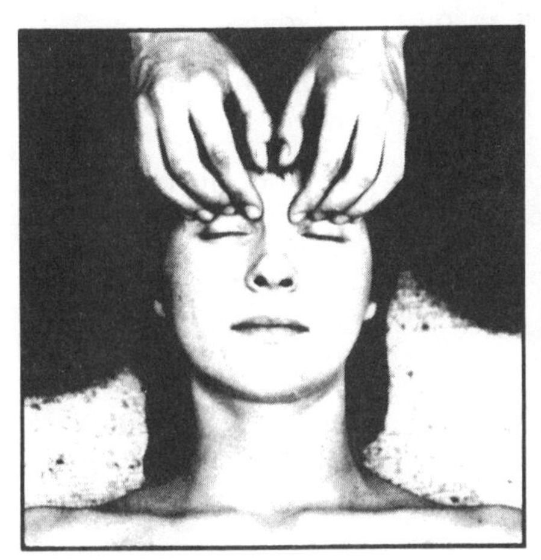

102A

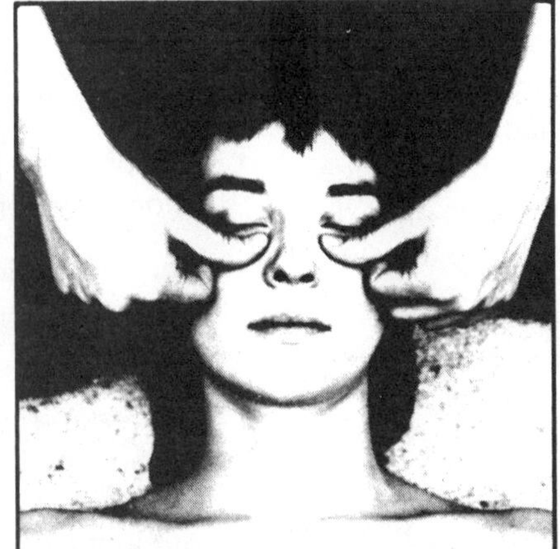

102B

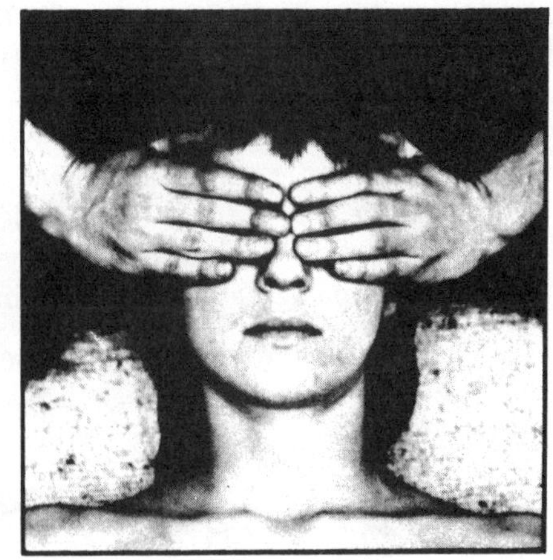

103

Chapitre V

Applications spéciales du massage

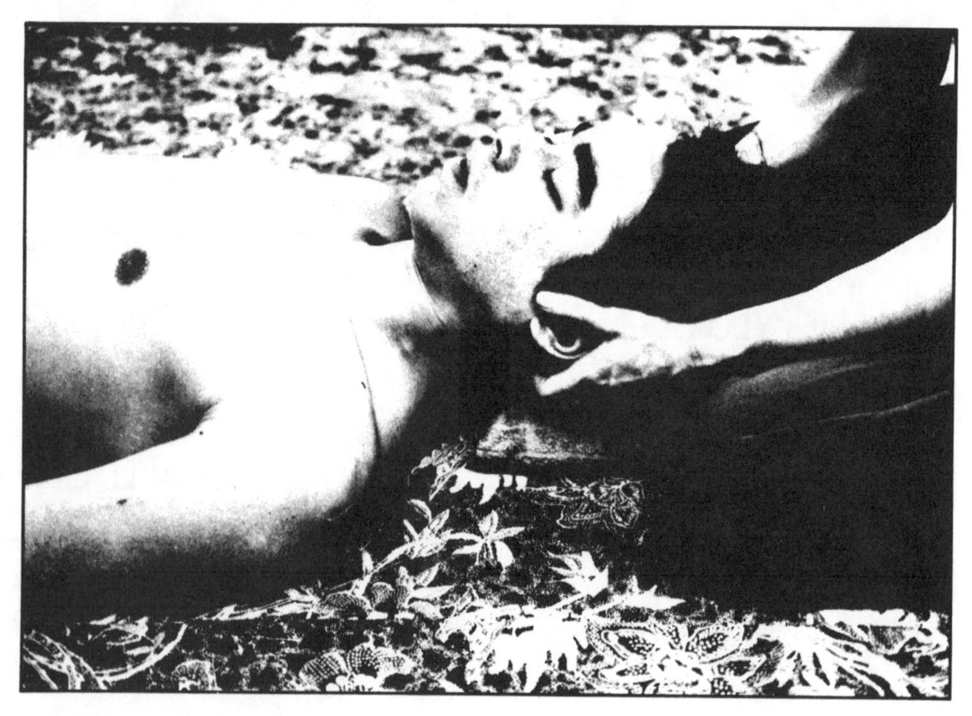

1) Techniques rapides de massage

Un massage rapide est une merveilleuse expérience car en peu de temps et avec un minimum de préparation vous pouvez permettre à votre partenaire ou à votre ami de se sentir vraiment beaucoup mieux. L'épuisement, les yeux fatigués, les maux de dos, les pieds endoloris, les membres lourds et le manque d'enthousiasme peuvent être soignés dans une courte période de quinze à vingt-cinq minutes grâce à un massage qui renouvellera l'énergie et libérera les maux et les douleurs causés par le surplus de travail ou l'anxiété. Une soirée ou une journée qui s'est déroulée sous le signe de la fatigue et de la douleur peut rapidement se transformer en période agréable et en aventure nouvelle.

Vous trouverez ci-après quelques suggestions utiles pour faire de votre massage rapide un succès total. PROFITEZ-EN!

- Exécutez les techniques lentement et avec beaucoup de compassion. Le massage rapide ne signifie pas que les techniques doivent être faites à toute vitesse.
- N'appliquez JAMAIS une pression brusquement. La pénétration doit toujours être progressive.
- Essayez d'être conscient de votre posture pendant que vous massez votre partenaire.
- N'appliquez JAMAIS de pression directe sur la colonne vertébrale.
- Procédez toujours LENTEMENT au moment d'étirer, de compresser ou de fléchir n'importe quelle partie du corps.
- Étendez une couverture sur le sol, tamisez la lumière, débranchez l'appareil téléphonique et commencez le massage. Les préparations qui traînent en longueur sont inutiles.

Quelques-unes des techniques du massage rapide proviennent du massage complet de 60 minutes expliqué au chapitre IV. Les autres techniques sont nouvelles pour vous. Celles qui ont été extraites du massage du corps de 60 minutes sont quand même accompagnées de photographies afin que vous n'ayiez pas à tourner constamment les pages du livre pour vous référer au chapitre précédent. Si vous éprouvez le moindre doute au moment d'exécuter un mouvement de massage, consultez le chapitre IV pour avoir des explications plus précises.

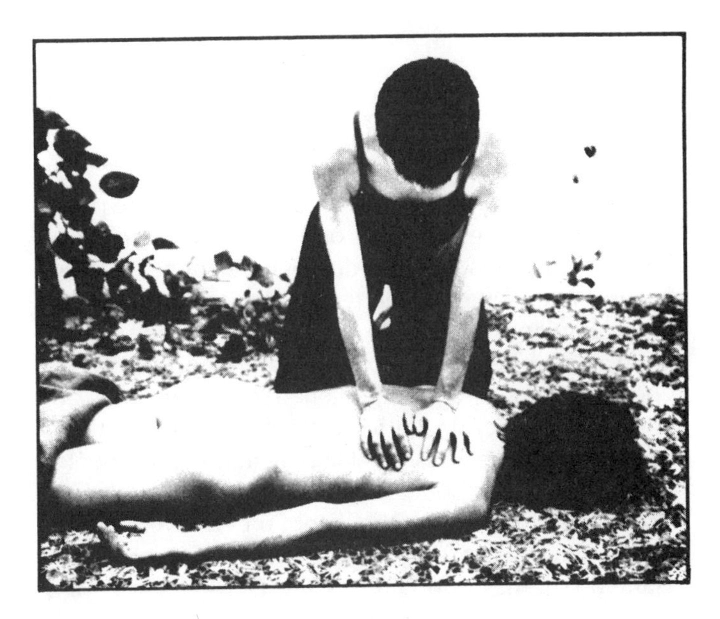

TRACÉ DE LA COLONNE VERTÉBRALE

Cette technique relâche la tension vertébrale superficielle tout en détendant le receveur et en préparant son dos à recevoir les techniques plus intenses qui suivront. Le donneur s'asseoit à la japonaise près du receveur. Il place trois doigts de chaque côté de la colonne vertébrale et, très lentement, il fait glisser ses doigts tout le long de la colonne en descendant jusqu'à la pointe du coccyx. Répétez deux fois. Durée totale: 20 secondes.

BERCEMENT DU DOS

Cette technique prépare le dos à recevoir une pénétration plus profonde et détend les muscles près de la colonne vertébrale. S'asseoir, à la japonaise, perpendiculairement à la colonne du receveur. Utiliser les paumes des mains pour donner un mouvement de bercement au dos. Bercer le haut, le milieu et le bas du dos à cinq reprises. Durée totale: 60 secondes.

TECHNIQUE DE LA RESPIRATION PROFONDE

Placer les paumes des mains de chaque côté du haut du dos. Demander au receveur d'inspirer puis d'expirer. Au moment de l'expiration, appliquer lentement une pression ferme en la renforcissant graduellement. Au moment d'atteindre la cage thoracique, changer l'orientation des mains de façon à ce qu'elles soient perpendiculaires à la colonne. Utiliser moins de pression afin de ne pas blesser les côtes flottantes. La dernière pression sera faite directement sur le sacrum. Durée totale: 60 secondes.

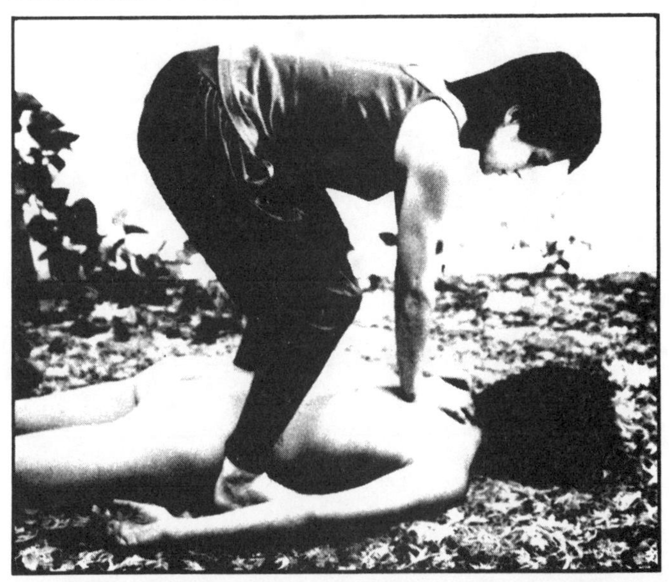

TECHNIQUE VERTÉBRALE

S'asseoir à côté du receveur de façon à être parallèle à sa colonne vertébrale ou le chevaucher en s'agenouillant au-dessus de son dos. Si la personne est large, chevaucher son corps en restant debout et en fléchissant les genoux. Masser de 3 à 5 secondes le long de chaque paire de vertèbres afin de préparer le receveur à une pénétration plus profonde. Pénétrer pendant 5 secondes, puis masser de 3 à 5 secondes pour permettre un relâchement. Le massage et la pénétration doivent être exercés avec les pouces. On place ceux-ci de chaque côté de la colonne vertébrale tout près des vertèbres et on commence à mi-chemin entre l'omoplate en travaillant vers le bas jusqu'au sacrum. Durée totale: 3 à 5 minutes.

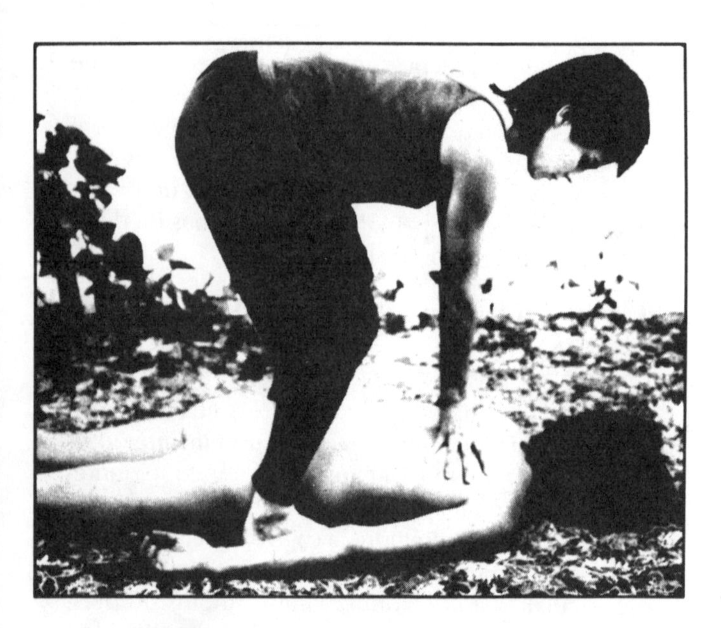

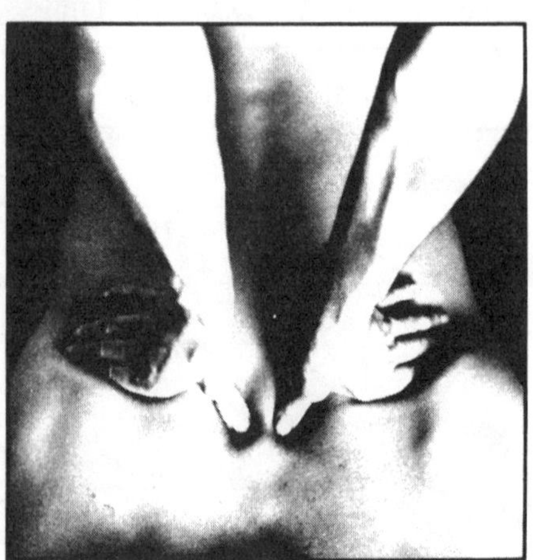

MASSAGE DU TRAPÈZE SUPÉRIEUR

Masser, pétrir et compresser les muscles entre les épaules et le cou. Utiliser les doigts pour détendre et relâcher la tension dans le cou. Faire suivre par une pression ferme du pouce sur toute partie du muscle qui est tendue ou nouée. Durée totale: 30 secondes.

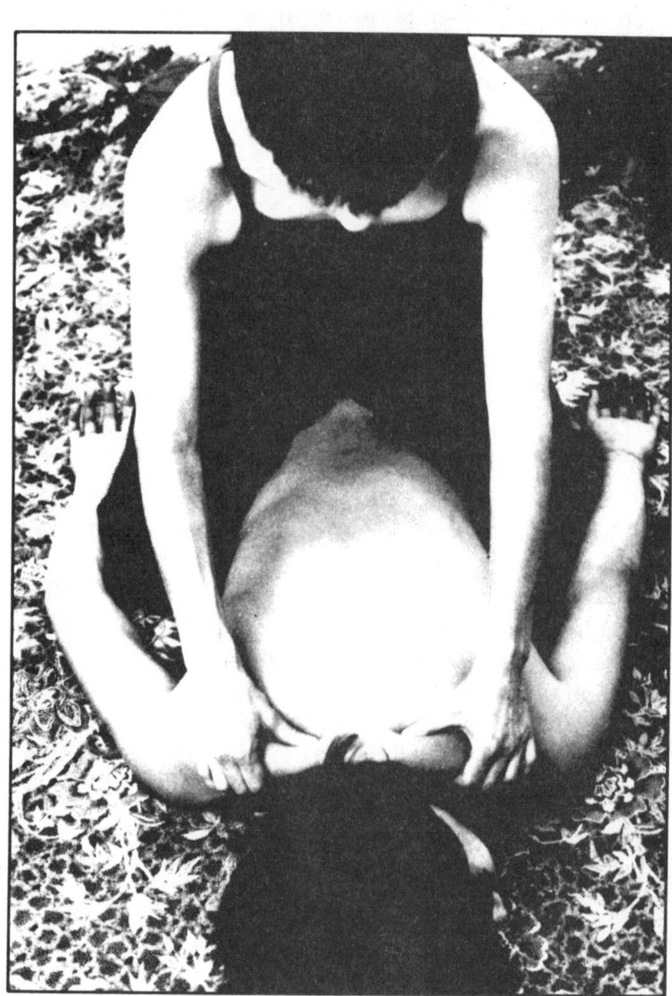

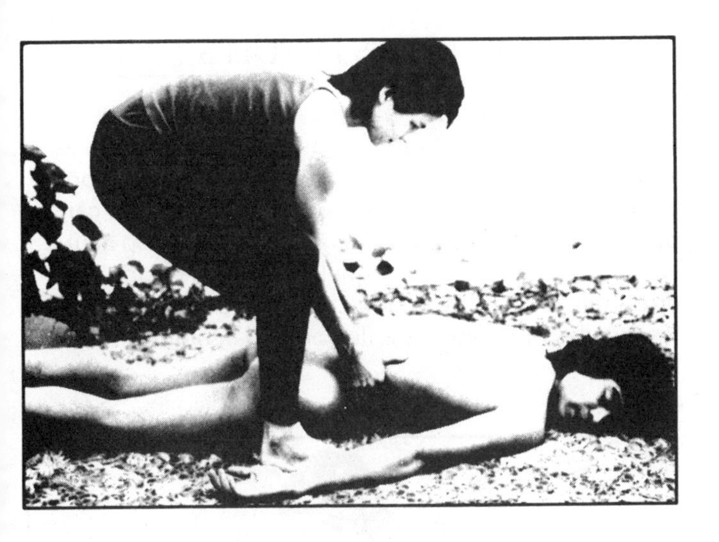

MASSAGE DU TRAPÈZE SUPÉRIEUR

Répéter cette technique décrite précédemment pendant 30 secondes de plus.

PRESSION SUR LES BRAS

Avec les paumes des mains, appliquer simultanément une pression ferme mais délicate depuis le dessus des bras jusqu'aux poignets. Exercer trois pressions sur les bras et les avant-bras. Permettre aux bras de rouler lors de chaque pression.

Durée totale: 30 secondes.

SOULÈVEMENT DE LA TAILLE

Glisser les mains sous la taille du receveur et soulever la chair ou le tronc tout entier de la carpette. Appliquer une pression sur la taille au moment de la soulever. Répéter trois fois. Durée totale: 10 secondes.

MASSAGE DU MUSCLE DORSAL

Masser minutieusement tout le muscle dorsal en le saisissant avec les mains, en le pétrissant, en le compressant et en le relâchant. Répéter environ dix fois. Puisque ce muscle correspond au pancréas, lequel contrôle le métabolisme du sucre dans le sang, il est important de le masser immédiatement après les repas pour faciliter la digestion. Durée totale: 10 secondes.

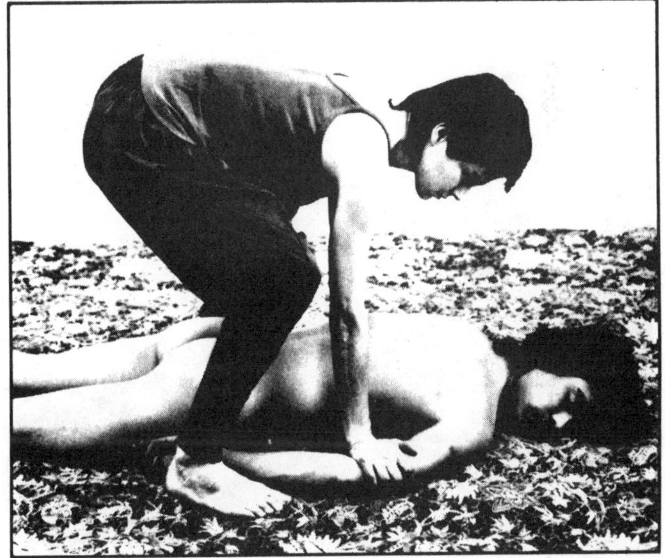

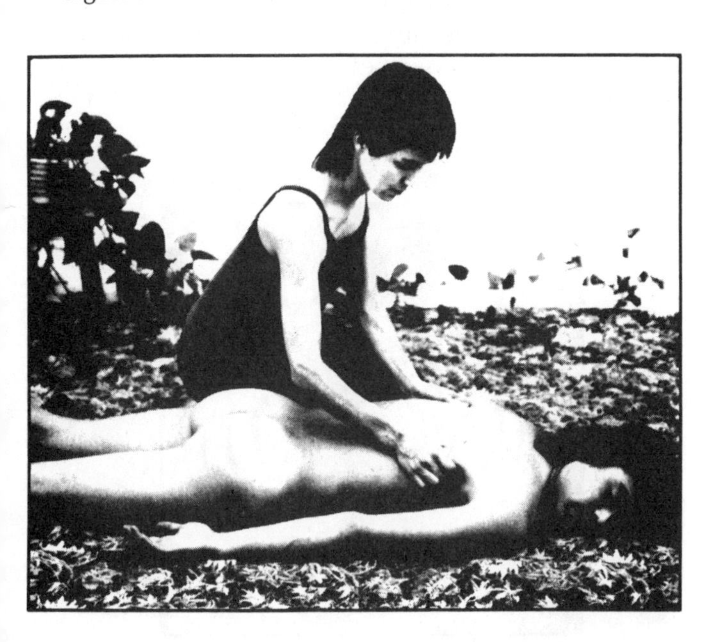

ÉTIREMENT DES BRAS ET DES DOIGTS

Saisir les avant-bras au-dessus des poignets. Tirer les bras lentement jusqu'à ce que les épaules se soulèvent de la carpette, puis relâcher. Masser, compresser et étirer ensuite chaque paire de doigts simultanément. Commencer par les auriculaires et terminer par les pouces. Agir avec délicatesse. Étirer et compresser lentement et avec compassion. Cette technique relâche les jointures et agit sur les méridiens des bras qui incluent ceux du coeur, du maître du coeur, des poumons, du gros intestin, de l'intestin grêle et du triple réchauffeur.

Durée totale: 30 secondes.

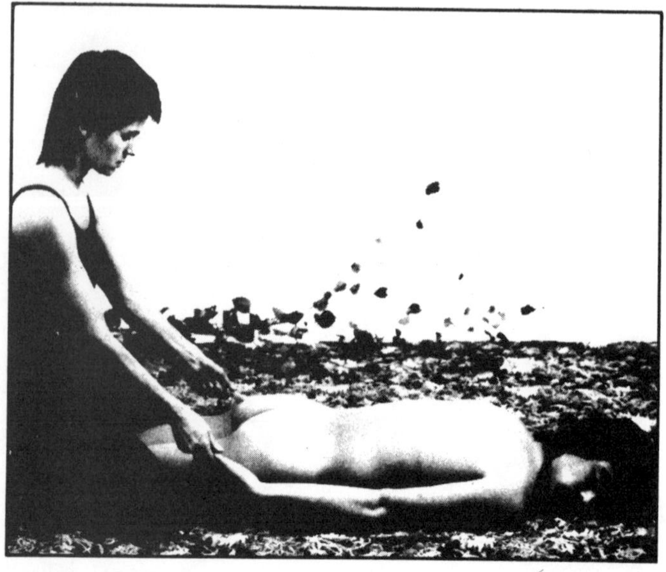

SOULÈVEMENT DES ÉPAULES

Glisser les mains sous les épaules du receveur. Demander au receveur de ne pas participer au mouvement et de rester aussi mou qu'une poupée de chiffon. Soulever lentement les épaules, puis le tronc de la carpette. Ne pas les soulever trop rapidement ou trop haut. La photographie indique à quelle hauteur le tronc doit être soulevé. Cette technique élargit la poitrine, relaxe les épaules et permet une flexion de la colonne vertébrale.

Durée totale: 5 à 10 secondes.

PÉTRISSAGE DES FESSES

Pétrir les fesses avec les paumes des mains. Cette technique améliore la circulation générale ainsi que la condition du nerf sciatique et des muscles adducteurs moyens qui sont reliés aux organes sexuels et reproducteurs. Chevaucher les jambes du receveur et exercer un pétrissage ferme.

Durée totale: 20 secondes.

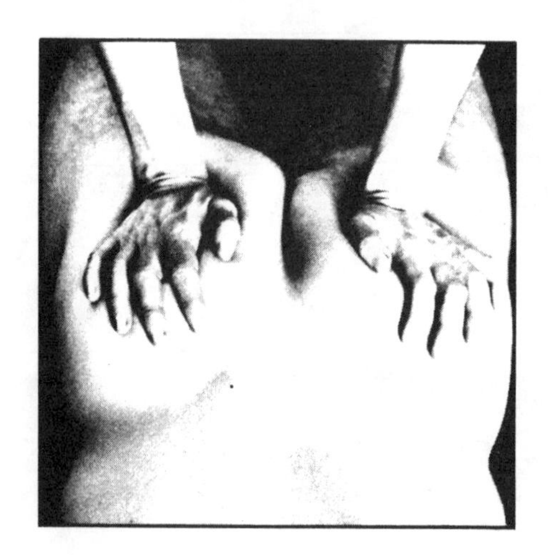

MÉRIDIEN DE LA VESSIE DANS LA CUISSE ET LA JAMBE

Exercer une pression ferme de 3 à 5 secondes avec la paume de la main au centre du derrière de la cuisse et de la jambe. Le creux du genou étant très sensible, appliquer une pression très légère à cet endroit. Plusieurs personnes ont également le muscle du mollet très tendre même s'il n'est pas aussi vulnérable que le creux du genou. User de moins de pression sur ce muscle que sur le reste de la cuisse mais un peu plus que dans le creux du genou. Cette technique agit sur le méridien de la vessie et les fonctions qui lui sont reliées. Elle relâche la tension de la jambe. Appliquer une pression sur la cuisse quatre fois et le même nombre sur la jambe.

Durée totale: 30 secondes.

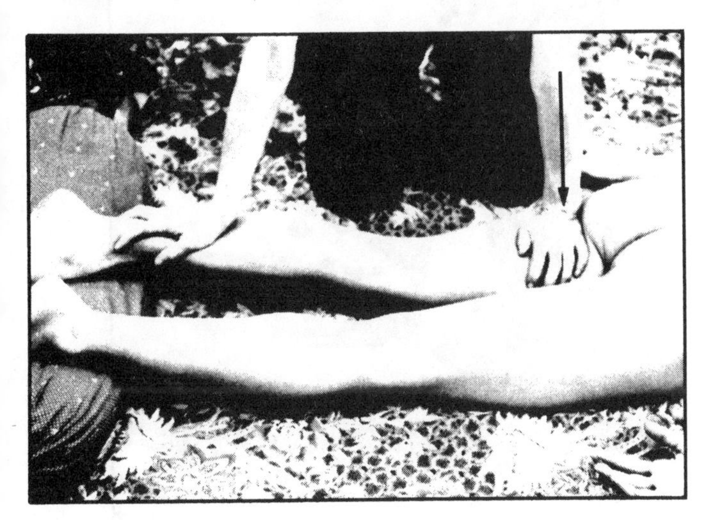

FLEXION DES GENOUX

Saisir les pieds, plier les jambes et les bercer *doucement* dans un mouvement avant-arrière à cinq reprises. Laisser ensuite tomber les jambes sur le côté en essayant de toucher le sol si possible. Exercer le bercement à cinq reprises. Cette technique relâche les jointures des genoux et étire le quadriceps sur le devant des cuisses. Ne pas bercer trop vigoureusement ou avec trop de pression.

Durée totale: 10 à 15 secondes.

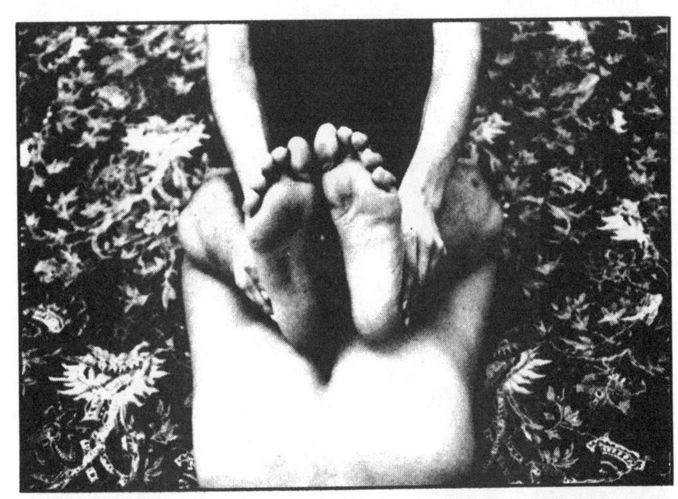

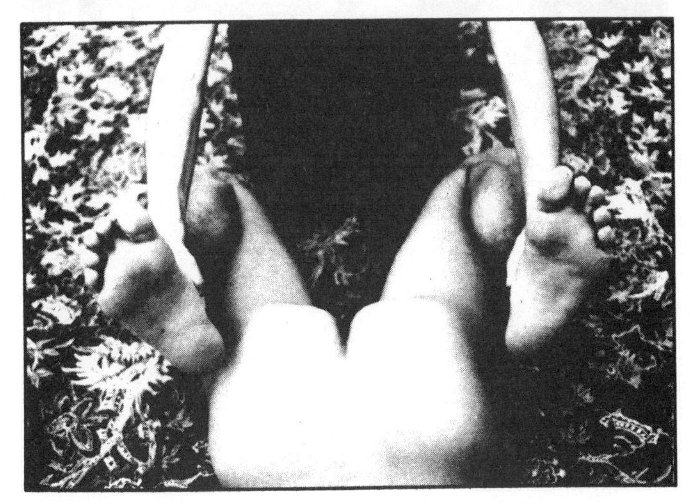

MARCHE SUR LES PIEDS

Le donneur tourne le dos au dos du receveur et appuie ses talons sur les pieds de celui-ci. Changer de place en se tenant sur un pied, puis sur l'autre en bougeant. Attention à l'arche du pied car une trop forte pression à cet endroit peut causer de la douleur et blesser l'os métatarsien situé juste au-dessus du gros orteil. Avant d'exécuter cette technique, demander au receveur de dire *immédiatement* si la pression est trop grande. Le restant du pied peut supporter le poids du donneur pendant quelques secondes. Essayer d'appliquer la pression sur toute la partie inférieure du pied. Garder en mémoire le diagramme du pied et les organes reliés aux différents points réflexes qui y sont situés.

Durée totale: 60 secondes.

BALANCEMENT VERTÉBRAL

Saisir les pieds et soulever le bassin doucement de la carpette. Très délicatement et lentement, commencer à balancer les jambes d'un côté à l'autre. Faire ce mouvement cinq fois dans chaque direction. Ne pas soulever les cuisses plus de deux ou trois pouces au-dessus du sol. Cette technique améliore la flexibilité vertébrale. Durée totale: 10 à 15 secondes. Ne pas utiliser cette technique si le receveur souffre de graves douleurs lombaires.

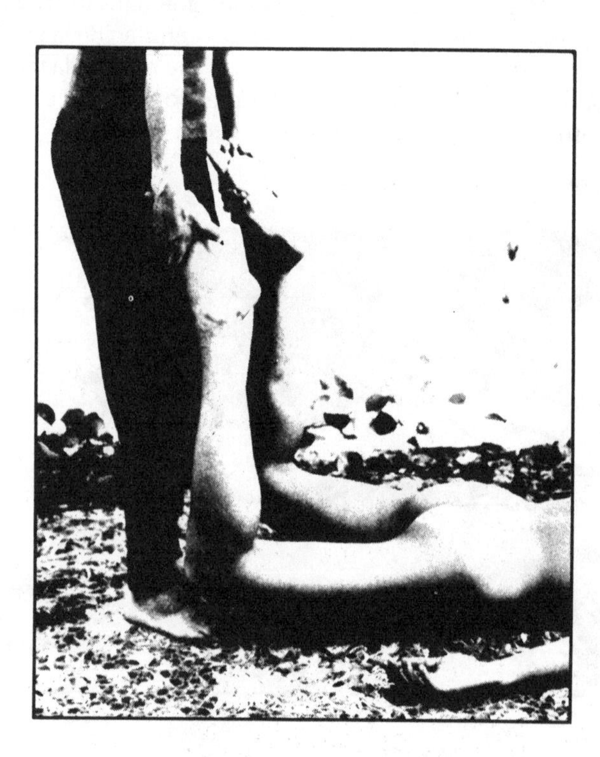

TOUCHER DES PIEDS ET DES ORTEILS

Parce qu'il s'agit d'un massage rapide et parce que vous avez déjà marché sur les pieds du receveur, il n'est pas nécessaire de consacrer autant de temps à cette partie du corps que lors d'un massage complet. Cette technique est suffisante pour permettre au sang de retourner au coeur et pour stimuler les nerfs et les organes internes. Compresser, masser et tordre chaque orteil, puis exercer une ferme pression du pouce sur l'arche du pied en touchant superficiellement le bas de chaque pied avec le pouce. Compléter par le roulement des pieds en saisissant un pied avec les deux mains et en tordant les orteils et la cheville vers des directions opposées. Ne pas blesser la peau en l'étirant trop fortement.

Durée totale: 2 minutes (1 minute pour chaque pied).

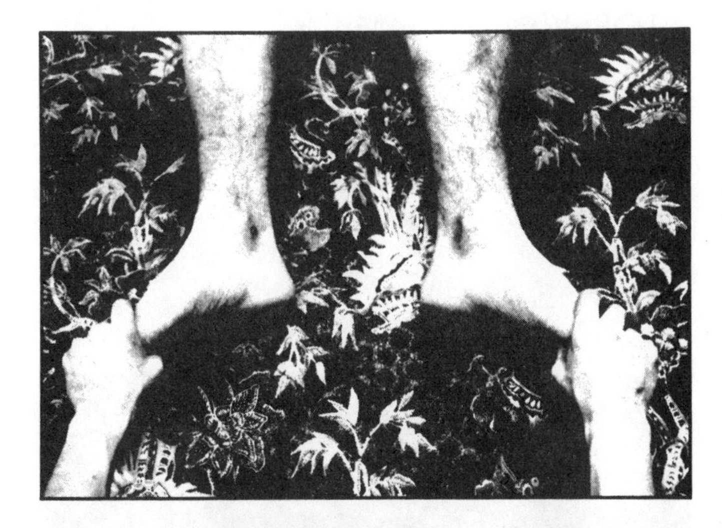

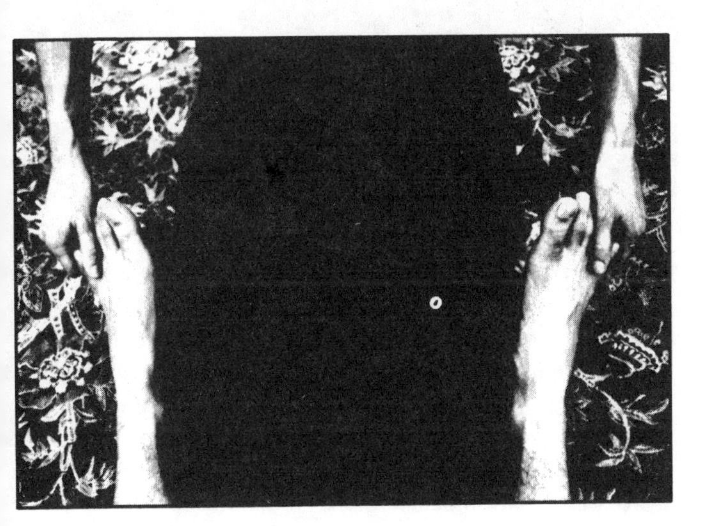

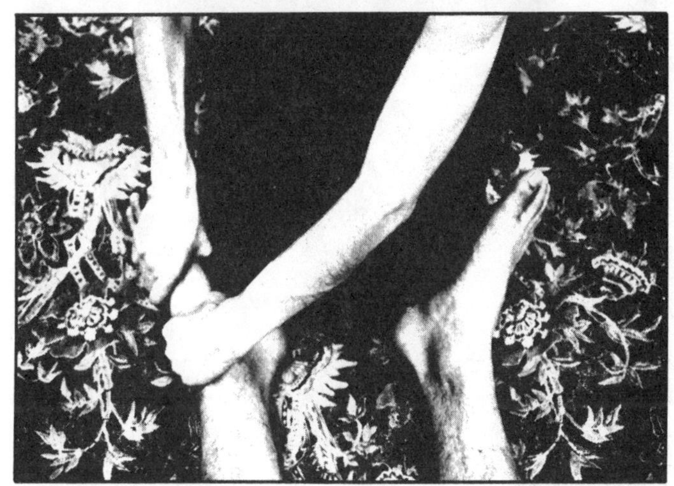

TORSION DES JAMBES

Appliquer une pression sur les côtés de chaque pied, d'abord en les poussant vers l'extérieur puis en les pressant vers l'intérieur au centre du corps. Cette technique détend la cheville, le genou et la hanche. Elle procure également une sensation très agréable au receveur. Pousser cinq fois dans chaque direction.

Durée totale: 10 secondes.

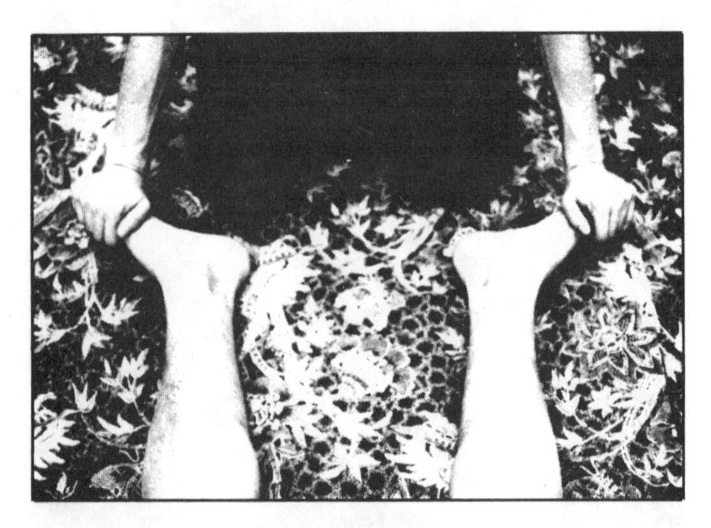

FLEXION ET ROTATION DES JAMBES

Plier la jambe au niveau du genou et lui faire faire des rotations quatre fois dans chaque direction. Demander au receveur de se détendre complètement pour vous permettre d'agir sans qu'il y ait résistance de sa part. Cette technique détend les jointures de la jambe. Répéter la même chose avec l'autre jambe.

Durée totale: 20 secondes.

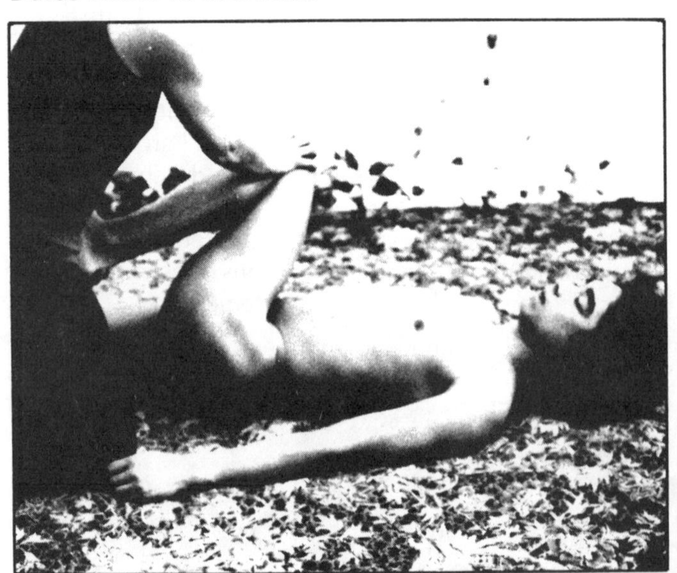

PRESSION SUR LE SACRUM

Plier les jambes du receveur au niveau des genoux. Placer les cuisses perpendiculairement à la carpette. Saisir les genoux avec les mains et mettre un peu de poids sur le dessus. Retirer le poids doucement. Ne pas appliquer de pression soudaine afin de ne pas procurer de sensation désagréable au receveur. Cette technique est reposante et aide au relâchement des tensions lombaires.

Durée totale: 10 secondes.

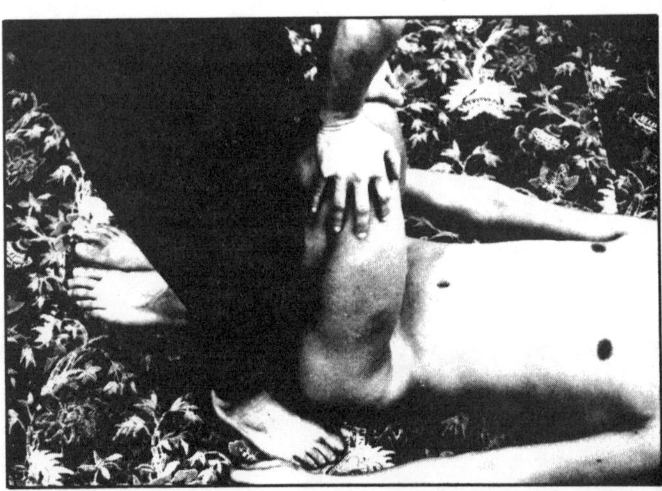

SOULÈVEMENT DE LA TAILLE

Insérer les mains sous la taille du receveur et soulever la chair ou le tronc de la carpette. Cette technique est agréable et elle stimule les fonctions du foie et de la vésicule biliaire. Répéter trois fois.

Durée totale: 10 secondes.

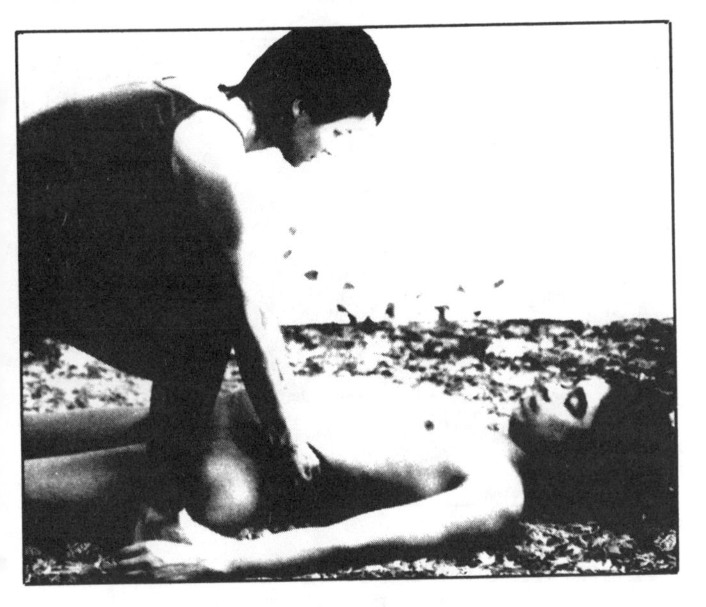

MASSAGE ABDOMINAL

Commencer par un mouvement de balayage circulaire du côté inférieur droit de l'abdomen. Continuer vers le haut jusqu'à la partie supérieure de l'abdomen et redescendre du côté gauche. Changer de main pour masser autour de l'abdomen. Répéter trois fois.

Durée totale: 10 secondes.

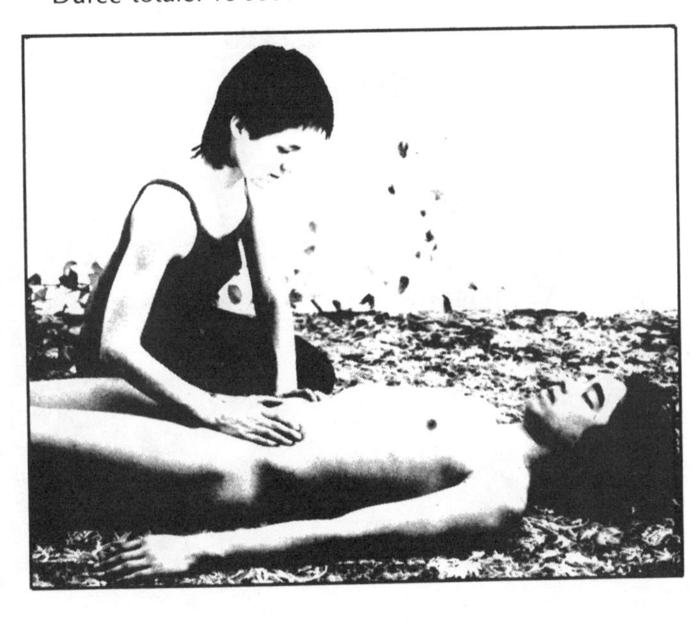

DRAINAGE LYMPHATIQUES DES CÔTES

Glisser les doigts le long et entre les côtes depuis le côté du torse en montant vers le sternum. Répéter autant de fois que nécessaire en s'assurant que les espaces intercostaux ont tous été touchés au moins deux fois. Cette technique est très agréable pour le receveur et elle relâche le fluide lymphatique stagnant dans cette région.

Durée totale: 30 secondes.

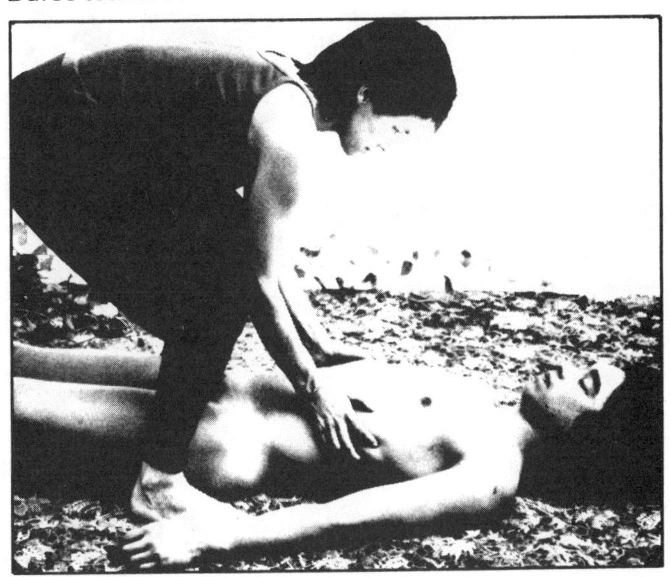

DÉTENTE LYMPHATIQUE DE LA POITRINE

Avec les pouces, masser entre les côtes de chaque côté du sternum. Commencer sous les éminences claviculaires et continuer jusque sous les seins ou sous les muscles pectoraux. Cette technique est bénéfique aux reins, au coeur, à la thyroïde, aux poumons, à l'estomac et à la vésicule biliaire.

Durée totale: 40 secondes.

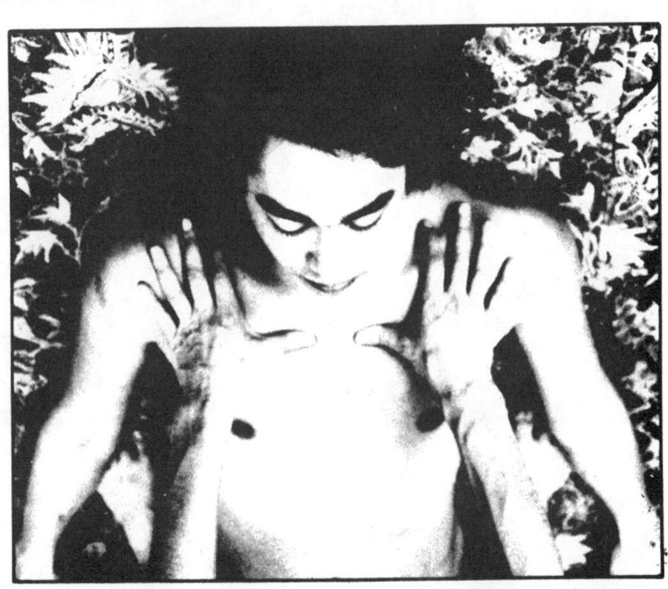

MASSAGE DES ÉPAULES

Insérer les mains, paumes tournées vers le haut, sous les trapèzes supérieurs. Masser toute la partie des muscles avec les doigts et les pouces. Les tensions du cou et des épaules sont soulagées grâce à cette technique.

Durée totale: 30 secondes.

MASSAGE DU COU

Soutenir la tête du receveur dans une main et insérer l'autre main, paume tournée vers le haut, sous le cou. Masser la nuque avec les doigts et le pouce. Changer de mains et répéter de l'autre côté. Cette technique fait disparaître la tension du cou.

Durée totale: 30 secondes.

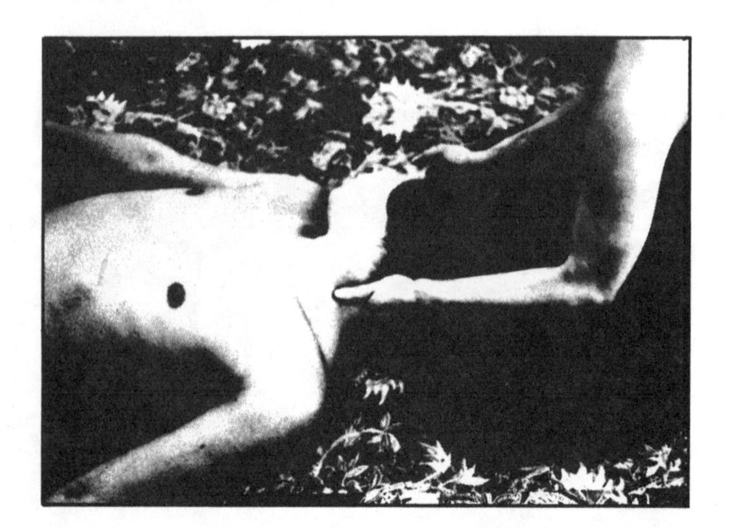

MASSAGE DU BAS DU CRÂNE

Il y a une bosse proéminente de chaque côté de la base du crâne. Placer les doigts de chaque main sur ces bosses pour les masser profondément et fermement. Cette technique relâche les tensions du cou et des épaules et stimule la vésicule biliaire.

Durée totale: 30 secondes.

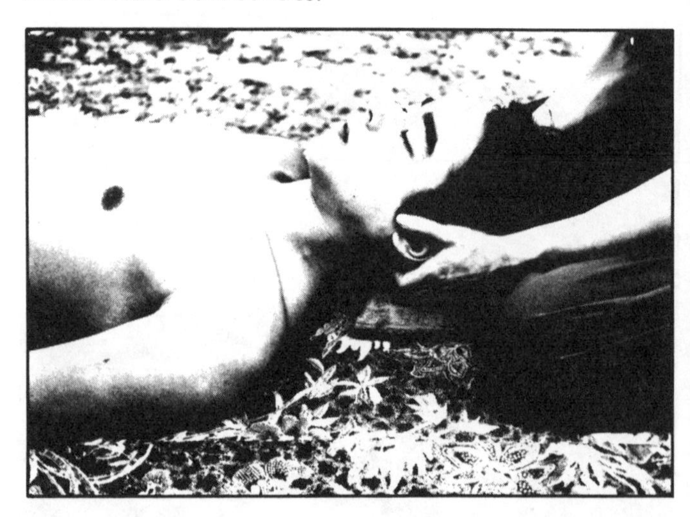

TECHNIQUE POUR LES VERTÈBRES DORSALES OU LE HAUT DU DOS

Insérer les mains, paumes tournées vers le haut, de chaque côté de la colonne vertébrale. Placer le bout des doigts de façon à ce qu'il repose entre les omoplates ou entre les cinquième et sixième vertèbres dorsales de chaque côté de la colonne vertébrale. Commencer par un mouvement de bercement circulaire et un mouvement de massage de chaque côté des vertèbres. Com-

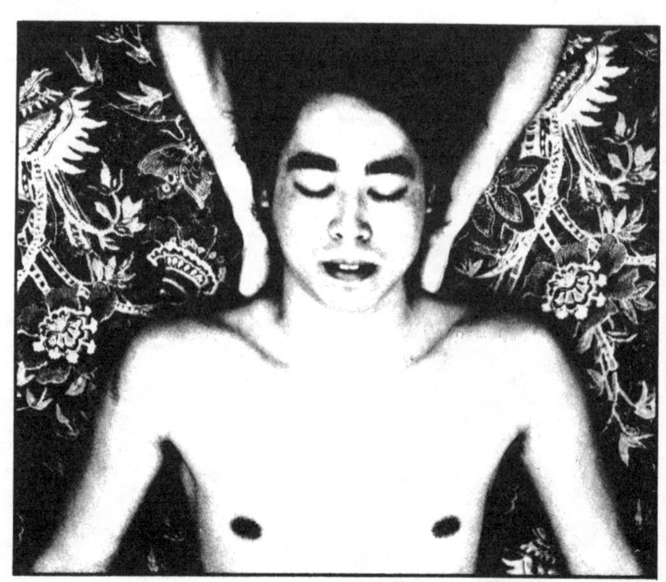

pléter cinq mouvements de massage circulaires puis monter au niveau des quatrième et cinquième vertèbres pour répéter la même technique. Continuer ainsi jusqu'à la base du cou. Le mouvement est plus difficile à décrire qu'à exécuter. Le bout des doigts fait un cercle qui se rapproche du donneur pour ensuite s'éloigner de lui. Presser les doigts dans le dos du receveur sur le dessus du cercle. Répéter cinq fois entre chaque paire de vertèbres.

Durée totale: 30 secondes.

TECHNIQUE POUR LES OMOPLATES

Glisser les mains, paumes tournées vers le haut, sous les omoplates du receveur. Faire marcher le bout des doigts sur toute la surface des omoplates. Masser chaque zone de 3 à 5 secondes dans un mouvement circulaire. Faire ensuite pénétrer le bout des doigts là où l'on vient tout juste de masser et maintenir la pression pendant 3 secondes. Masser et presser sur toute la surface des omoplates.

Durée totale: 60 secondes.

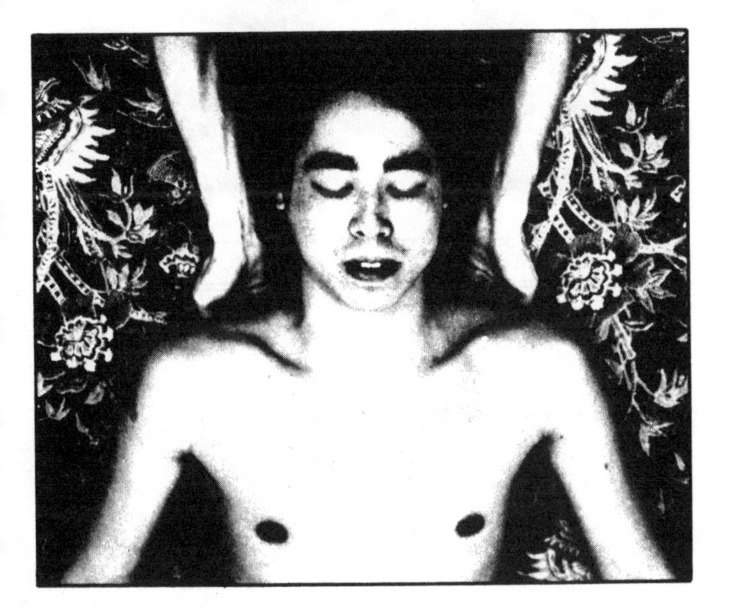

MASSAGE DU CUIR CHEVELU

Masser minutieusement tout le cuir chevelu avec le bout des doigts. Changer de direction fréquemment en faisant glisser les doigts sur toute la surface et en soulevant le cuir chevelu à certains endroits. Tourner la tête du receveur d'un côté en massant la partie inférieure du cuir chevelu. On tient le front avec une main et on masse avec l'autre. Changer de main et masser de l'autre côté.

Durée totale: 30 secondes.

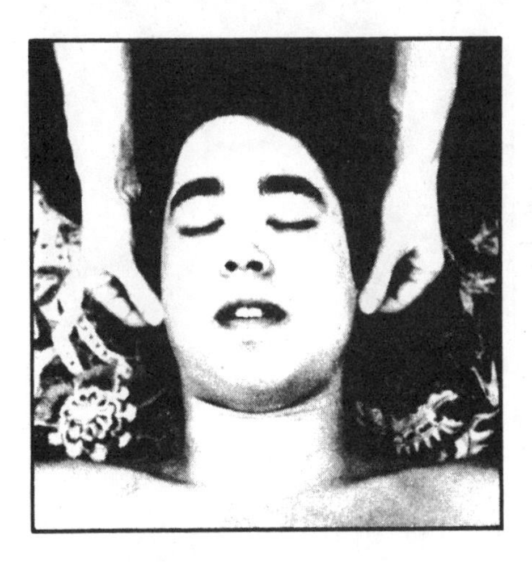

MASSAGE DES OREILLES

Utiliser les doigts et les pouces pour masser les oreilles. Toucher l'intérieur et le contour des oreilles.

Durée totale: 30 secondes.

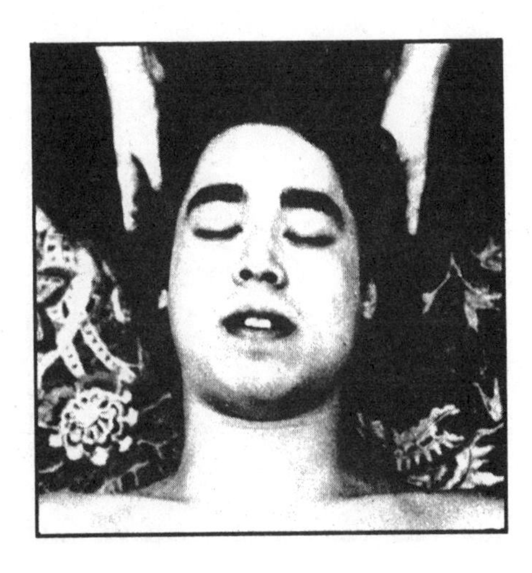

CONTACT AVEC LE VISAGE

On ne jouit pas de beaucoup de temps pendant un massage rapide pour masser tout le visage. Placer simplement les mains sur le menton et les faire glisser vers le haut jusqu'à la racine des cheveux. Ce contact permet au visage de ne pas se sentir négligé malgré la rapidité de la technique. Répéter cinq fois.

Durée totale: 30 secondes.

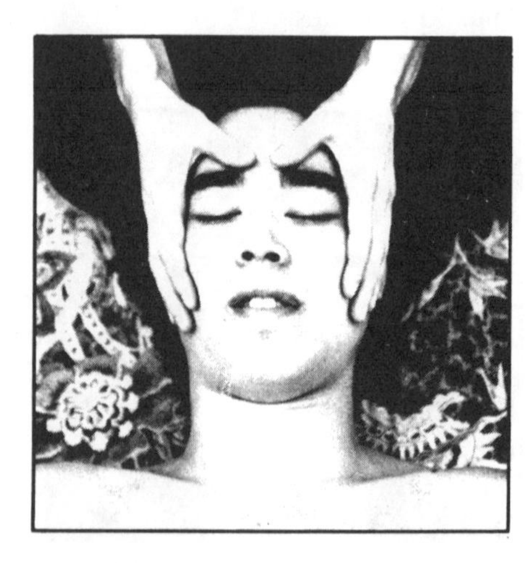

GLISSEMENT SUR LES YEUX

Placer les doigts sur les yeux fermés du receveur et les laisser reposer très doucement pendant 20 secondes. Ensuite, très lentement, faire glisser les doigts vers les tempes en touchant la racine des cheveux juste au-dessus des oreilles. Ne pas étirer la peau.

Durée totale: 30 secondes.

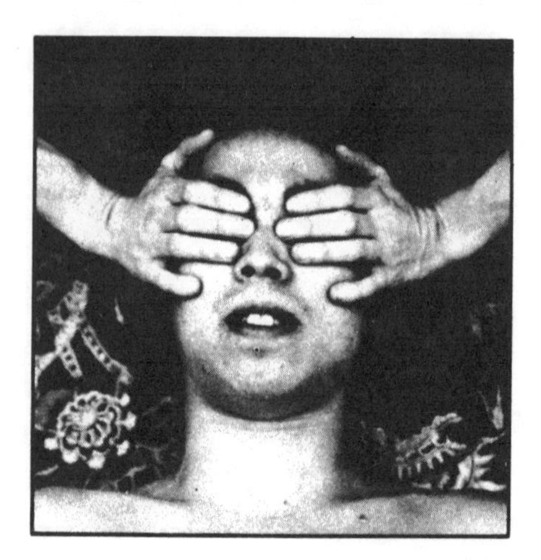

TOUCHER FINAL

Laisser reposer doucement le bout des doigts sur les yeux en plaçant les paumes sur le front pour être en contact avec les points neuro-vasculaires de l'éminence frontale. Laisser reposer pendant environ 30 secondes dans cette position. Puis, pendant une vingtaine de secondes, commencer à retirer les mains et les doigts très doucement des yeux et du front du receveur. Quand les mains ne touchent plus le visage, continuer à les éloigner lentement du receveur. Un mouvement trop brusque dérange et a tendance à perturber le receveur car la chaleur amenée par cette technique au niveau des yeux fait alors rapidement place à de l'air frais.

Durée totale: 160 secondes.

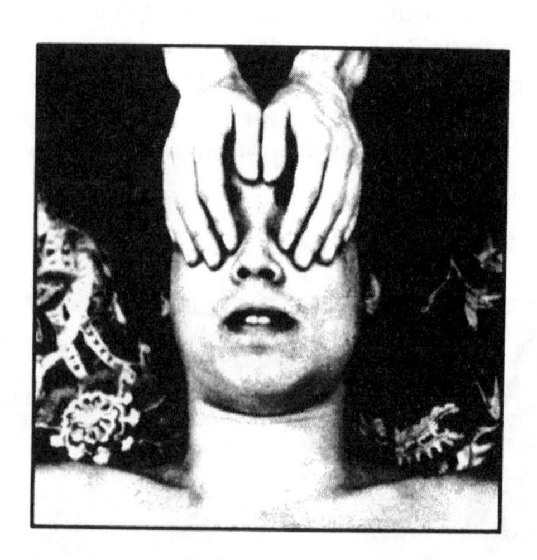

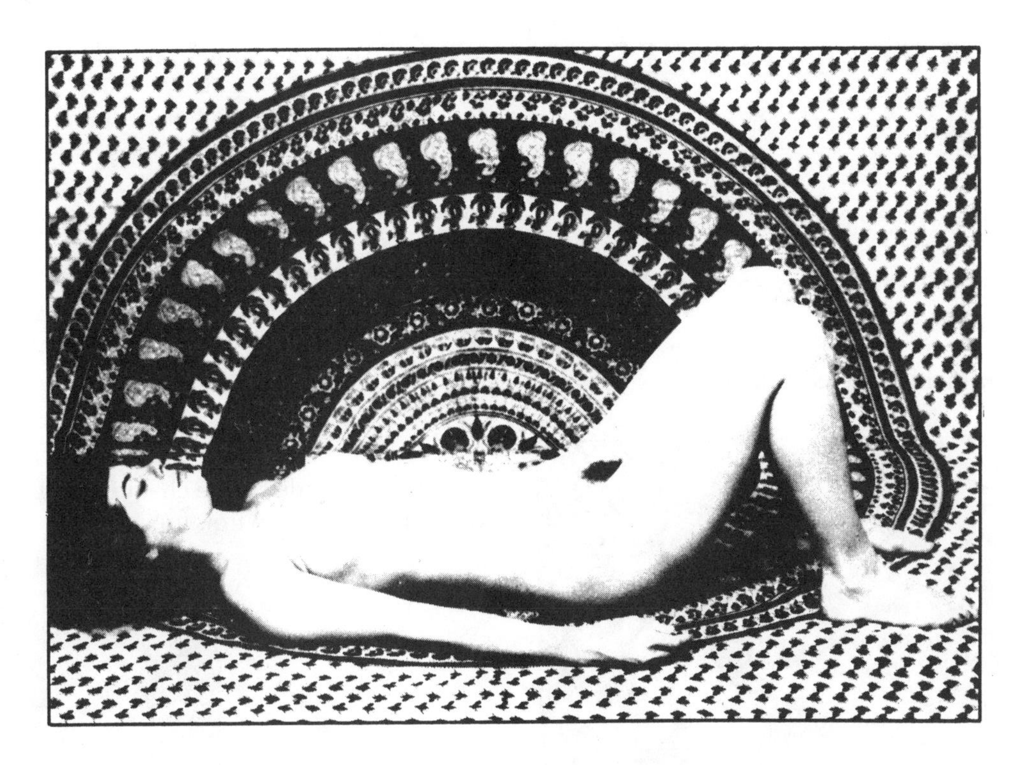

2) Comment faire un auto-massage

L'auto-massage vous permet de prendre soin de vous-même physiquement et émotivement sur une base régulière. C'est efficace, facile et accessible. Personne ne connaît mieux votre corps que vous. Profitez de cette connaissance pour découvrir les pouvoirs guérisseurs et les merveilles qui dorment en vous. Il faut admettre que l'auto-massage n'est pas aussi satisfaisant que le fait d'être massé par une autre personne, mais il est beaucoup plus efficace que la plupart des gens le croient.

De tout temps, les êtres humains ont utilisé le toucher pour éliminer la douleur et faire disparaître les tensions. Les hommes préhistoriques frottaient leur abdomen lorsqu'ils éprouvaient des problèmes de digestion et ils tenaient leur front lorsqu'ils étaient contrariés ou encore lorsqu'ils voulaient se concentrer. Ces techniques d'auto-massage et d'auto-contact sont très courantes et elles sont utilisées inconsciemment. Il est temps de reconnaître que nos instincts ne nous trompent pas. Il est sain et pratique de s'occuper de son corps et de son mental. Consacrez-vous du temps une fois par semaine, ou davantage, pour améliorer votre santé grâce à l'auto-massage.

La méthode d'auto-massage enseignée dans ce livre est unique car elle est entièrement exécutée dans la position couchée. Elle élimine aussi la tension et la fatigue normalement causées par l'auto-massage. La position de repos empruntée à la méthode Alexander est parfaite parce qu'elle exige un minimum d'efforts. Pourquoi lutter contre la gravité lorsque l'on peut utiliser celle-ci à son avantage?

Les jambes pliées et maintenues sans effort, inclinez votre bassin vers le sol (de façon à allonger l'arche de la région lombaire) et étirez toute votre colonne vertébrale depuis le coccyx jusqu'à la base du crâne. Soulevez votre tête 3 à 5 cm au-dessus de votre oreiller pour corriger l'alignement des vertèbres cervicales.

Respectez les conseils suivants pendant le massage:

- Lorsque vous maîtrisez une technique, concentrez votre attention sur les sensations qu'elle procure plutôt que sur son exécution
- Gardez votre corps relaxé; ne le tendez pas
- N'utilisez pas la force de vos muscles; travaillez avec votre hara
- Fermez vos yeux afin de mieux éprouver les différentes sensations procurées à votre corps
- Essayez d'imiter les positions indiquées sur les différentes photographies pour obtenir le maximum de confort et les meilleurs résultats possibles.

LES PIEDS ET LES JAMBES

Compléter un pied et une jambe avant de faire l'autre côté.

ROTATIONS DE LA CHEVILLE

Saisir la cheville et faire trois lentes rotations dans le sens des aiguilles d'une montre, puis trois autres à contresens. Sentir un étirement et écouter le craquement des jointures qui se détendent.

ROTATIONS DES CINQ ORTEILS

Saisir les orteils avec une main et immobiliser le pied avec l'autre. Faire trois rotations dans chaque direction.

ROTATIONS DE CHAQUE ORTEIL

Faire faire deux rotations à chaque orteil dans chaque direction.

COMPRESSION DES ORTEILS

Compresser et masser chaque orteil en commençant par le bout et en travaillant jusqu'au pied. Cette technique force le sang à retourner au coeur en sortant des orteils.

GLISSEMENT ENTRE LES ORTEILS

Insérer l'index entre chaque orteil. Faire un mouvement avant-arrière trois fois.

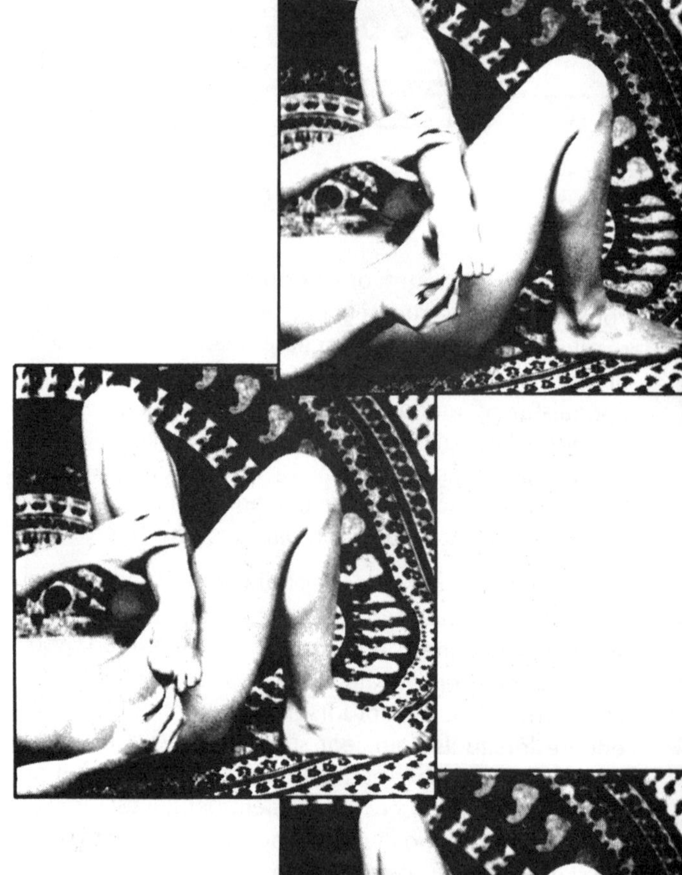

MASSAGE DE LA PLANTE DU PIED

Utiliser les pouces pour masser superficiellement la partie inférieure du pied. Les mouvements de massage circulaire préparent le pied à recevoir les techniques plus profondes qui suivent.

PINCEMENT DU CÔTÉ EXTERNE DU PIED

Utiliser le pouce et l'index pour pincer et compresser la peau. Commencer sous les orteils et travailler en descendant.

POINTS RÉFLEXES DE LA COLONNE VERTÉBRALE

Utiliser le pouce ou la jointure pour appliquer une pression ferme de 5 secondes sur le côté du talon et en montant tout le long de l'arche jusqu'au gros orteil.

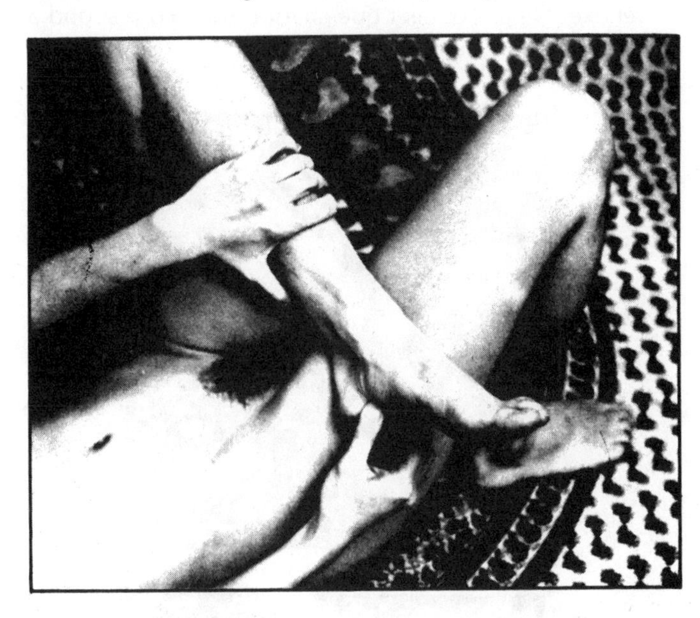

MASSAGE DE LA BASE DES ORTEILS

Utiliser quatre doigts pour masser les zones sous les orteils qui correspondent aux yeux, aux oreilles, aux sinus et aux dents. Presser fermement sur les os de 3 à 5 secondes.

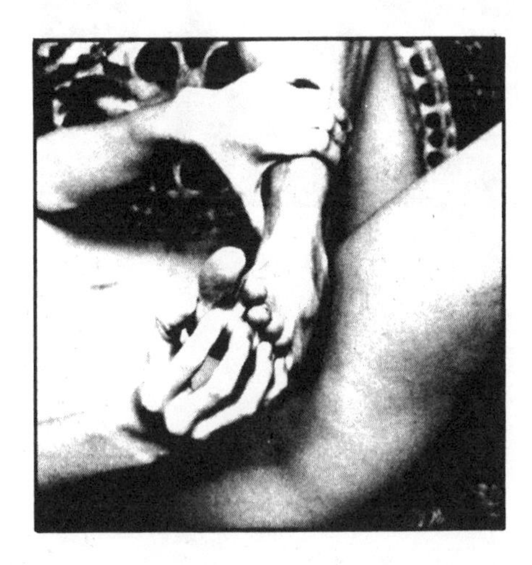

POINTS RÉFLEXES DE LA BASE DES PIEDS

Consulter le tableau de la réflexologie des pieds à la page 69. Appliquer une ferme pression du pouce ou de la jointure pendant 3 à 5 secondes sur chaque zone réflexe. Ne pas oublier que chaque zone correspond à un organe précis.

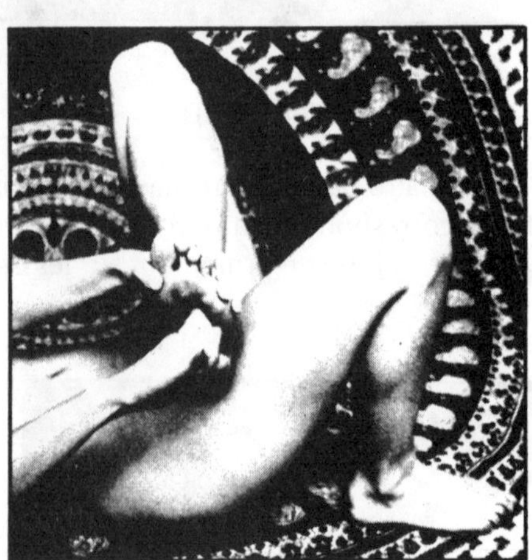

GLISSEMENT EN ÉVENTAIL SUR LES MÉTATARSES

Insérer les doigts dans les espaces entre les os métatarsiens à la base des orteils. Glisser les doigts dans les rainures vers le haut jusqu'au moment d'atteindre la cheville. Répéter trois fois. Cette technique agit sur les poumons et la poitrine.

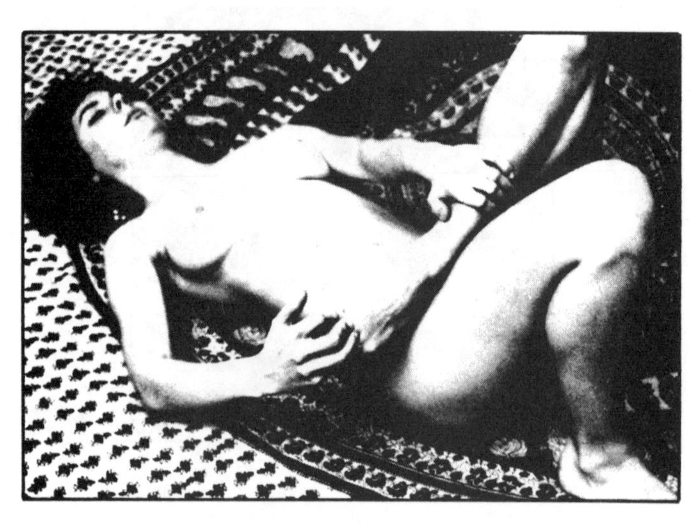

MASSAGE DE L'ASTRAGALE

Masser les deux astragales de chaque pied en même temps en utilisant les doigts et les pouces. Saisir les os avec les doigts et le pouce de chaque main en les faisant bouger à l'unisson. Utiliser un mouvement de massage circulaire. Cette technique améliore les fonctions des organes sexuels et reproducteurs et soigne les problèmes des hanches et du nerf sciatique. Ce massage soulage également la tension du dos.

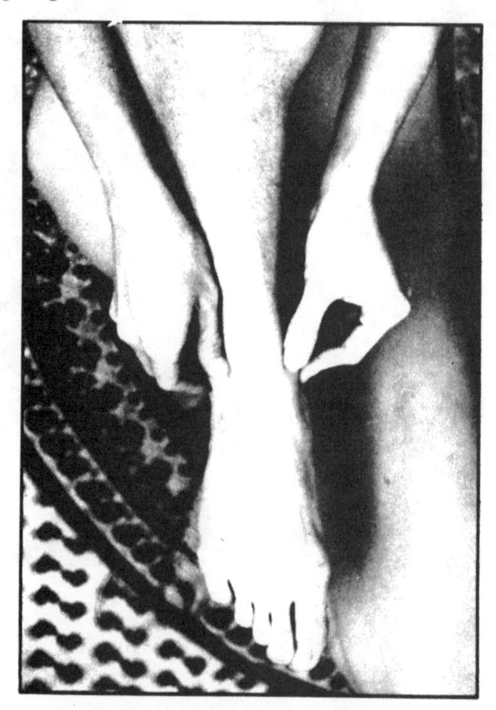

ORGANES SEXUELS ET REPRODUCTEURS

Utiliser le pouce et l'index pour masser fermement le creux situé entre l'astragale et le talon de 5 à 10 secondes.

MASSAGE DU TENDON D'ACHILLE

Utiliser le pouce, l'index et le majeur pour masser et compresser fermement le tendon d'Achille. Les problèmes du nerf sciatique et du rectum ainsi que le mauvais fonctionnement des organes sexuels et reproducteurs ont avantage à être aidés par une utilisation régulière de cette technique.

POINTS DE PRESSION DU MOLLET ET DE LA VESSIE

Appliquer une pression moyenne à ferme sur les points indiqués de 3 à 5 secondes avec les doigts. Les jambes fatiguées et les problèmes de la vessie et du nerf sciatique répondront favorablement à une pression exercée sur ces points.

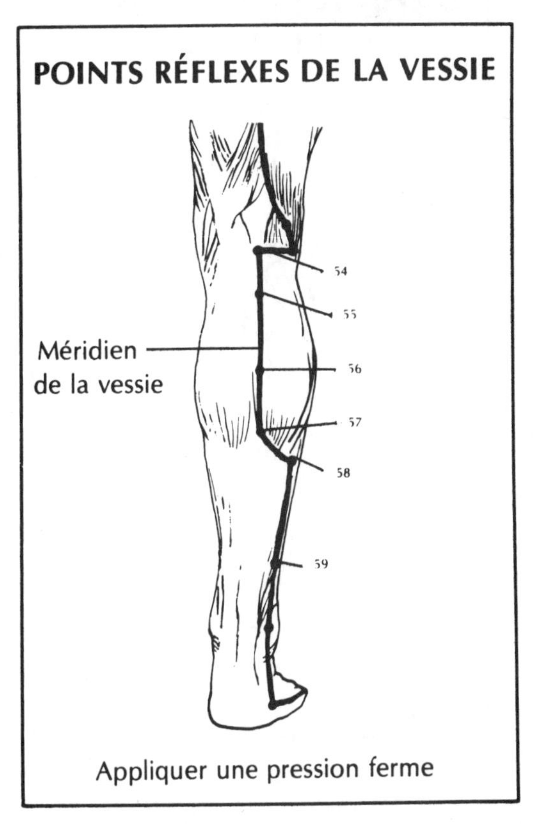

POINTS DE LA VESSIE DERRIÈRE LA CUISSE

Utiliser quatre doigts pour exercer une pression ferme et pénétrante de 3 à 5 secondes sur les points de la vessie situés derrière la cuisse. Cette technique améliore le fonctionnement et la condition de la vessie.

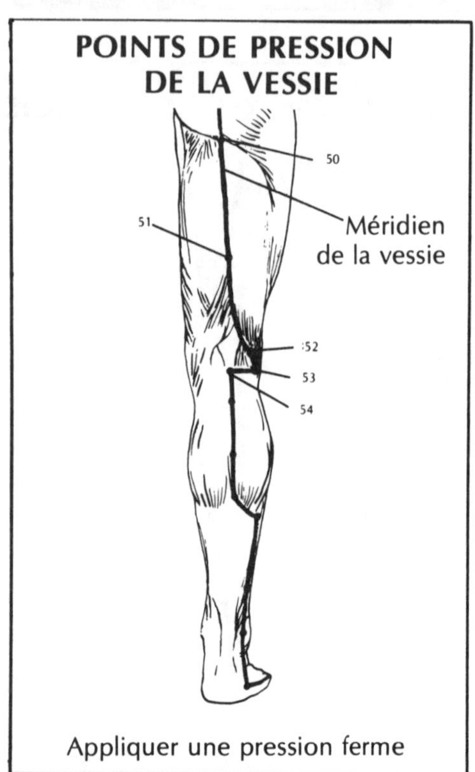

MASSAGE DES POINTS NEURO-LYMPHATIQUES DE L'INTESTIN GRÊLE

Utiliser le pouce ou le coude pour masser fermement la zone indiquée. Ces points lymphatiques n'améliorent pas seulement le fonctionnement des voies intestinales mais ils sont aussi extrêmement utiles pour soulager les douleurs lombaires.

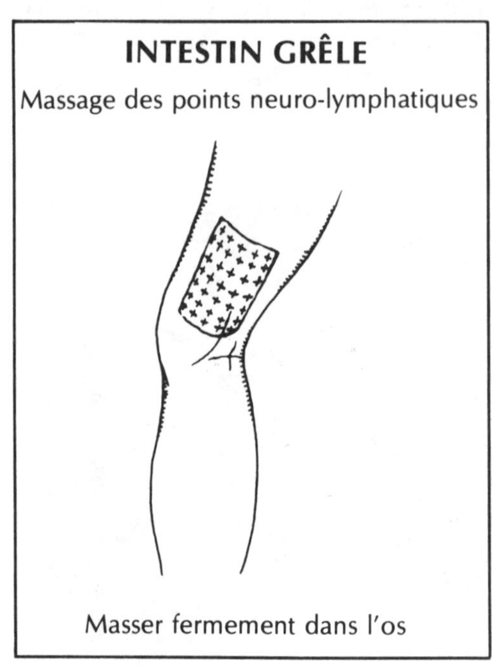

POINTS LYMPHATIQUES CONSTIPATION/DIARRHÉE

Utiliser les jointures pour masser le côté externe des cuisses. Frotter depuis le genou jusqu'à la hanche pour éliminer la constipation et depuis la hanche jusqu'au genou pour soigner la diarrhée. Si les mouvements intestinaux sont normaux, frotter vers le haut et vers le bas pour assurer le fonctionnement régulier des selles. Inverser la recommandation si la condition ne s'améliore pas.

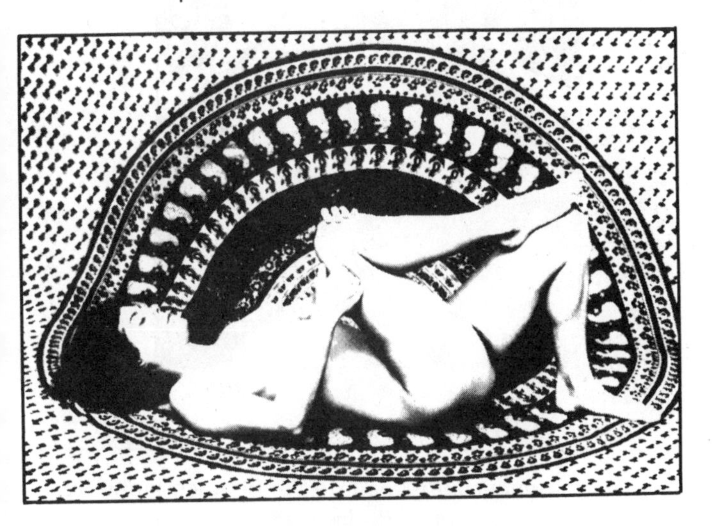

POINT DE PRESSION FOIE/RATE/REINS SUR LE TIBIA

Utiliser le pouce pour exercer une pression ferme de 3 à 5 secondes sur le point indiqué sur la photographie. Toutes les fonctions des organes énumérés et les infections qui leur sont reliées répondront à cette pression.

COMPRESSION DE LA JAMBE

Utiliser les deux mains et compresser depuis le dessus de la cheville jusqu'à la partie supérieure de la cuisse. Cette technique agréable relâche les tensions et force la lymphe et le sang stagnants à quitter la jambe pour retourner au coeur.

Faire l'autre pied avant de procéder aux techniques destinées au torse.

LE TORSE

MASSAGE ABDOMINAL

Faire un mouvement de balayage circulaire sur la partie inférieure droite de l'abdomen. Continuer le mouvement vers le haut en se rendant jusqu'au côté inférieur gauche de l'abdomen. Il est important de masser de droite à gauche parce que le mouvement des fèces s'effectue dans cette direction. Répéter ce massage circulaire six fois. Exercer ensuite une pression ferme et pénétrante sur l'abdomen avec les quatre doigts. Commencer du côté inférieur droit et appliquer la pression ferme tous les deux pouces. Il faut toujours presser en respectant le mouvement fécal. Lorsque l'on atteint le côté inférieur gauche de l'abdomen, dessiner de légères vibrations de façon à maintenir la pression finale pendant 10 secondes. Cette technique encourage un bon mouvement intestinal.

MASSAGE DE LA TAILLE

Cette technique aide à conserver une ligne amincie au niveau de la taille en plus de stimuler le foie et la vésicule biliaire. Saisir la taille avec les pouces et les doigts pour compresser et tordre la chair tout en la massant. Alterner de droite à gauche.

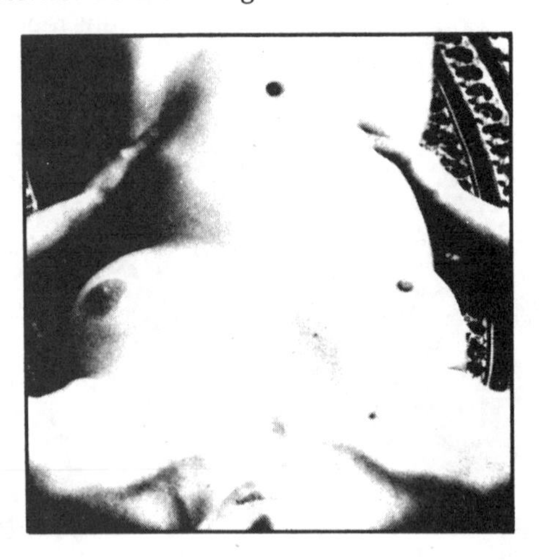

MASSAGE DES CÔTES AVEC QUATRE DOIGTS

Commencer au niveau de l'appendice xiphoïde. Masser le côté inférieur de la cage thoracique depuis l'appendice xiphoïde jusqu'à la taille et au bas du dos. Répéter, mais cette fois en massant doucement sous la cage thoracique pour atteindre quelques-uns des organes internes. Le fonctionnement du foie, de la vésicule biliaire, de l'estomac, du pancréas et de l'intestin grêle peut être amélioré par une utilisation régulière de cette technique.

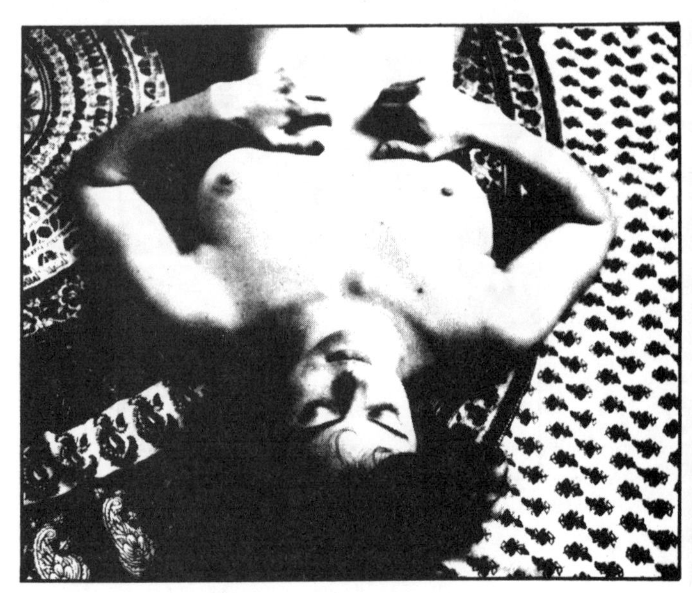

TRACÉ INTERCOSTAL

Utiliser quatre doigts et commencer dans la région lombaire. Placer chaque doigt entre deux côtes, puis presser dans les espaces intercostaux et faire glisser les doigts, entre ces espaces, jusqu'à ce qu'on atteigne le sternum. Répéter deux ou trois fois, puis faire la même chose au niveau des côtes supérieures. Faire un seul côté à la fois. Cette technique draine le système lymphatique et stimule les muscles et les nerfs intercostaux.

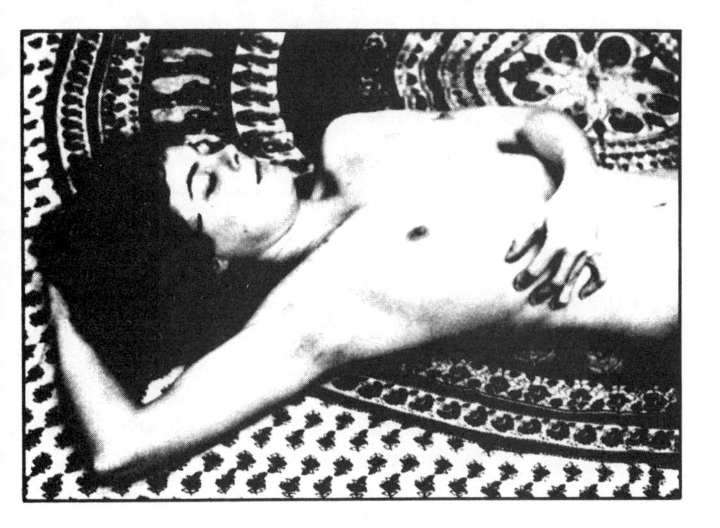

POINTS LYMPHATIQUES ESTOMAC/FOIE/VÉSICULE BILIAIRE

Masser de 20 à 30 secondes les espaces intercostaux entre les cinquième et sixième côtes. Celles-ci sont situées sous les seins ou les muscles pectoraux de chaque côté du torse. Cette technique améliore la digestion et combat les problèmes reliés aux voies digestives.

MASSAGE DES SEINS

Masser en faisant de petits mouvements circulaires et repérer les bosses s'il y en a. Bien masser minutieusement les deux seins.

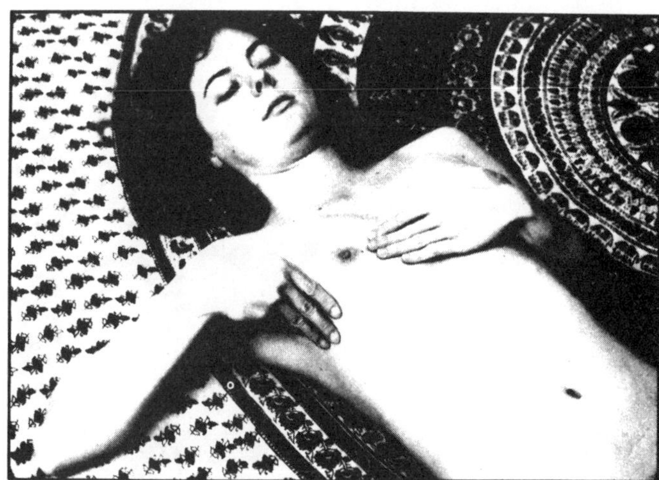

MASSAGE PECTORAL

Masser de 5 à 10 secondes l'attache et la base du grand pectoral claviculaire et du muscle sternal. En plus de renforcer et de raffermir les muscles de la poitrine, cette technique améliore également la digestion.

TECHNIQUE DE DRAINAGE LYMPHATIQUE DES POUMONS

Masser les espaces intercostaux entre la troisième et la quatrième, puis entre la quatrième et cinquième côtes des deux côtés du sternum. Ces points, qui sont situés directement entre les seins ou les muscles pectoraux, doivent être massés de 10 à 15 secondes.

FONCTIONS DU COEUR ET DE LA THYROÏDE

Utiliser l'index et le majeur de chaque main pour masser les espaces intercostaux entre la deuxième et la troisième côtes près du sternum. Ce massage lymphatique aide à régulariser et à normaliser les fonctions du coeur et de la thyroïde.

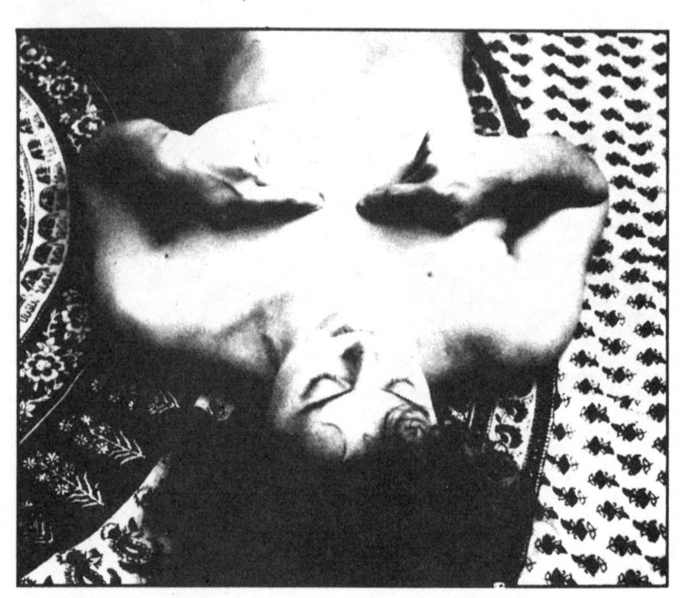

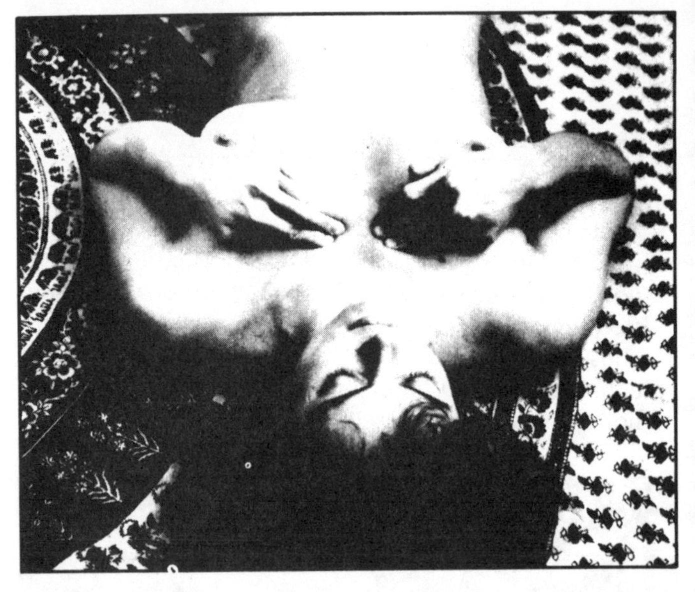

STIMULATION DES REINS

Pendant 20 à 30 secondes, masser les premières côtes qui sont situées sous les éminences claviculaires. Ceci drainera le système neuro-lymphatique relié aux reins. Boire aussi, six à huit verres d'eau par jour pour permettre aux reins de maintenir un fonctionnement régulier. Boire avant les repas ou une heure et demie à deux heures après avoir mangé. Ne pas boire pendant les repas car l'eau dilue les sucs digestifs.

STIMULATION DU CERVEAU

Utiliser le bout des doigts pour masser minutieusement entre le creux situé sous la clavicule et celui situé sur les bras. Les personnes qui souffrent de troubles d'apprentissage et celles qui éprouvent de la fatigue cervicale se sentiront mieux après un massage de deux ou trois minutes dans ces zones. Les étudiants doivent répéter cette technique après quelques heures et même plus souvent de manière à garder les circuits du cerveau ouverts et fonctionnels.

LES MAINS ET LES BRAS

Masser une main et un bras avant de faire l'autre côté.

PINCEMENT ET TORSION DU BOUT DES DOIGTS

Saisir la base de chaque ongle entre le pouce et l'index. Pincer fermement et tordre de 7 à 10 secondes pour stimuler la circulation de l'énergie le long des méridiens qui débutent ou se terminent sous les ongles de la main.

MASSAGE DES DOIGTS ET DES POUCES

Masser les doigts minutieusement en commençant par le bout et en montant jusqu'à la paume. Cette technique force le sang stagnant à retourner au coeur.

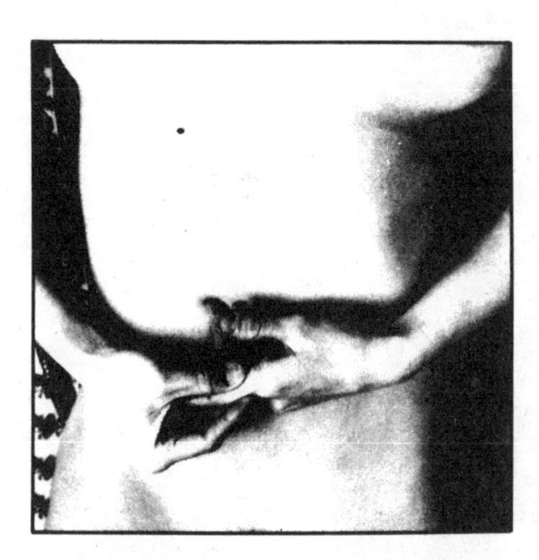

MASSAGE DES QUATRE DOIGTS

Placer les quatre doigts d'une main sur la paume de l'autre main, juste sous les doigts. Masser dix fois de façon circulaire sur les éminences osseuses en respectant le sens des aiguilles d'une montre. Ceci stimulera les yeux, les oreilles, les sinus, les dents et le cerveau. Les doigts doivent être détendus au moment de l'exécution de cette technique.

GLISSEMENT SUR LES OS MÉTATARSIENS

Placer les doigts d'une main dans les sillons en-dessous des jointures sur le dessus de l'autre main. Faire glisser les doigts en montant jusqu'au poignet. Essayer de suivre les sillons formés par les os métatarsiens. Trois glissements vers le haut suffisent à détendre la main et le poignet.

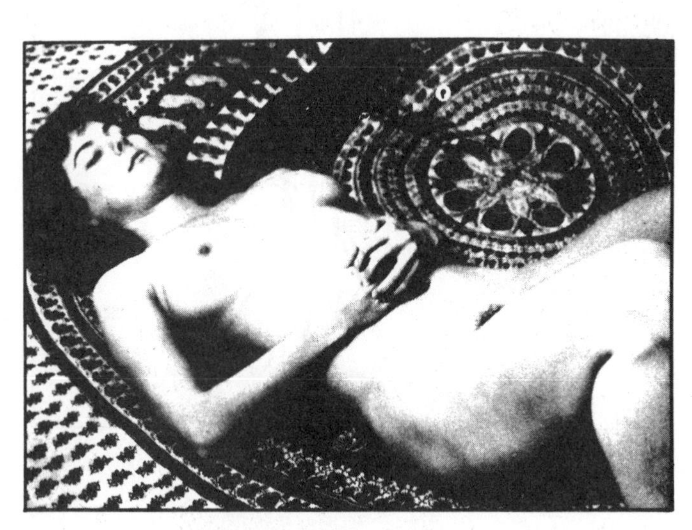

PRESSION SUR LES POINTS D'ACUPUNCTURE DE L'AVANT-BRAS

Utiliser le pouce pour presser de 3 à 5 secondes sur chaque point indiqué. Répéter trois fois sur chacun de ces points si l'on souffre d'un problème de santé relié à l'un d'eux.

POINTS RÉFLEXES DE L'AVANT-BRAS

Maître du coeur/ Organes sexuels et reproducteurs

Coeur

Poumon

Appliquer une pression ferme

MASSAGE DU BRAS

Utiliser toute la main pour masser les biceps et les triceps. Masser vers le coeur en agissant en profondeur. Saisir ensuite les muscles deltoïdes et masser.

Répéter ces techniques sur l'autre main et l'autre bras avant de procéder au cou et aux épaules.

LE COU ET LES ÉPAULES

EXTENSION DES ÉPAULES ET DU TRAPÈZE SUPÉRIEUR

Exécuter cette technique en pliant les bras et en les croisant sur la poitrine. Masser tout le trapèze supérieur avec le bout des doigts. Garder les épaules détendues pendant le massage

PRESSION CERVICALE

Commencer à la base du cou. Exercer une pression ferme de chaque côté des vertèbres cervicales. Utiliser les majeurs pour appliquer la pression. Garder les autres doigts de chaque côté des vertèbres. Maintenir chaque pression de 7 à 10 secondes.

PRESSION SUR LES POINTS DE LA BASE DU CRÂNE

Utiliser trois doigts pour exercer une pression ferme et pénétrante à la base du crâne. Maintenir chaque pression pendant 10 secondes. Le cou et les épaules seront soulagés de leurs tensions et la vésicule biliaire verra ses fonctions régularisées grâce à ces points.

PRESSION SUR LES POINTS RÉFLEXES DES ÉPAULES

Plier les bras vers les épaules tel que montré sur la photo ci-dessous. Commencer par agripper le dessus des épaules et, avec le majeur de chaque main, exercer des pressions en avançant vers le cou. Maintenir chaque pression pendant 10 secondes. Cette technique soulage les tensions du cou et des épaules. Rester détendu pendant cette exécution.

MUSCLES STERNO-CLÉIDO-MASTOÏDIENS DU COU

Il ne faut pas se laisser impressionner par ce mot. Cette technique est simple. Utiliser les quatre doigts de chaque main pour masser le large muscle situé de chaque côté du cou. Faire des petits mouvements de massage circulaires depuis le dessous des oreilles jusqu'aux éminences claviculaires. Ne pas appliquer une pression trop forte car ce muscle est habituellement sensible.

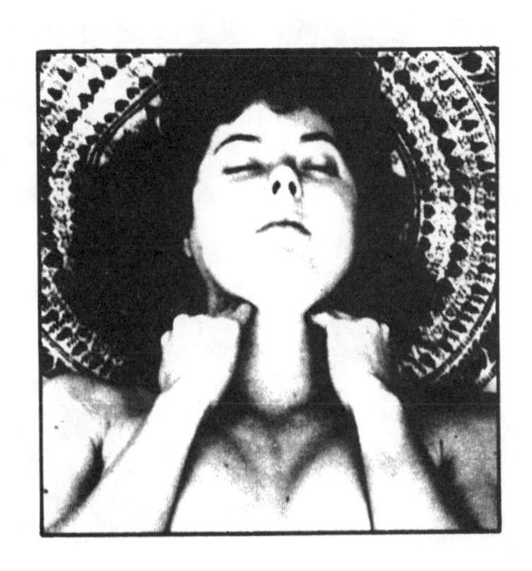

STIMULATION DE LA THYROÏDE

Presser doucement le long et sous la pomme d'Adam pendant 7 à 10 secondes en utilisant trois doigts. Répéter deux fois de chaque côté. La glande thyroïde produit des hormones qui nous aident à conserver notre allure jeune.

LA TÊTE

MASSAGE DU CUIR CHEVELU

Utiliser le bout des doigts ou les ongles pour masser minutieusement le cuir chevelu. Cette technique favorise la pousse des cheveux et améliore la condition du cuir chevelu.

PRESSION SUR LES POINTS DES SINUS

Appliquez une pression ferme avec le majeur en partant de la racine des cheveux vers l'arrière du bout de votre tête. Maintenir chaque pression de 3 à 5 secondes.

PRESSION SUR LES POINTS DE LA VÉSICULE BILIAIRE

Appliquer une pression ferme sur le méridien de la vésicule biliaire qui circule autour des oreilles. Maintenir chaque pression de 3 à 5 secondes. Cette technique est excellente pour les fonctions de la vésicule biliaire et pour le sens de l'ouïe.

LE VISAGE

Utiliser un peu de crème pour les trois premières techniques.

CARESSE SUR LE FRONT

Faire glisser les quatre doigts de chaque main depuis les sourcils jusqu'à la racine des cheveux. Répéter deux ou trois fois pour reposer les arcades sourcilières.

MASSAGE DES JOUES

Faire glisser les quatre doigts de chaque main depuis les pommettes jusque sur le côté des tempes et la racine des cheveux.

GLISSEMENT SUR LA LIGNE DU MENTON

Placer les pouces sous le menton et les faire glisser à tour de rôle jusqu'aux oreilles. Répéter deux ou trois fois si la ligne du menton est normale et dix fois si elle a tendance à s'affaisser.

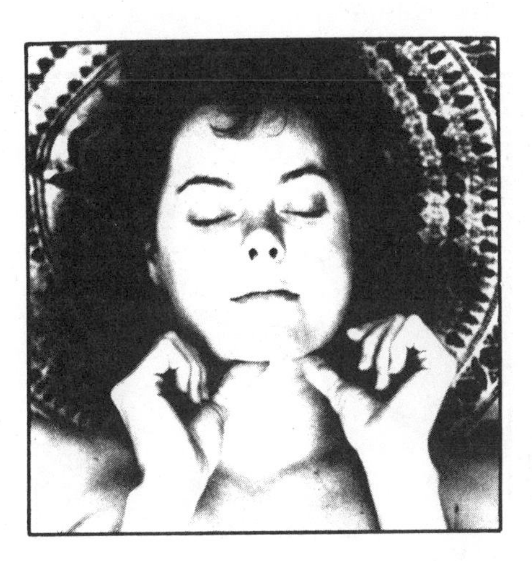

PRESSION SUR LES ORBITES SUPÉRIEURES

Appliquer une pression ferme de 3 à 5 secondes le long des orbites supérieures. Cette technique améliore la vue et la condition des sinus tout en soulageant la fatigue des yeux.

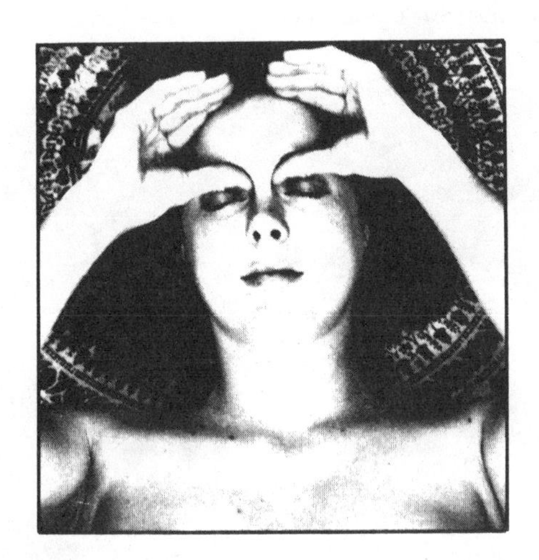

PRESSION SUR LES ORBITES INFÉRIEURES

Utiliser les index pour appliquer une pression ferme de 3 à 5 secondes sur les orbites inférieures. Cette technique procure les mêmes bienfaits que lorsqu'elle est pratiquée sur les orbites supérieures et elle facilite également la digestion.

POINTS DES SINUS ET DU GROS INTESTIN

Appliquer une pression du pouce très ferme de 3 à 5 secondes à la base des joues. Les problèmes de santé reliés aux sinus et aux intestins répondront à une pression régulière sur ces points.

MASSAGE DES GENCIVES

Utiliser les doigts pour d'abord masser la gencive supérieure, puis la gencive inférieure. Cette technique est favorable aux gencives et aux nerfs des dents. Si les gencives ont tendance à saigner lorsque l'on brosse ses dents, il est bon de les masser régulièrement et d'absorber plus de vitamine C en mangeant des fruits frais et des suppléments naturels d'acide ascorbique. Ne pas étirer ou soulever la peau. Retirer les doigts de sur la peau avant de procéder au massage de la zone suivante.

TENSION DES MÂCHOIRES

Utiliser les pouces ou les majeurs pour masser fermement les joints où les mâchoires rencontrent le crâne. La tension accumulée à cet endroit sera soulagée grâce à ce massage.

MASQUE SUR LES YEUX

Placer les doigts doucement sur les yeux fermés et maintenir pendant environ 10 secondes. Ne pas presser sur les yeux. Laisser simplement reposer les doigts en permettant à la chaleur qui s'en dégage de favoriser un relâchement de la fatigue des yeux. Frotter les mains ensemble vigoureusement pour réchauffer les doigts avant de poser ceux-ci sur les paupières.

LES OREILLES

MASSAGE DES OREILLES

Il y a environ cinquante points d'acupuncture sur chaque oreille, ce qui permet à l'auriculothérapie de jouer un rôle sur toutes les parties du corps. En massant, étirant et pinçant légèrement les oreilles, on stimule tout l'organisme. En auriculothérapie, on utilise traditionnellement des aiguilles en or pour stimuler, des aiguilles en argent pour détendre et des aiguilles en acier inoxydable pour équilibrer les énergies du corps. Un massage de l'oreille améliore la circulation et le flot de l'énergie. Le receveur éprouve également des sensations agréables. Cette technique est souvent l'une des favorites. Commencer par le lobe de chaque oreille et remonter jusqu'à l'intérieur. Travailler dans toutes les crevasses. Masser, étirer et pincer l'oreille entière. Insérer doucement et rapidement les doigts dans les orifices. Maintenir cette position pendant quelques secondes, puis activer légèrement les doigts pour stimuler l'oreille interne.

LE DOS

VERTÈBRES CERVICALES

Utiliser les majeurs pour appliquer une pression pénétrante de chaque côté et entre les vertèbres cervicales. Masser la zone où la pression vient d'être exercée avant de toucher les vertèbres suivantes.

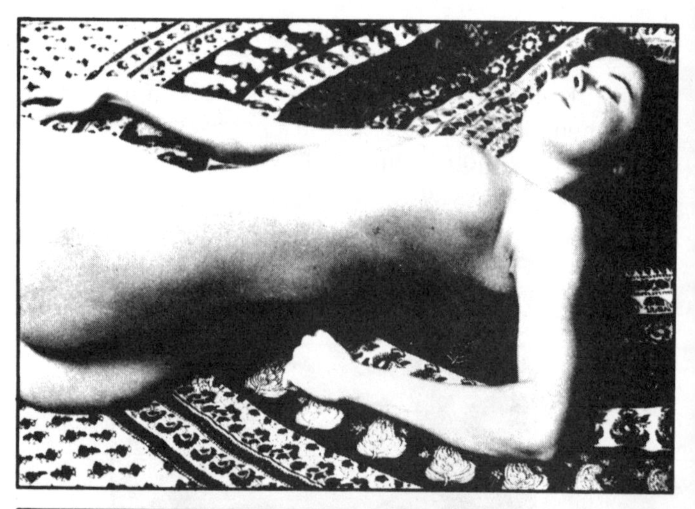

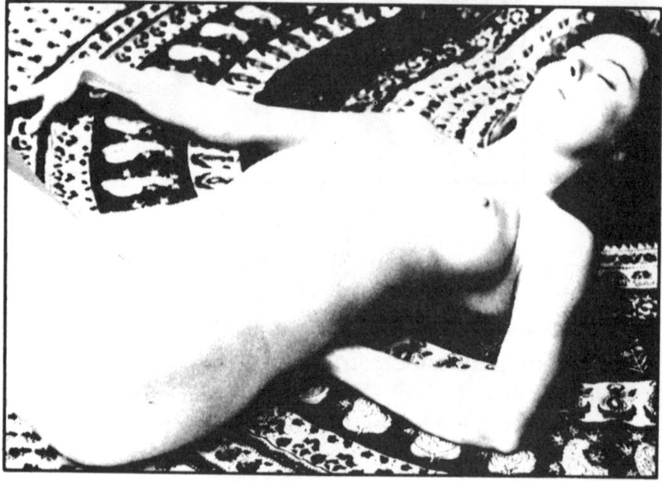

VERTÈBRES DORSALES

Faire un seul côté de la colonne vertébrale à la fois. S'étendre sur le dos en plaçant les hanches et les jambes d'un seul côté. Former un poing avec la main du côté de la hanche soulevée. Placer les jointures les plus proéminentes le long et entre les vertèbres dorsales les plus élevées que l'on puisse atteindre. Quand les jointures sont bien placées, laisser le dos reposer sur elles. Exercer une pression ferme de 3 à 5 secondes, puis masser cette zone avec les jointures. Reprendre la position initiale et localiser les vertèbres situées juste au-dessus de celles qui viennent d'être touchées. Répéter la même technique. Continuer ainsi jusqu'à ce que l'on ait atteint les onzième et douzième vertèbres dorsales.

VERTÈBRES LOMBAIRES

Insérer les mains, paumes tournées vers le haut et doigts repliés, sous la partie inférieure du dos. Utiliser les majeurs en repliant les autres doigts pour exercer une pression ferme et masser le long de la colonne vertébrale et entre les vertèbres lombaires.

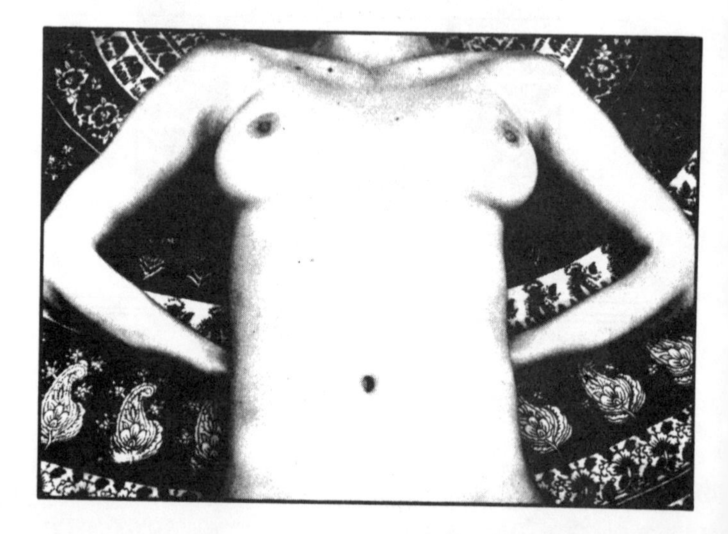

3) Un programme de massage pour les enfants

Il est naturel pour un enfant de toucher et d'être touché. Si un enfant est privé du toucher pendant sa petite enfance, ou à n'importe quel autre stade de son développement, il souffrira de perturbations à la fois physiques et psychologiques. Les douze premiers mois de la vie humaine sont extrêmement importants. Les contacts physiques adéquats vécus pendant la première année assurent un haut niveau d'intelligence, un fonctionnement normal des organes internes ainsi qu'une bonne maturité émotive. Donnez à votre enfant la possibilité de développer au maximum tout son potentiel. Commencez à le masser pendant votre grossesse et continuez à le faire pendant toute sa période de croissance et même pendant la puberté et l'adolescence.

MAÎTRE DU COEUR
Points neuro-vasculaires

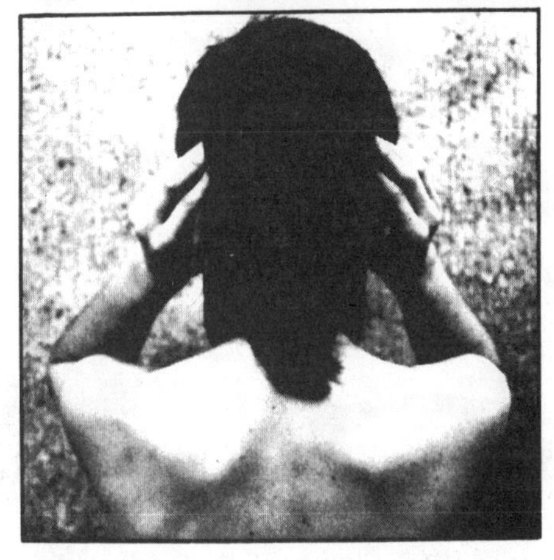

Tenir légèrement et sentir le pouls

Le fait de masser son enfant avant même qu'il soit né peut sembler farfelu en soi. Mais lorsque l'on y pense attentivement, on comprend toute la dimension de ce geste qui favorise les liens psychiques entre la mère et son petit. Mieux encore, la relation entre ces deux personnes sera renforcée ainsi que leur santé et leur stabilité émotionnelles.

Les photographies suivantes montrent comment masser son enfants à travers la paroi abdominale. Quant au dessin, il indique quels sont les points de pression qui encouragent une grossesse normale et harmonieuse ainsi qu'un accouchement plus facile.

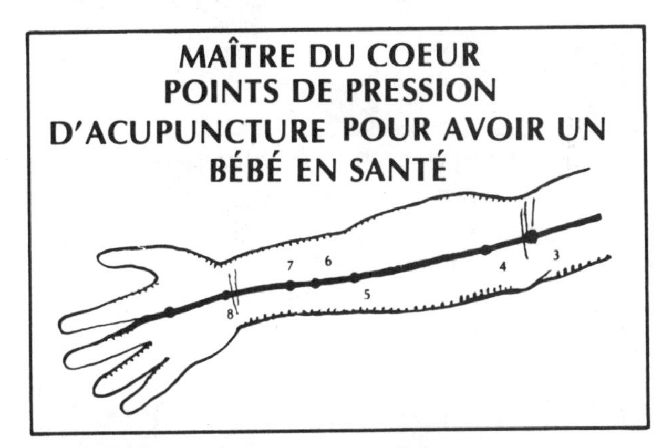

MASSAGE CIRCULAIRE DANS LE SENS DES AIGUILLES D'UNE MONTRE
Légèrement, lentement et avec sensibilité, passer les mains ouvertes tout doucement sur l'abdomen.

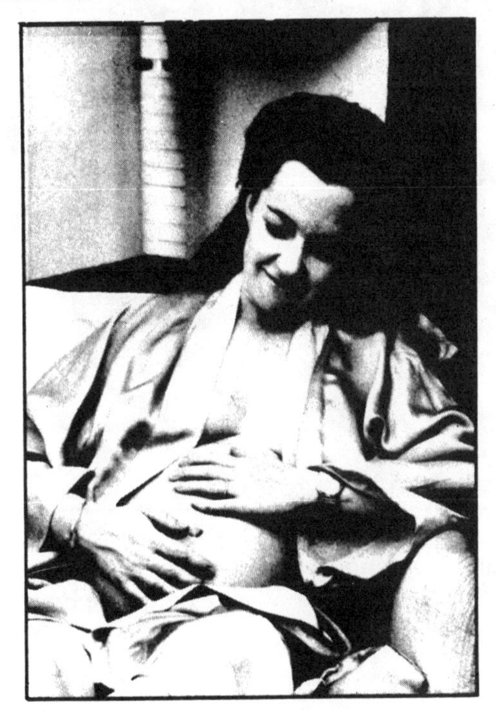

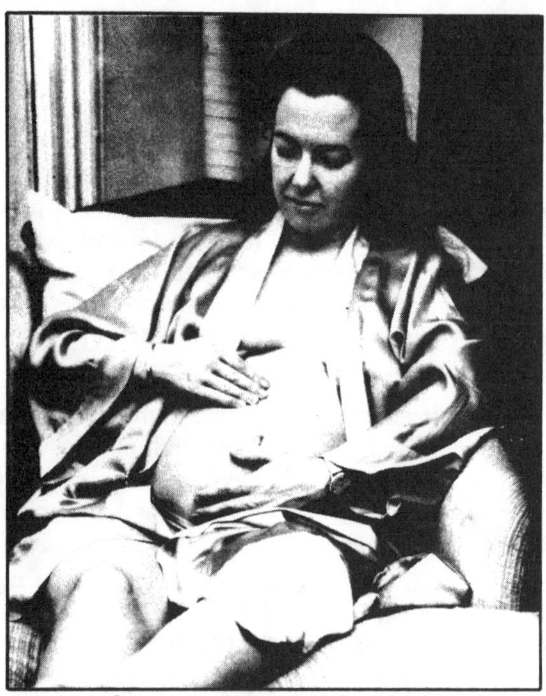

PÉTRISSAGE CIRCULAIRE DE L'ABDOMEN

Immobiliser l'abdomen avec une main et, de l'autre, appliquer de *petits et légers* mouvements de pétrissage circulaires. Inverser ensuite la rôle des mains et recommencer de l'autre côté du ventre.

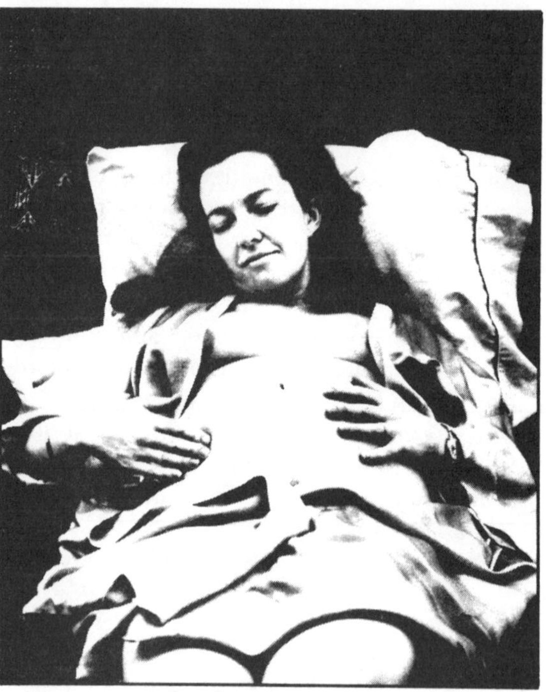

PÉNÉTRATION

Utiliser quatre doigts en même temps; pénétrer la paroi abdominale *lentement* et *doucement* à plusieurs endroits en l'immobilisant avec l'autre main.

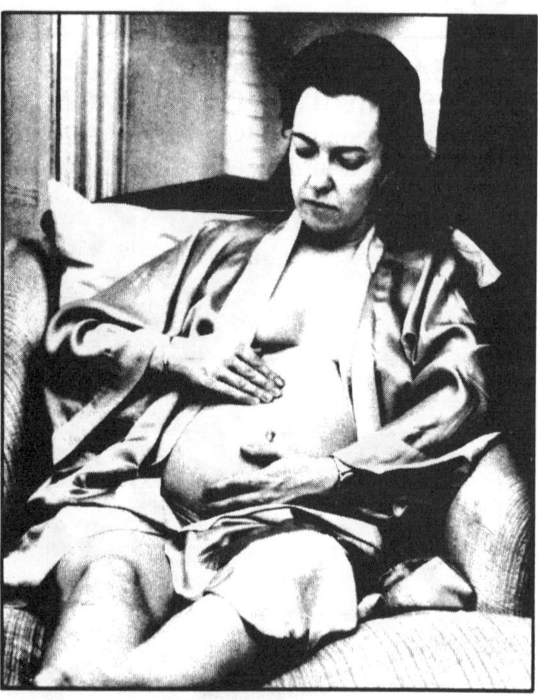

VIBRATIONS

Faire vibrer *doucement* la paroi abdominale à plusieurs endroits à l'aide de quatre doigts.

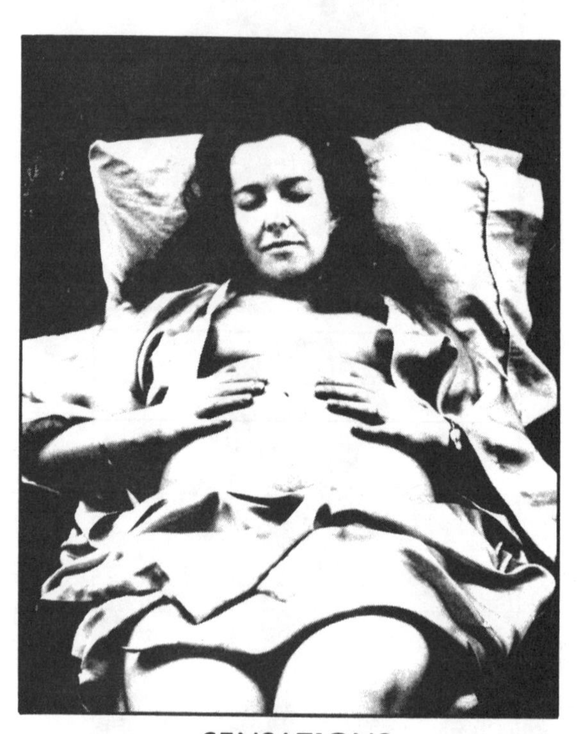

SENSATIONS

Appuyer les deux mains ouvertes sur l'abdomen, se concentrer et entrer en communication avec le bébé. Écouter, sentir et observer.

Après la naissance, le massage développera et renforcera les liens entre les parents et l'enfant. Il sera particulièrement utile aux parents qui travaillent à l'extérieur de la maison et qui veulent éviter que leurs longues absences du foyer les rendent étrangers aux yeux de leur enfant. Quelle façon extraordinaire de rester en contact avec son petit en le massant pendant quelques minutes avant de le mettre au lit.

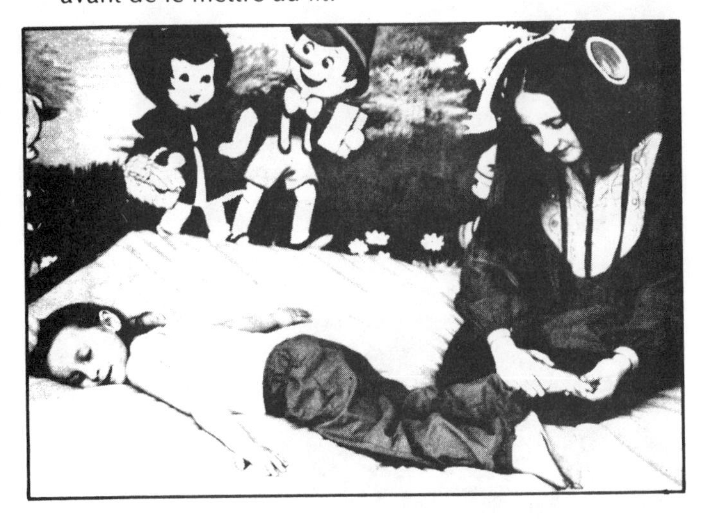

Certains enfants sont intéressés à apprendre le massage et ils sont vraiment capables d'en donner un. Encouragez le vôtre à vous masser de temps à autre. Afin qu'il ne soit pas découragé par la grande surface à masser d'un corps adulte, invitez-le à ne masser qu'une seule partie, qu'il s'agisse du visage, d'une main ou d'un pied. Le massage est une méthode efficace pour faire croître et maintenir l'amour, la confiance et la compassion entre vous et votre enfant.

Le massage pour les enfants peut être abordé de diverses manières. Vous pouvez consacrer une journée par semaine au massage complet de 60 minutes, vous pouvez utiliser vos techniques préférées régulièrement pendant la semaine, vous pouvez emprunter des techniques spécifiques telles que recommandées, ou, si vous le préférez, vous pouvez allier plusieurs de ces méthodes suggérées.

Le massage complet de 60 minutes peut devenir une routine qui sera agréable et bénéfique pour les jeunes de tous âges. Il est toutefois très important de ne jamais oublier qu'il faut exercer une pression moins grande pour un enfant que pour un adulte pour obtenir les mêmes bienfaits. Puisque les enfants sont habituellement plus ouverts que la plupart des adultes, leur jeune corps répondra au maximum à une pression légère ou moyenne. N'appliquez JAMAIS de pression ferme. Un jeune enfant ne comprendra pas pourquoi vous le blessez et en peu de temps il deviendra méfiant face au massage. Si cela est nécessaire, pour soulager un mal de dent par exemple, vous pouvez expliquer à un enfant plus âgé que même si la technique risque de lui faire légèrement mal, la douleur ressentie temporairement le soulagera de son problème spécifique. Une telle douleur n'est pas agréable mais elle aide beaucoup!

Les enfants qui sont encore assez petits pour reposer sur vos jambes étendues pendant un massage devraient recevoir le massage expliqué ci-après. Il s'agit en fait d'une version abrégée et réorganisée du massage complet de 60 minutes. Lorsque l'enfant est trop grand ou trop lourd pour se coucher confortablement sur vos jambes, vous pouvez lui donner le massage complet de 60 minutes, mais plutôt que d'utiliser la paume de votre main ou votre main entière, il est préférable d'exercer les pressions avec deux ou trois doigts seulement ou encore en procédant avec une longue pression du pouce.

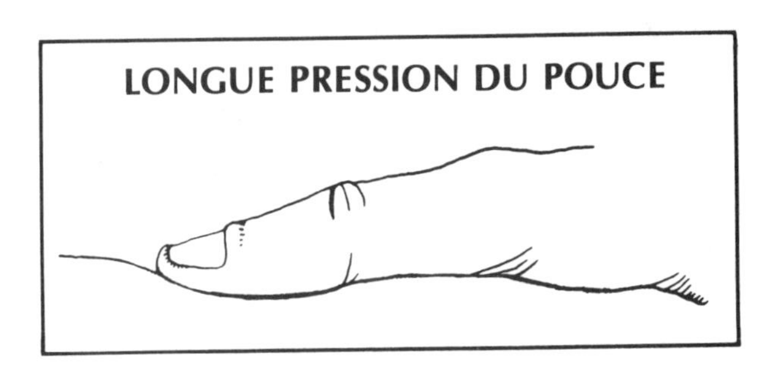

En tant que donneur, vous pouvez vous asseoir sur une chaise à dos droit sans bras et étendre vos jambes sur une autre chaise, ou encore sur un lit ou sur le sol en prenant soin de bien étirer vos jambes. Pour faciliter la liberté de mouvement de vos bras, placez plusieurs oreillers derrière votre dos, ce qui préviendra la fatigue et des douleurs lombaires.

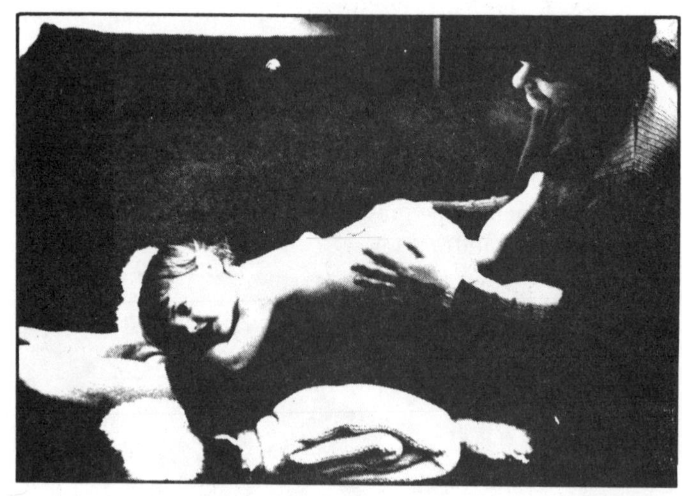

1

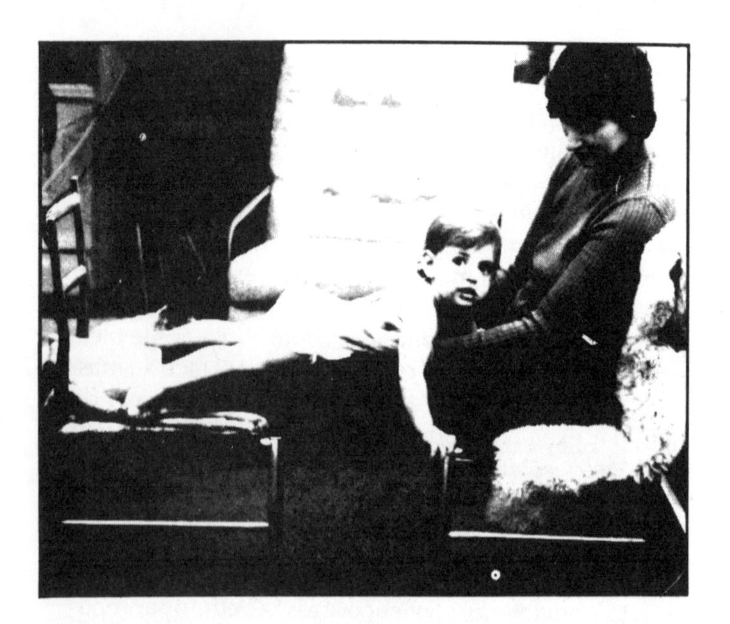

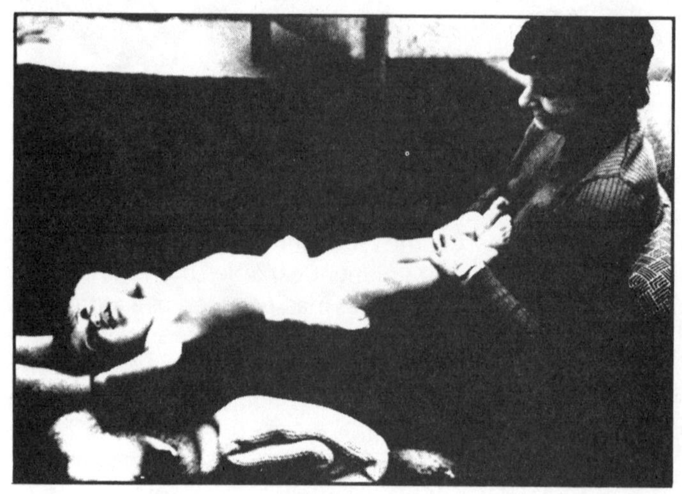

2

L'enfant peut être placé de quatre façons différentes. La première consiste à le mettre à plat ventre parallèlement et sur les jambes du donneur. Prenez soin de tourner la tête de l'enfant sur le côté ou de laisser suffisamment d'espace entre vos jambes afin qu'il puisse respirer normalement. Le fait de vous asseoir sur une chaise et d'étendre vos jambes sur une autre chaise permettra à l'enfant de bien respirer, mais si vous êtes plus à l'aise sur le sol ou sur le lit, placez des oreillers sous vos cuisses et vos chevilles afin de créer l'espace nécessaire. La seconde position demande d'étendre l'enfant sur le dos parallèlement et sur les jambes du donneur. La tête de l'enfant doit être placée près des pieds du donneur. Dans la troisième position, l'enfant est également couché sur le dos, parallèlement aux jambes du donneur, mais cette fois sa tête est près de l'abdomen de celui-ci. Finalement, dans la quatrième position, l'enfant est étendu à plat ventre perpendiculairement aux cuisses du donneur. Si vous ne pouvez travailler dans l'une ou l'autre de ces positions, improvisez jusqu'à ce que l'enfant et vous soyez tous deux à l'aise. Soyez toujours conscient, toutefois, de la respiration de l'enfant et de votre propre confort.

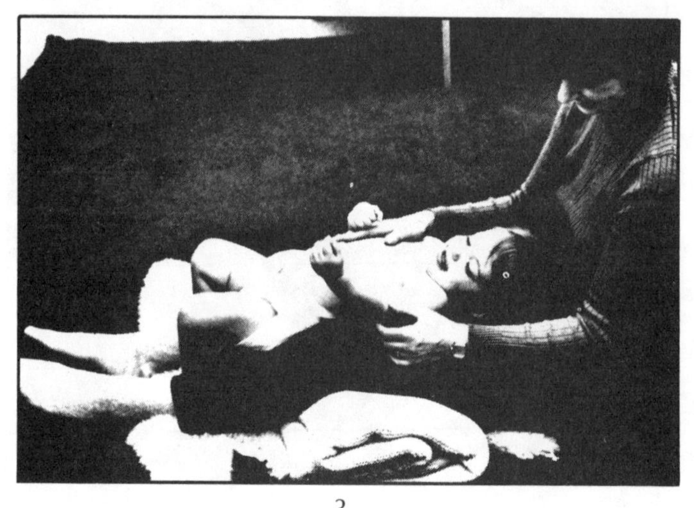

3

4

Malheureusement, afin que le prix de ce livre convienne au budget de la plupart des gens, il m'est impossible d'expliquer en détail chaque technique comme je l'ai fait précédemment pour le massage complet de 60 minutes. Les pages suivantes sont marquées de pointillés afin de vous permettre de les découper et de les consulter facilement au moment d'utiliser le chapitre du massage complet de 60 minutes comme guide de travail.

Si vous consultez le chapitre du massage complet de 60 minutes pendant que vous massez votre enfant, concentrez-vous d'abord sur la description de la *technique*. N'utilisez qu'une légère pression pour toucher votre enfant avec douceur. Les *buts* mentionnés dans ce chapitre peuvent ne pas vous concerner, surtout si vous massez d'abord votre enfant pour lui procurer des sensations agréables. Quant à la *répétition* suggérée, oubliez-la et fiez-vous à votre intuition pour savoir combien de fois vous devez recommencer la technique. Le programme de massage destiné aux petits enfants doit être flexible. Quant à la position à adopter, suivez les recommandations données précédemment.

Faites ce qui vous vient spontanément. Touchez et massez votre enfant pour améliorer sa santé physique, intellectuelle et émotive. Il n'est jamais trop tard pour commencer. Les enfants de tous âges répondront favorablement à cette introduction au massage si vous inscrivez celle-ci dans leur routine quotidienne.

La Section n° 6 de ce chapitre offre des photographies des techniques les plus utiles pour les problèmes de santé les plus fréquents chez les tout-petits. Encore une fois, n'oubliez pas que ces techniques doivent être exécutées avec une pression légère ou moyenne. Les points de pression peuvent être utilisés comme mesure préventive ou comme complément aux recommandations médicales pour le traitement d'un problème précis.

UN PROGRAMME DE MASSAGE POUR LES ENFANTS QUI SONT ENCORE ASSEZ PETITS POUR REPOSER SUR VOS JAMBES ÉTENDUES

TECHNIQUE n° 1: Le premier toucher consiste à soulever, embrasser et serrer l'enfant pour ensuite le placer sur vos jambes, sa tête devant être éloignée de votre abdomen.

Procédez ensuite à la technique n° 31 du massage complet de 60 minutes.

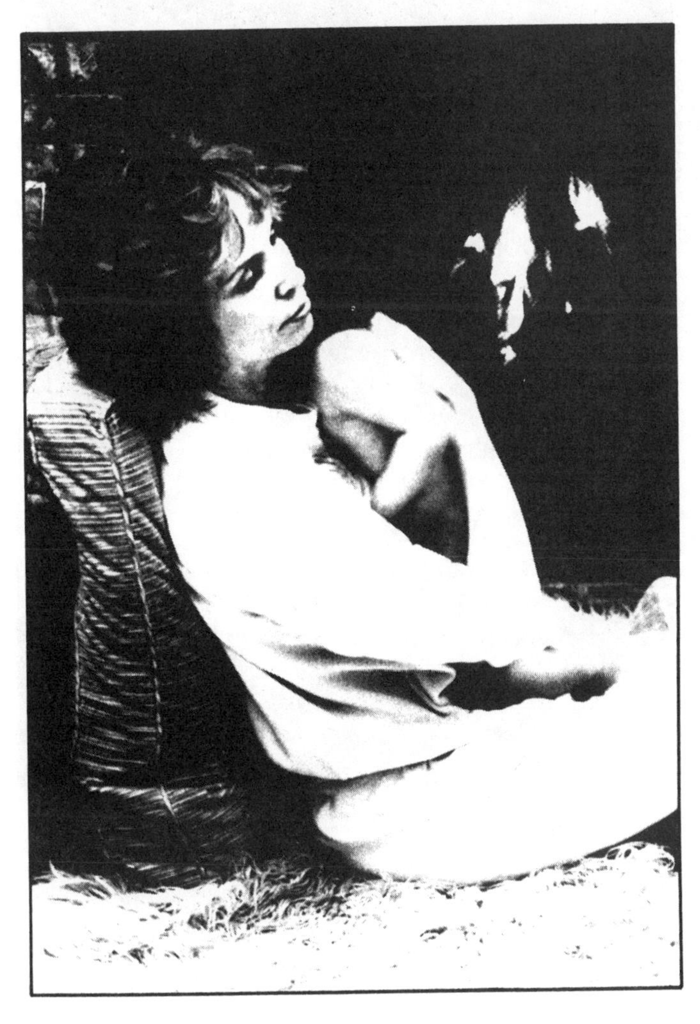

TECHNIQUES n°s 31 à 39: Aucun changement, mais n'oubliez pas de répéter les techniques n°s 32 à 37 sur l'autre pied avant de procéder à la technique suivante.

TECHNIQUE n° 40: Omettre.

TECHNIQUES n°s 41 à 49: Aucun changement, sauf pour la technique n° 46 où l'on utilisera trois doigts.

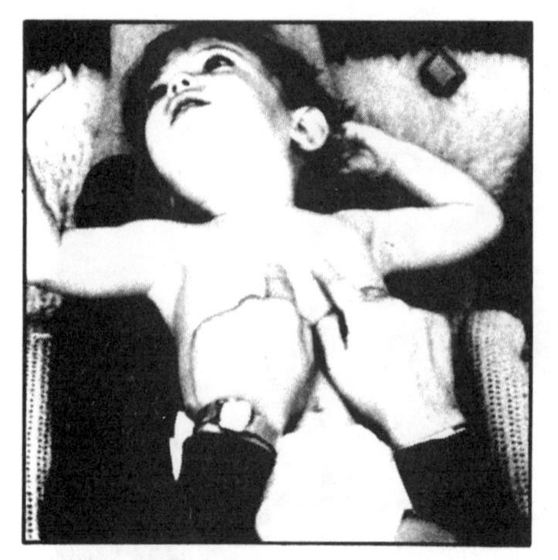

52) DRAINAGE LYMPHATIQUE DES POUMONS

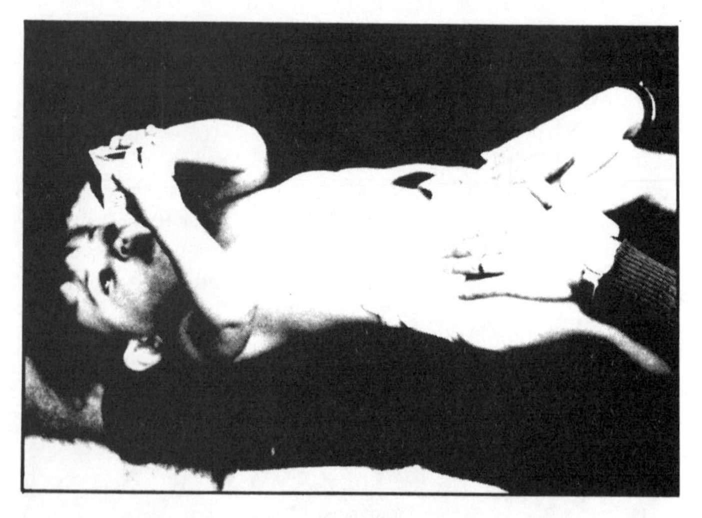

46) DRAINAGE LYMPHATIQUE PUBIEN

TECHNIQUE n° 50: Omettre.

TECHNIQUES n°s 51 à 54: Utiliser les index.

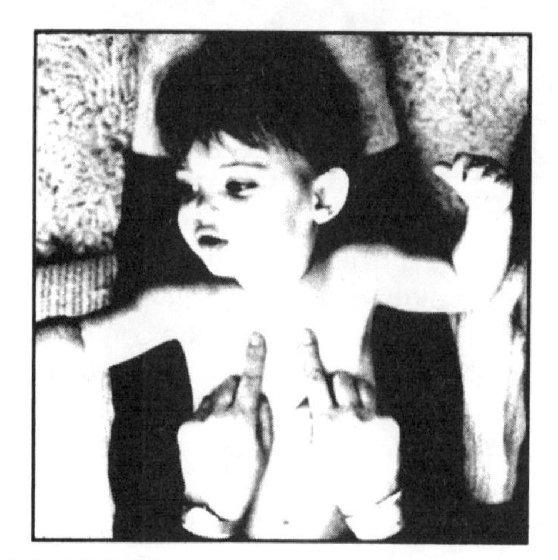

53) POINTS LYMPHATIQUES DU COEUR ET DE LA THYROÏDE

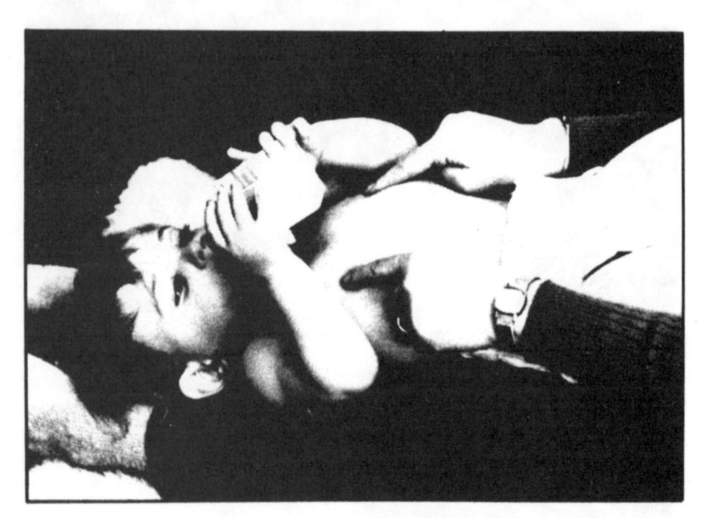

51) DRAINAGE LYMPHATIQUE DU FOIE ET DE L'ESTOMAC

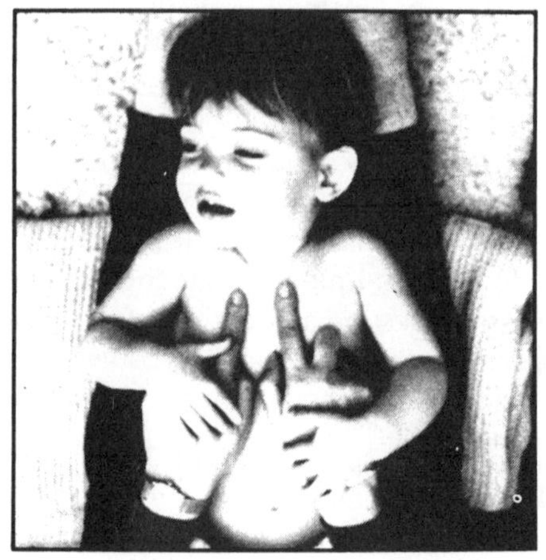

54) DRAINAGE LYMPHATIQUE DES REINS

TECHNIQUE n° 55: Omettre.

TECHNIQUES n°s 56 à 63: Aucun changement mais utiliser trois doigts pour la technique n° 63. Ne pas oublier de répéter les mêmes techniques sur l'autre bras.

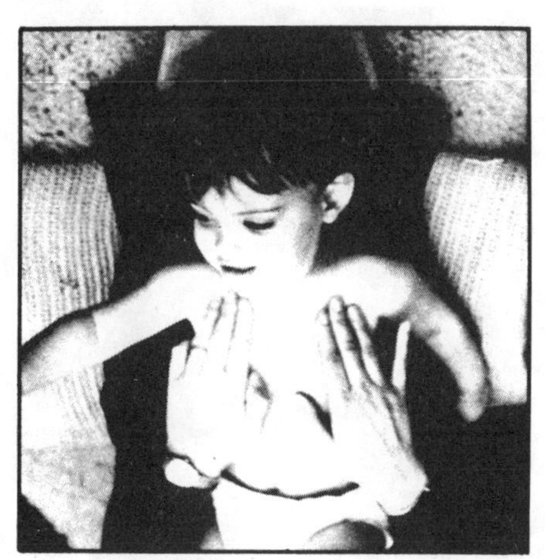

56) PÉTRISSAGE DES ÉPAULES

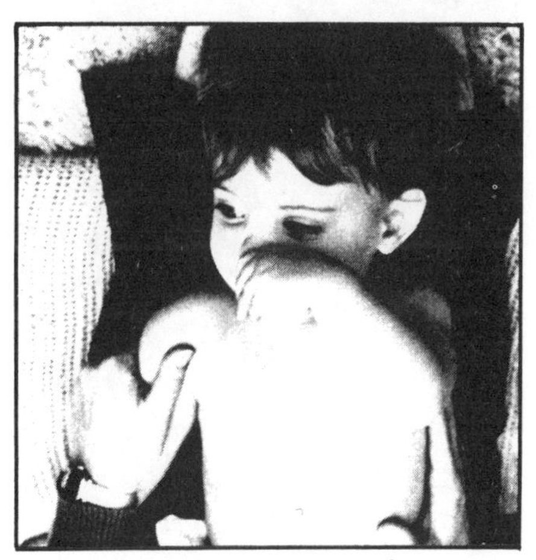

63) PRESSION SUR LE MÉRIDIEN DES POUMONS DU BRAS

TECHNIQUES n°s 64 à 66: Omettre.

TECHNIQUES n°s 67 à 73: Changement de position. L'enfant doit être étendu sur le dos, sa tête près de votre abdomen.

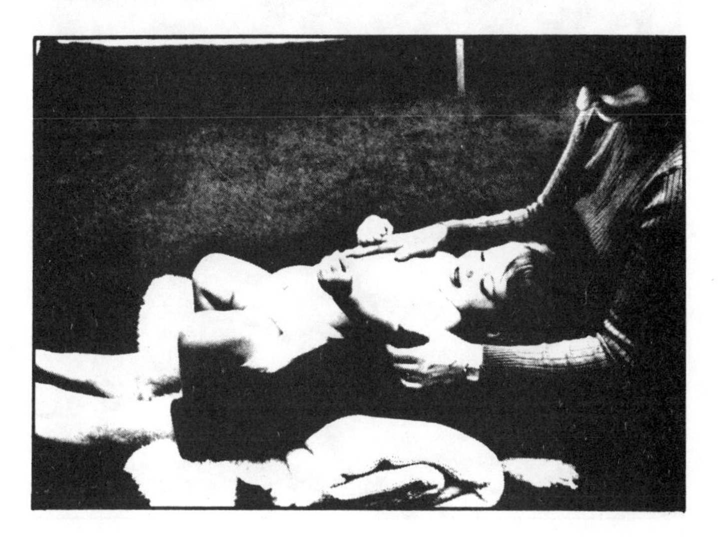

TECHNIQUE n° 74: Omettre.

TECHNIQUES n°s 75 à 81: Aucun changement.

TECHNIQUES n°s 82 à 85: Omettre.

TECHNIQUES n°s 86 à 93: Aucun changement.

TECHNIQUES n°s 94 à 103: Aucun changement, mais utiliser deux doigts pour la technique n° 103.

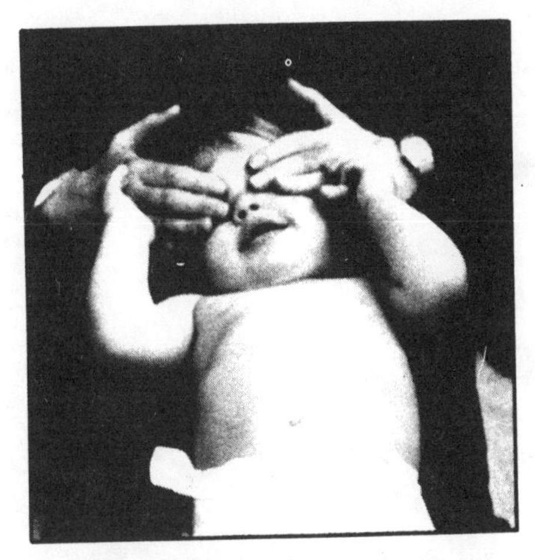

103) PRESSION SUR LES YEUX

TECHNIQUES nos 1 et 2: Omettre.

TECHNIQUE n° 3: Utiliser les index et les majeurs.

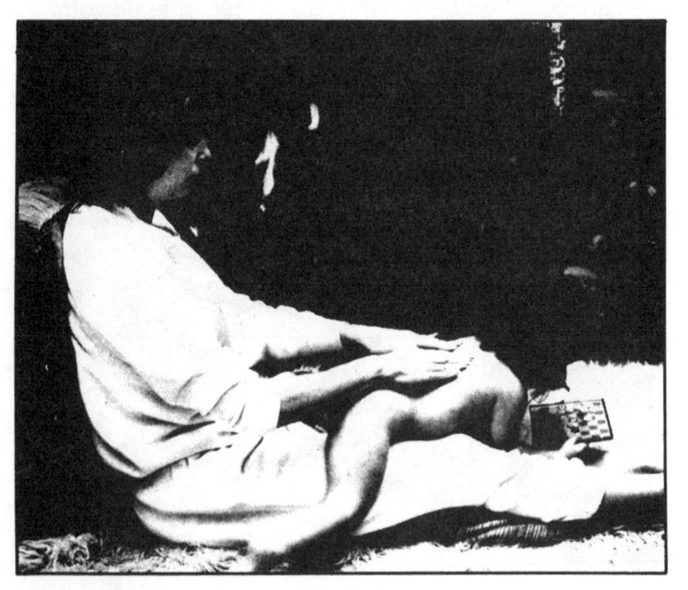

3) SUIVRE LA LIGNE DE LA COLONNE VERTÉBRALE

Retourner maintenant l'enfant sur le ventre pour les techniques suivantes. Le donneur doit étendre l'enfant perpendiculairement sur ses cuisses.

TECHNIQUE n° 4: Utiliser le bout des doigts de chaque main.

4) BERCEMENT DU DOS

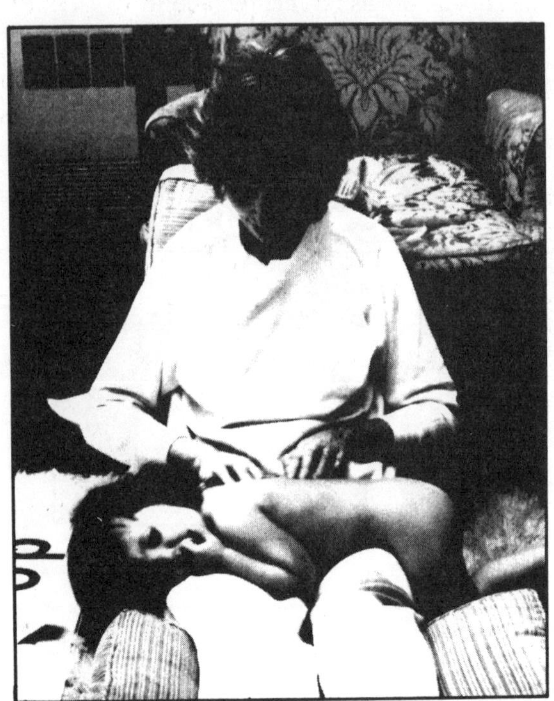

TECHNIQUE n° 5: Omettre.

TECHNIQUES nos 6 à 10: Changer la position de façon à ce que l'enfant ait encore le visage vers le bas, mais que sa tête soit près de vos genoux ou de vos chevilles. Ne pas oublier de lui laisser un espace pour respirer.

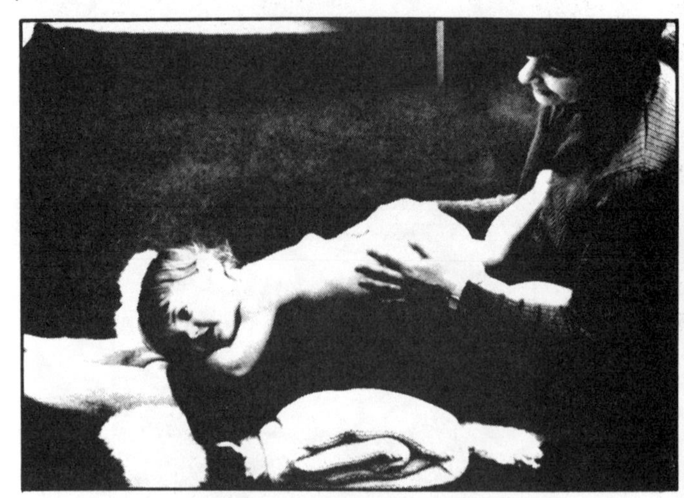

Utiliser les index pour exécuter la technique n° 6.

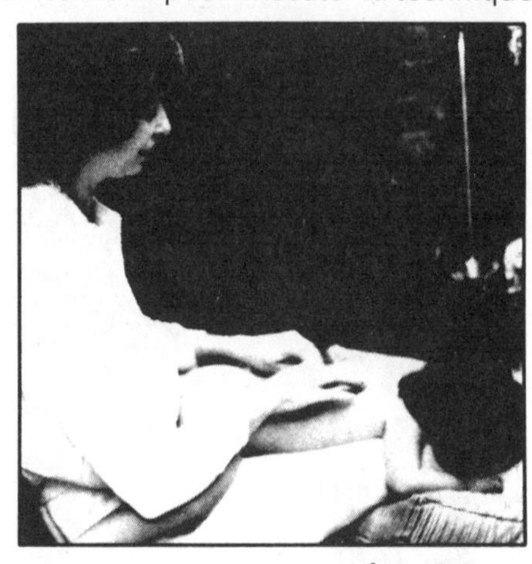

6) TECHNIQUE VERTÉBRALE

Rapprocher le bout de trois doigts pour appliquer la technique n° 10.

10) PÉTRISSAGE DES FESSES

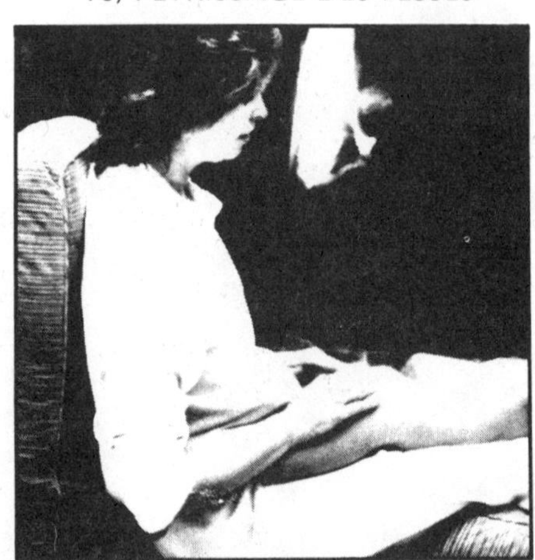

TECHNIQUES nos 11 à 14: Aucun changement, sauf pour les techniques nos 11 et 13 où il faut utiliser toute la surface du pouce.

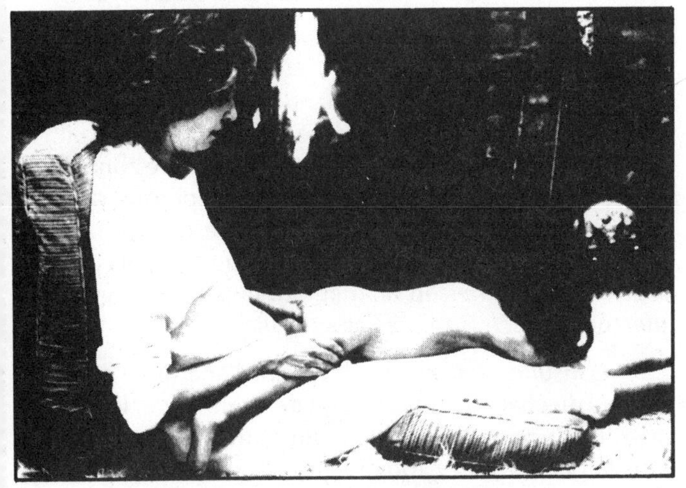

11) PRESSION SUR LE MÉRIDIEN DE LA VESSIE DES CUISSES

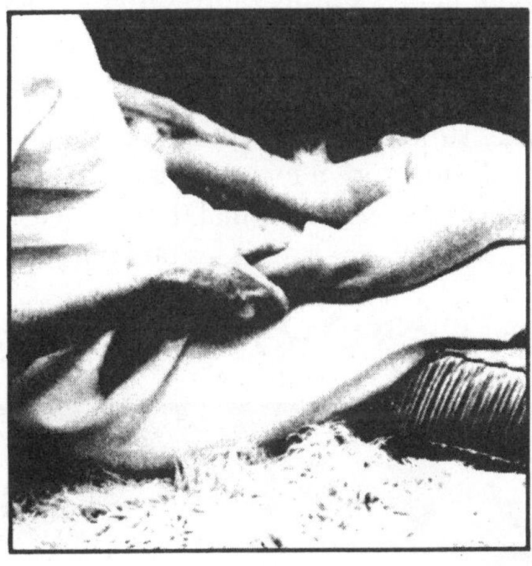

13) PRESSION SUR LE MÉRIDIEN DE LA VESSIE SUR LA PARTIE INFÉRIEURE DU DERRIÈRE DES JAMBES

TECHNIQUES nos 15 à 21: Aucun changement.

TECHNIQUES nos 22 à 30: Aucun changement pour les techniques nos 22 à 24, mais la technique n° 25 doit être exécutée avec les index.

25) TECHNIQUE POUR LES VERTÈBRES DORSALES

Les techniques nos 26 à 27 ne requièrent aucun changement mais la technique n° 28 doit être exécutée avec deux ou trois doigts.

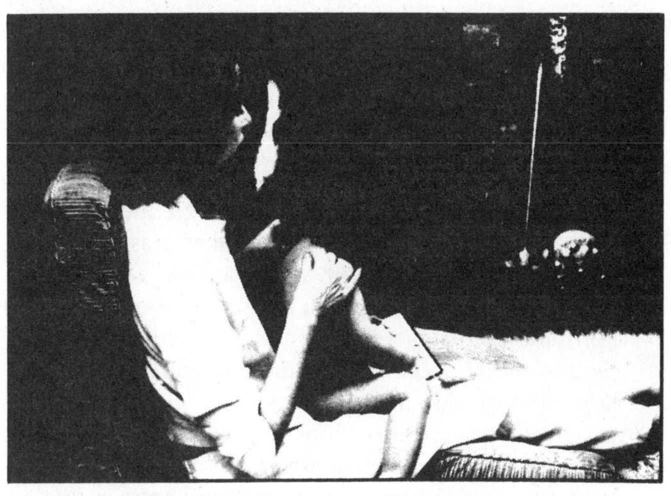

28) PÉTRISSAGE DES ÉPAULES

La technique n° 30 recommande des mouvements vers le haut, depuis le coccyx jusqu'à la tête.

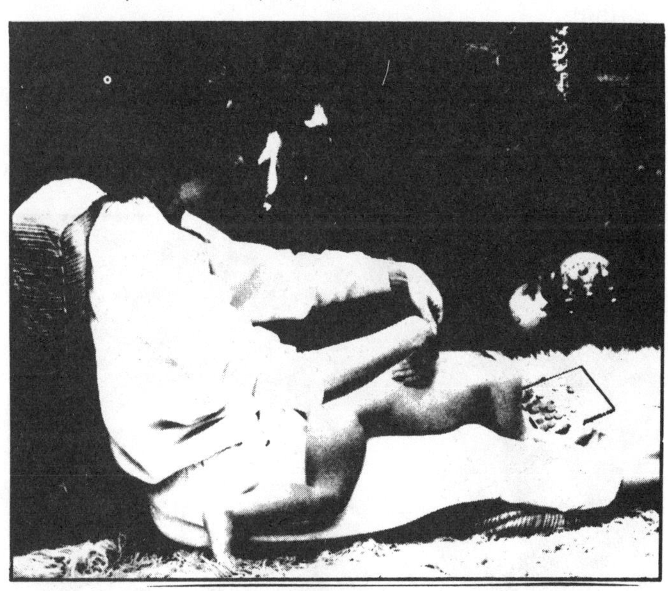

30) FRÔLEMENT DE LA COLONNE VERTÉBRALE

4) COMMENT AMÉLIORER LA SANTÉ ET LE TEMPÉRAMENT DE VOTRE ANIMAL PAR LE MASSAGE

Les animaux, comme les humains, aiment être touchés et massés. Les animaux privés de contacts tactiles deviennent renfermés, agressifs et souffrants. Si votre animal manifeste l'un ou l'autre de ces symptômes, il a sûrement besoin d'être massé.

Il est important d'initier l'animal graduellement au massage. Dès que vous réalisez qu'il en a assez, arrêtez la session et attendez la suivante avant d'essayer de nouvelles techniques. Les mini-massages quotidiens sont conseillés entre les sessions et ceux-ci peuvent être prolongés selon la bonne disposition de votre animal. Certains d'entre eux acceptent facilement d'être massés. D'autres, par contre, sont éprouvés émotivement. Approchez-les avec beaucoup de compassion et de respect. Ne vous laissez pas décourager si votre animal ne réagit pas tout de suite favorablement. Le temps, l'amour, la compassion et le massage résoudront éventuellement plusieurs de ses traumatismes psychologiques.

À moins que votre animal ne réagisse immédiatement bien au massage, commencez par masser une seule partie de son corps. Quand il est bien relaxé et qu'il semble accepter un massage continu à cet endroit, commencez à masser simultanément une autre zone de son corps. Cette technique, ou ruse, vous permettra de familiariser votre compagnon avec votre toucher. Les chiens et les chats qui sont renfermés ou agressifs peuvent se transformer en animaux domestiques sains et affectueux grâce à un massage régulier.

Consultez les dessins décrivant l'anatomie squelettique du chat et du chien avant de commencer le massage afin de mieux connaître la structure osseuse qui est sous la peau. Massez toujours les membres en remontant vers le coeur afin de permettre au sang et à la lymphe qui sont stagnants de retourner vers cet organe. N'appliquez jamais de pression ferme car un toucher doux ou moyen suffit amplement.

Vous trouverez ci-après quelques techniques que j'ai essayées sur des animaux et qui ont été bien reçues. N'oubliez pas de commencer par masser les parties du corps préférées de votre animal. Lorsqu'il est suffisamment reposé, enchaînez avec les techniques suivantes.

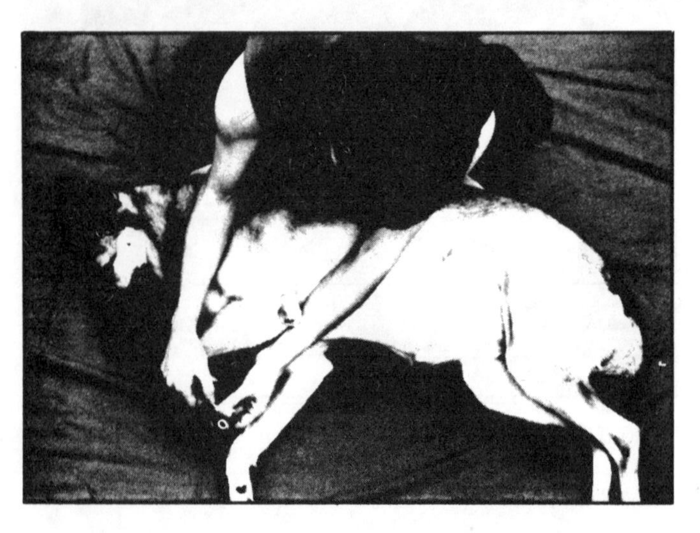

MASSAGE DES PATTES ET DES COUSSINETS

Massez doucement toute la patte, puis les coussinets. Bien masser entre les coussinets. Les pattes étant habituellement sensibles, les mouvements de massage doivent être effectués lentement et simplement.

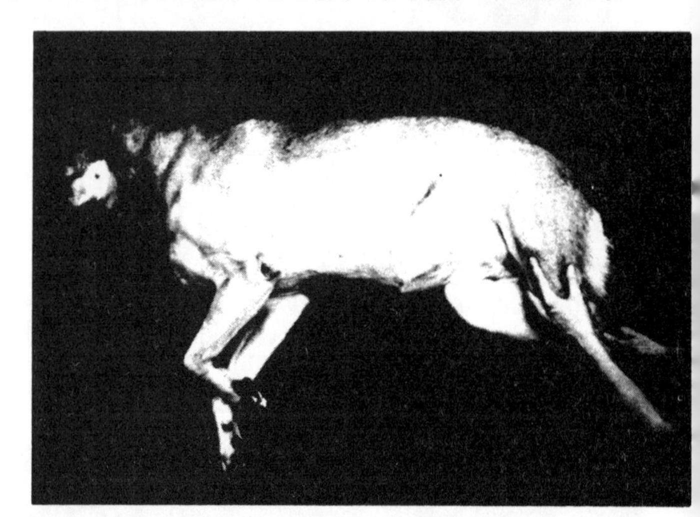

MASSAGE DU CORPS

Commencez juste au-dessus de la patte en massant vers le haut. Massez tout le corps de l'animal de cette façon. On peut apprendre au chien ou au chat à ne pas avoir de tension dans les pattes pendant qu'on le masse.

ANATOMIE DU SQUELETTE DU CHAT

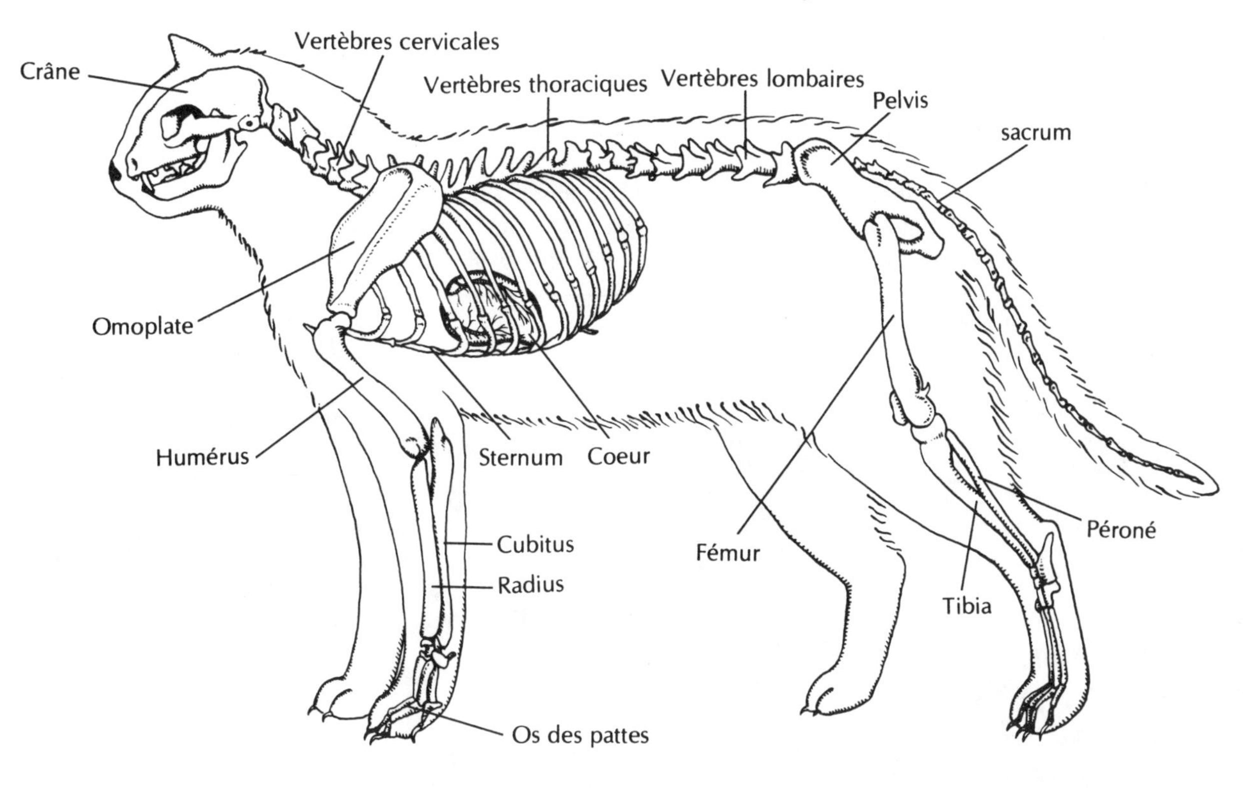

ANATOMIE DU SQUELETTE DU CHIEN

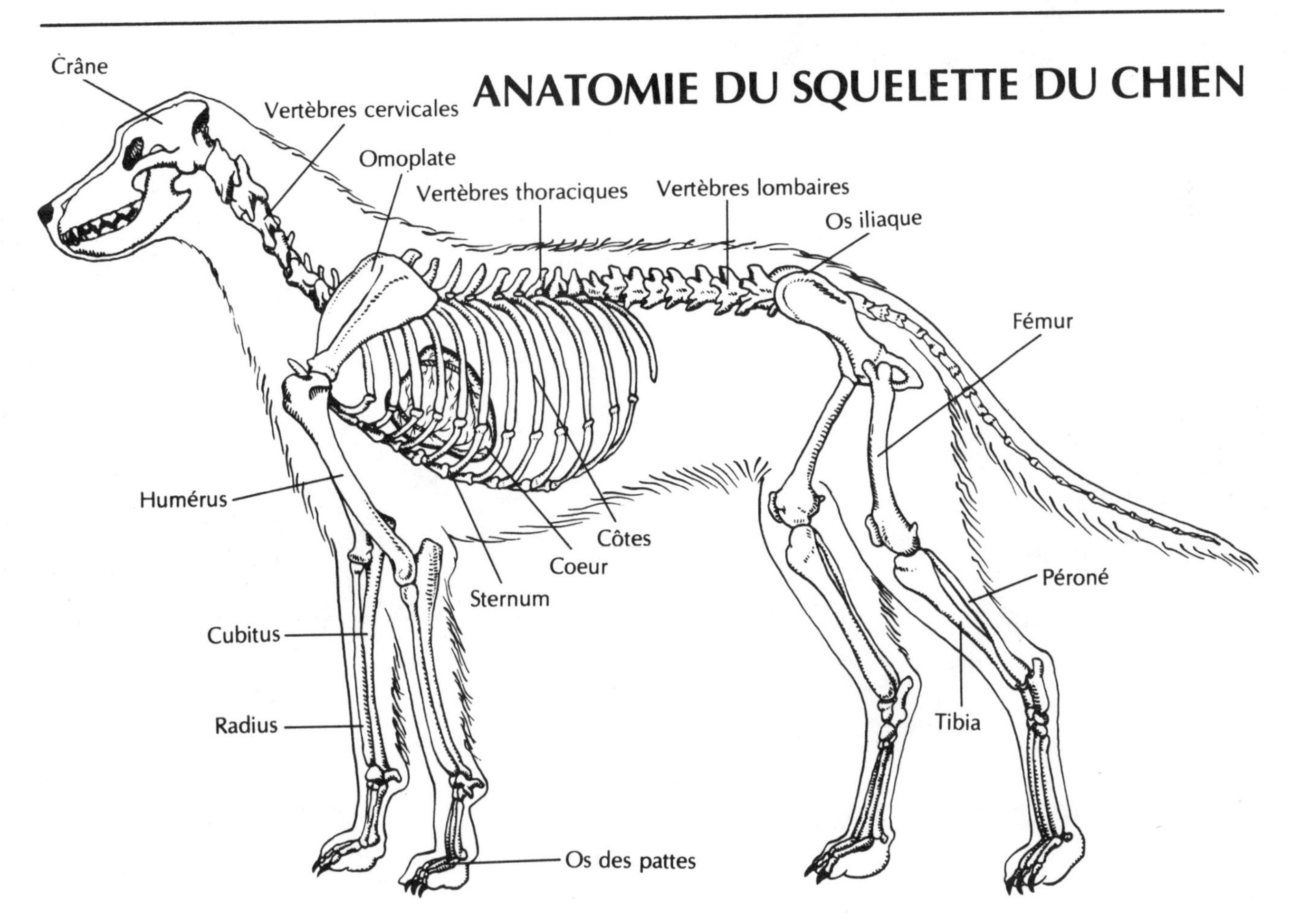

MASSAGE ABDOMINAL

Vous ne devriez éprouver aucune difficulté à encourager votre animal à s'étendre sur le dos, mais si vous en avez, soulevez simplement une de ses pattes de derrière et commencez à masser l'abdomen. Plusieurs animaux offriront leur abdomen dès le début du massage. Utilisez vos deux mains en les appuyant à plat sur l'abdomen et dessinez des mouvements circulaires sur toute cette région. Avec les petits animaux, utilisez les doigts plutôt que les mains.

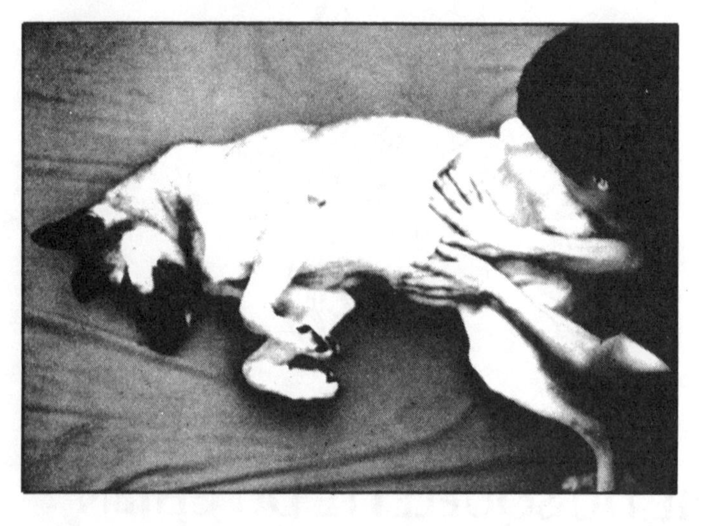

MASSAGE DU CORPS

Massez tout le côté de l'animal qui est à la portée de vos mains. Utilisez de grands mouvements circulaires depuis la patte de derrière jusqu'au cou. Massez ensuite de l'autre côté.

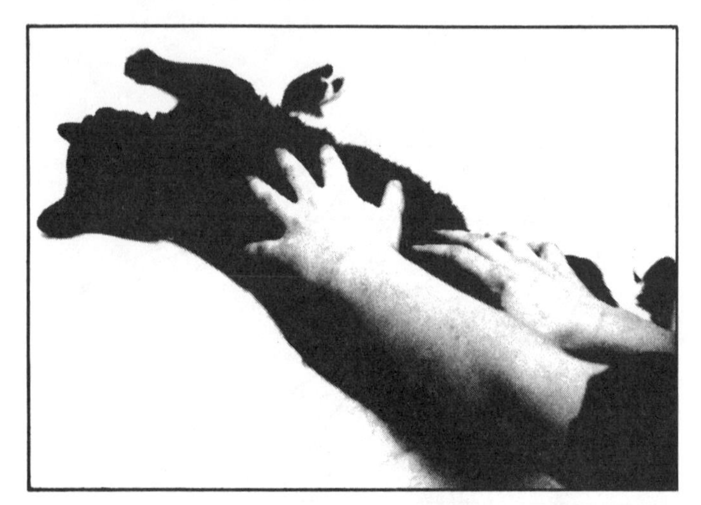

MASSAGE VERTÉBRAL

Utilisez le majeur et l'index pour masser tout le long de la colonne vertébrale. Ne massez pas directement la colonne. Si les poils de votre chien ou de votre chat se hérissent ou si la chair ou les poils du dos ondulent, vous savez maintenant que vous avez touché la région qui avait le plus besoin d'attention.

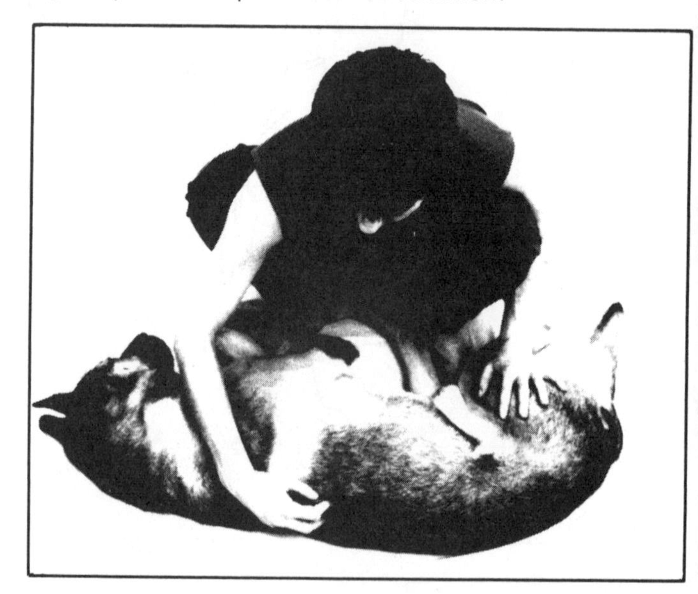

LE COU, LA TÊTE ET LES OREILLES

Nos amis les animaux aiment généralement être massés à ces endroits. Massez minutieusement et longuement là où votre animal semble apprécier le plus votre toucher. Massez son cou de chaque côté de la colonne vertébrale comme vous l'aviez fait pour son dos. N'oubliez pas le nez ni le contour des yeux et des oreilles.

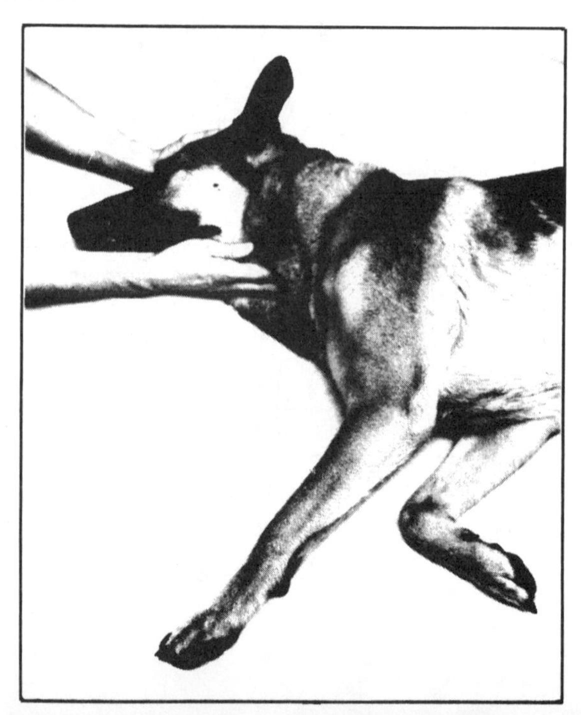

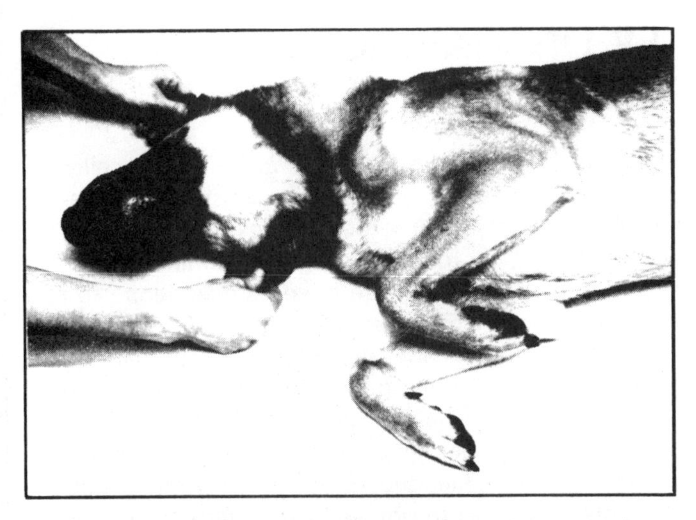

En plus de masser votre chien ou votre chat, aidez-le à jouir d'une meilleure santé et d'un tempérament plus agréable en améliorant son alimentation. La plupart des gens nourrissent leurs animaux domestiques avec des aliments secs ou en conserve. La nourriture sèche pour les chiens n'est pas meilleure que les *TV dinners* pour les humains. Quant à la nourriture en conserve, elle est surtout composée de viande mais celle-ci est détrempée et n'est pas bonne pour les dents. En donnant de la nourriture sèche et humide à votre animal, vous avez peut-être l'impression de bien vous occuper de lui. J'ai bien peur que non. En ajoutant les aliments suivants à la diète de votre animal, vous remarquerez bientôt qu'il se sentira mieux et qu'il sera aussi plus beau. Tous les animaux domestiques devraient manger des oeufs crus deux fois par semaines. Les algues marines leur fourniront les suppléments alimentaires nécessaires alors que le fromage cottage sans sel et le babeurre (petit-lait) apporteront de la variété à leur menu. Les comprimés ou tablettes de foie et de levure de bière seront adorés par votre chien ou votre chat tandis que les carottes fraîches, tranchées finement, nettoieront ses dents et lui sucreront légèrement le bec.

Je suggère également que vous consultiez un vétérinaire qui utilise des remèdes à base de plantes ou un homéopathe qui se fera un plaisir de prendre soin de votre compagnon. Les drogues ne sont pas meilleures pour votre animal que pour les êtres humains. Essayez de trouver dans votre région un vétérinaire qui favorise la médecine naturelle. Faites-le même si votre animal jouit d'une parfaite santé car vous saurez immédiatement où aller le jour où vous aurez besoin de ses services professionnels.

Il existe quelques livres que j'aimerais vous recommander et qui vous aideront à prendre soin de votre animal le plus naturellement possible. Le premier livre peut être trouvé facilement dans plusieurs magasins d'alimentation naturelle. Les deux autres sont plus rares, je vous suggère donc de vous adresser directement à l'éditeur en Angleterre. Si vous avez de la chance, vous réussirez à convaincre votre magasin d'alimentation naturelle de les commander pour vous. Ces trois ouvrages peuvent être achetés par la poste.

THE COMPLETE HERBAL BOOK FOR THE DOG
par Juliette de Bairacli Levy
Éditions ARCO

THE TREATMENT OF DOGS BY HOMOEPATHY
par K. Sheppard
Publié par Health Science Press
Bradford, Holsworth
Devon, Angleterre EX22 7AP

THE TREATMENT OF CATS BY HOMOEPATHY
par K. Sheppard
Publié par Health Science Press
Bradford, Holsworth
Devon, Angleterre EX22 7AP

5) COMMENT DONNER UN MASSAGE NEURO-VASCULAIRE

Utilisés régulièrement, les points neuro-vasculaires ou récepteurs contribuent grandement à améliorer la santé. Ils améliorent à la circulation, spécialement au niveau des capillaires et, comme vous le savez, une meilleure circulation est le gage d'un mieux-être physique et émotionnel. Une circulation déficiente, qui peut être le résultat de la sédentarité, des mauvaises habitudes alimentaires ou des prédispositions héréditaires aux maladies circulatoires, sera équilibrée de nouveau au fil des années. Les nombreux organes et systèmes qui composent le corps humain ont besoin d'un apport constant en oxygène et en valeurs nutritives afin de conserver leur santé et de pouvoir être réparés facilement.

L'amélioration de la circulation capillaire sera également bénéfique à l'organe le plus grand du corps humain, la peau. L'acné, la pâleur extrême (naturelle ou non), la peau sèche ou grasse et les cheveux sans corps sont quelques-uns des problèmes qui seront corrigés grâce à une utilisation régulière des points neuro-vasculaires. Les fonctions aussi importantes que celles de la digestion, de l'élimination et de la respiration profiteront à leur tour de ce massage. De plus, cette circulation améliorée aidera les glandes endocrines à produire les hormones, lesquelles assurent une croissance régulière ainsi qu'une bonne reproduction des cellules de l'organisme. Ceci, en retour, encouragera une activité cellulaire maximale, une croissance normale pendant les années de formation, et une bonne santé des organes reproducteurs, permettant ainsi un développement sain de l'espèce humaine.

Les points neuro-vasculaires affectent également les organes d'une autre manière. Notre corps doit lutter constamment contre les toxines, non seulement celles qui sont produites à l'intérieur de l'organisme, mais également celles qui sont absorbées par les voies digestives et respiratoires. Ces toxines doivent être éliminées au fur et à mesure si l'on veut que le corps maintienne son équilibre délicat. Une accumulation de toxines dans le système nuit aux fonctions organiques et peut, dans un cas extrême, conduire jusqu'à la mort. Une circulation améliorée agit sur la rapidité de l'élimination des déchets toxiques, permettant ainsi au corps de réduire ses efforts. L'acide lactique qui se dépose dans les muscles après une activité physique, une maladie ou une période d'inactivité prolongée causée par une vie trop sédentaire, peut également être rejeté. L'effort physique est évidemment le meilleur moyen de se débarrasser de ces toxines. Lorsqu'il nous est impossible de faire des exercices ou lorsque notre organisme a besoin d'un surplus d'activité physique, les points neuro-vasculaires deviennent très utiles et ils peuvent être ajoutés au programme de massage du corps.

L'exécution du massage neuro-vasculaire est très facile et, qu'elle soit faite par vous ou par une autre personne, elle est très satisfaisante. Si vous touchez ces points vous-même, vous pouvez adopter deux positions. La première consiste à vous étendre sur le lit ou sur le sol en soulevant vos genoux avec des oreillers ou des coussins de soutien et en appuyant vos bras sur des oreillers additionnels. La deuxième possibilité est de vous accroupir sur le lit ou sur le sol. Placez une serviette pliée ou un petit oreiller entre votre front et le plancher ou le matelas. Plusieurs personnes préfèrent cette position parce que les bras sont alors parfaitement reposés et supportés. Si cette position ne vous convient pas, choisissez la première suggérée précédemment.

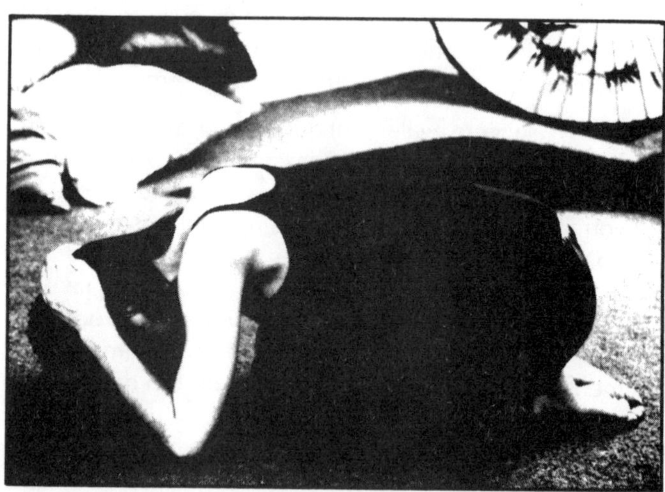

Si une autre personne accepte de vous faire ce massage, consultez les photographies pour connaître la meilleure position possible. Si vous vous massez sans l'aide de quiconque, assurez-vous que vos bras soient bien appuyés ou supportés afin de prévenir la fatigue musculaire qui risque d'effacer tous les bienfaits apportés par le massage neuro-vasculaire.

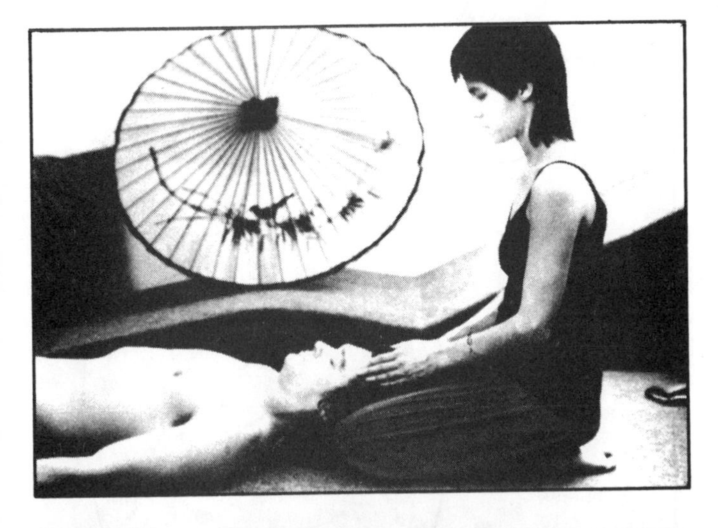

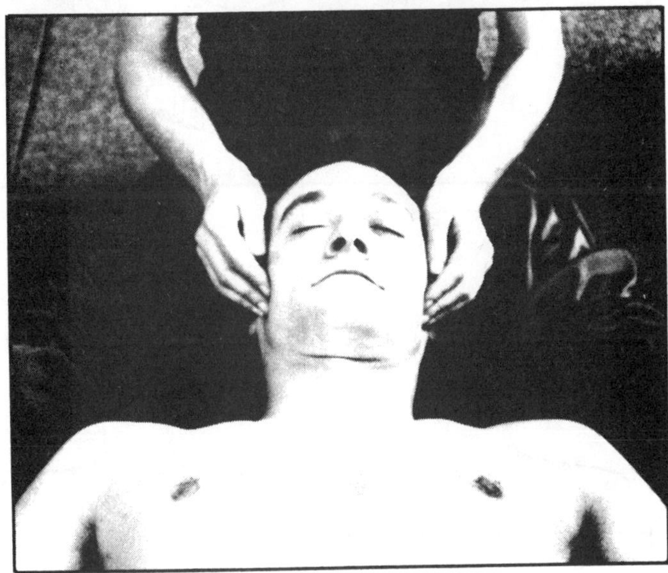

OBSERVATIONS IMPORTANTES POUR LE MASSAGE NEURO-VASCULAIRE

- Enlever les verres de contact.
- Respirer lentement et régulièrement
- Prendre contact avec les points en utilisant une pression légère.
- Pendant que l'on touche les points neuro-vasculaires, essayer de rester calme et parfaitement immobile car le moindre mouvement de la tête envoie des vibrations vers les bras, lesquelles seront ressenties par le receveur.
- Délaisser les points neuro-vasculaires très lentement afin de ne pas déranger le receveur.
- Si les paupières du receveur bougent, cela signifie qu'il est en train de penser. Le donneur lui suggérera alors d'essayer d'apaiser son mental et de ne pas penser.
- Utiliser les coussinets plutôt que les bouts des doigts.

BON

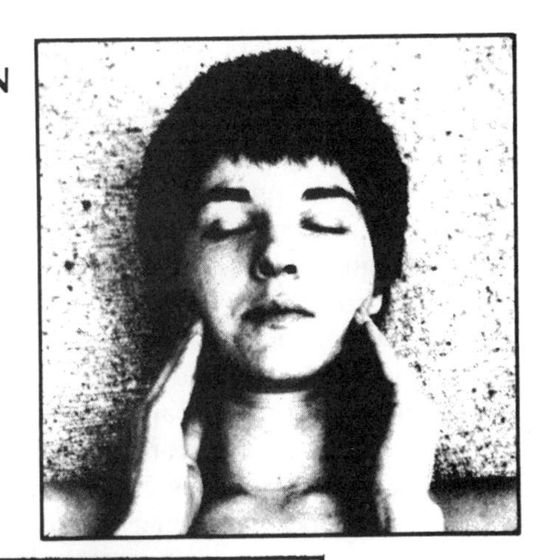

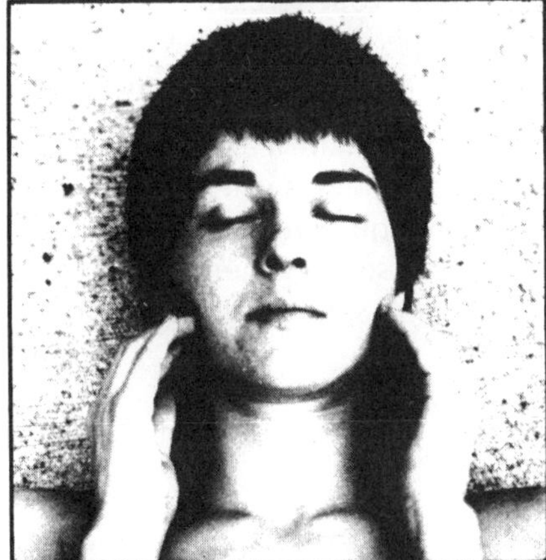

MAUVAIS

L'exécution est extrêmement simple. Étudiez les photographies suivantes pour situer les points neuro-vasculaires. Vous sentirez une pulsion sous-cutanée très délicate. Maintenez cette pulsion de 20 à 30 secondes et dirigez-vous ensuite vers la paire de points suivante. Respectez l'ordre numérique indiqué sur les photographies. Après cinq ou six sessions, vous réussirez probablement à déceler les points sans avoir besoin de consulter le livre. Les points neuro-vasculaires doivent être maintenus doucement et on doit les délaisser lentement.

Ne vous surprenez pas si vous vous endormez pendant une telle séance. Vous remarquerez aussi que vous sursautez, ronflez, émettez des sons bizarres ou marmonnez des mots plus ou moins cohérents. Ce sont là d'excellents signes qui indiquent un relâchement de tension.

Si le massage est exécuté par une autre personne, vous vous endormirez probablement car vous ne serez pas préoccupé par le souci de maintenir le contact avec les points neuro-vasculaires. Détendez-vous et laissez-vous aller. Essayez d'effacer les pensées inutiles de votre esprit. Si vous n'y parvenez pas, laissez vos pensées passer à travers votre mental comme s'il s'agissait d'une source de conscience. Ne vous attardez à aucune pensée ou image qui est projetée sur l'écran de votre mental. Plusieurs personnes ont vécu un état de transcendance pendant le massage neuro-vasculaire. D'autres ont ressenti qu'elles voyageaient à l'intérieur et à l'extérieur de leur conscience tandis que d'autres se sont vues flotter légèrement au-dessus de leur corps. Vous sentirez peut-être des vagues de relaxation balayer votre corps tout entier ou des parties spécifiques de votre corps. Si vous êtes en contact réel avec votre corps, vous éprouverez même une poussée d'énergie au niveau de l'organe correspondant aux points touchés. Peu importe ce que vous vivez, vous serez indubitablement reposé après une telle expérience et vous voudrez revivre de telles sensations sur une base régulière.

Le massage neuro-vasculaire n'exige que 10 minutes de votre temps et les résultats valent l'effort. Vous vous sentirez aussi reposé qu'après de longues vacances. Votre vivacité mentale sera régénérée, votre émotivité sera équilibrée et votre santé physique sera décuplée.

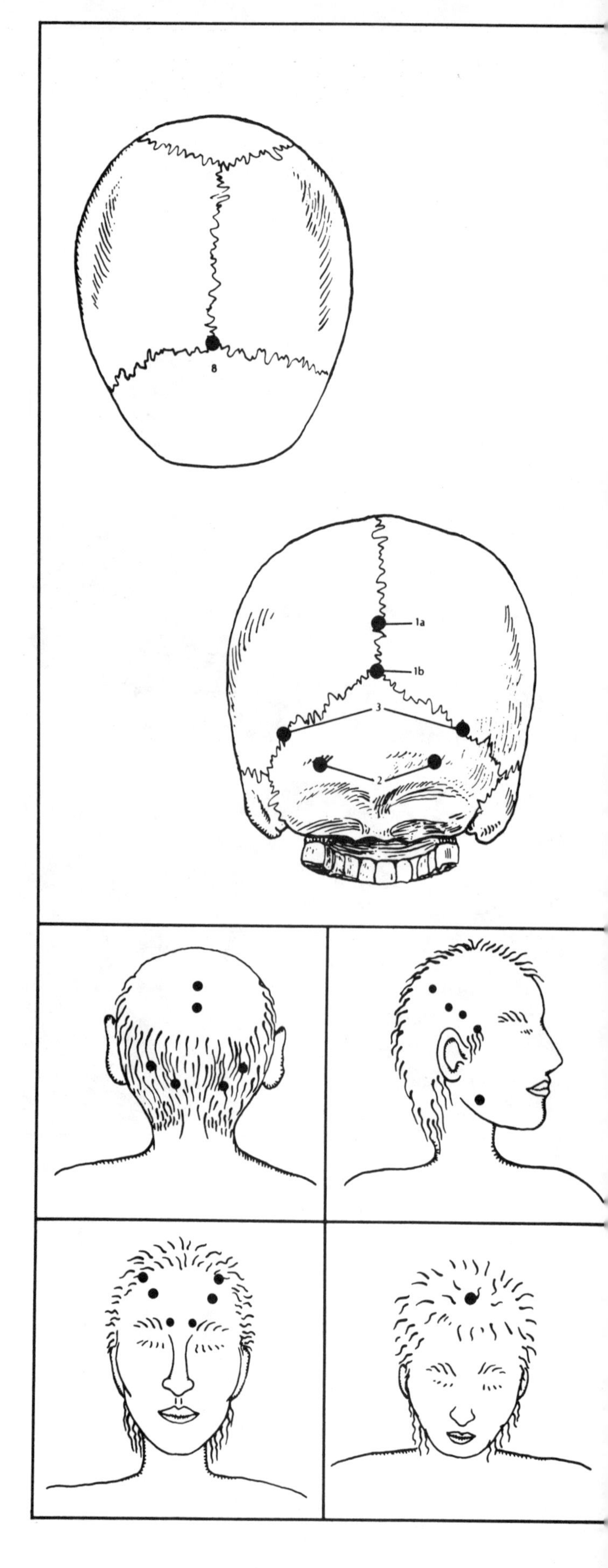

POINTS NEURO-VASCULAIRES

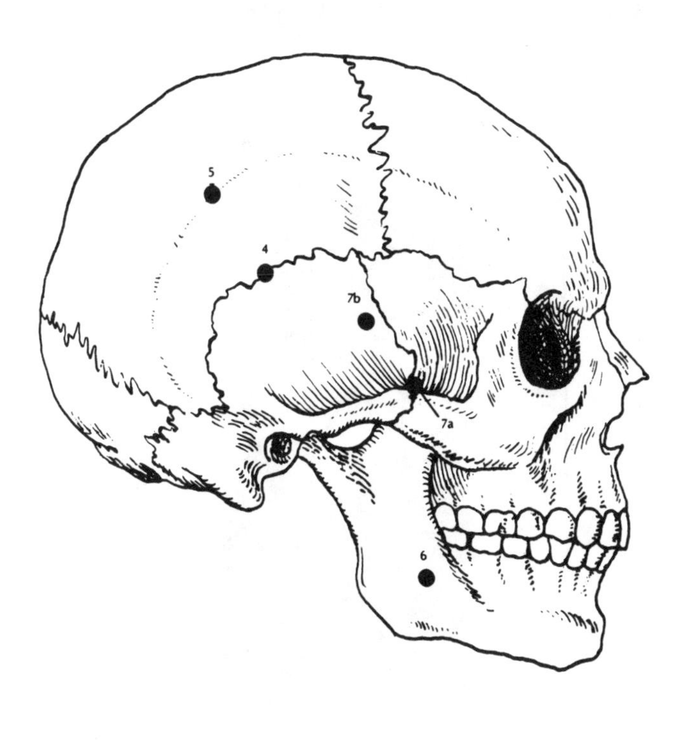

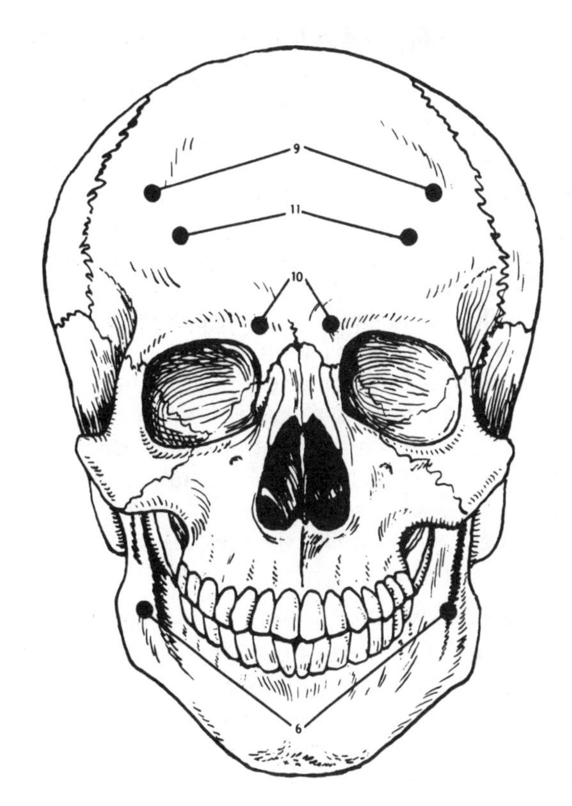

1a Suture sagittale postérieure
1b Fontanelle postérieure
2 Éminence occipitale
3 Suture occipito-pariétale
4 Suture sphénoïdale
5 Éminence pariétale
6 Maxillaire inférieur
7a Jointure temporo-sphénoïdale
7b Sphénoïde
8 Fontanelle antérieure
9 Os frontal latéral
10 Glabelle
11 Éminence frontale

1a Infections, Fièvres, Maux de gorge, Anémie, Épicondylite humérale (tennis elbow)

1b Gros intestin (diarrhée, constipation, hémorroïdes, etc.), Glandes surrénales (STABILISATION DE L'ÉNERGIE), CONTRÔLE DU STRESS, Fatigue, Problèmes de métabolisme du sucre, Asthme, Allergies, Infections, CHOCS causés par un traumatisme physique ou émotionnel

2 Reins, Insomnie, Problèmes de la peau, Douleurs lombaires

3 Problèmes des organes sexuels et reproducteurs, Problèmes hormonaux

4 Rate, Allergies, Problèmes de métabolisme du sucre

5 Problèmes de l'intestin grêle, du côlon et des voies digestives

6 Estomac, Digestion, Sinus, Yeux, Nez

7a Reins, Cou

7b Hyperthyroïdie et hypothyroïdie, SYSTÈME NERVEUX, Colonne vertébrale

8 Vésicule biliaire, Foie, Problèmes cardiaques et pulmonaires, FATIGUE MENTALE

9 Problèmes de foie, Maux de tête

10 Fonctionnement et problèmes de la vessie

11 Estomac, Digestion, Problèmes de vessie, CONTRÔLE DU STRESS

6) MASSAGE POUR LES MAUX ORDINAIRES DES ENFANTS ET DES ADULTES

Vous trouverez ci-après l'explication des différents points associés à des maux que l'on rencontre tous les jours chez les adultes et les enfants. La douleur est un système d'alarme du corps qui nous signale une fonction affaiblie ou menacée. Consultez toujours un médecin spécialisé en santé holistique le plus tôt possible afin de soigner ces maux avant qu'ils n'atteignent des proportions alarmantes. Utilisez ces points pour soulager la douleur et éliminer les blocages jusqu'à ce que vous ayiez la chance de rencontrer votre docteur, ou adoptez-les comme compléments aux recommandations médicales. Ces points stimulent les fonctions d'auto-guérison naturelles de l'organisme, accélérant ainsi le rétablissement général du corps.

Consultez le tableau des points de massage neuro-lymphatiques à la page 48, celui des points neuro-vasculaires aux pages 154 et 155, celui des méridiens de l'acupuncture aux pages 40 et 41, et ceux de la réflexologie du pied à la page 69 pour trouver avec précision l'emplacement des points utilisés dans le présent chapitre.

MAL DE TÊTE

Chaque point indiqué sur les photographies suivantes est relié à un type particulier de mal de tête. Si vous ne connaissez par l'origine du mal de tête ou si les points que vous avez choisis ne semblent apporter aucun résultat favorable, faites tout simplement tous les points. Les essais et les erreurs prendront soin de votre mal de tête.

FOIE ET VÉSICULE BILIAIRE

Massage des points neuro-lymphatiques

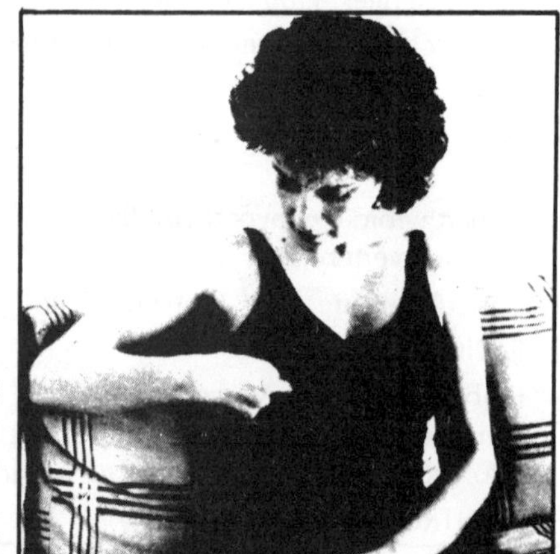

entre les cinquième et sixième côtes du côté droit seulement

VÉSICULE BILIAIRE

Points de pression d'acupuncture

Se tenir au garde-à-vous. Le point de la vésicule biliaire numéro 31 est situé là où le bout des doigts touche l'extérieur des cuisses

ESTOMAC

Points neuro-vasculaires

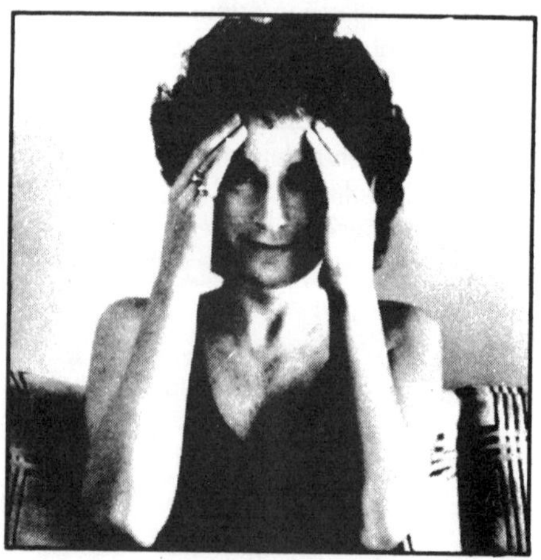

Tenir les protubérances situées sur le front (éminence frontale)

FATIGUE DES YEUX

Utilisez vos pouces pour la partie supérieure des orbites et vos doigts pour la partie inférieure. Appliquez une pression et maintenez-la de 3 à 5 secondes. Les points pour le massage lymphatique sont situés sur la face interne de l'os huméral. Utilisez le pouce pour ces points.

POINTS DE PRESSION DES ORBITES SUPÉRIEURES

Appliquer une pression ferme

REIN

Massage des points neuro-lymphatiques

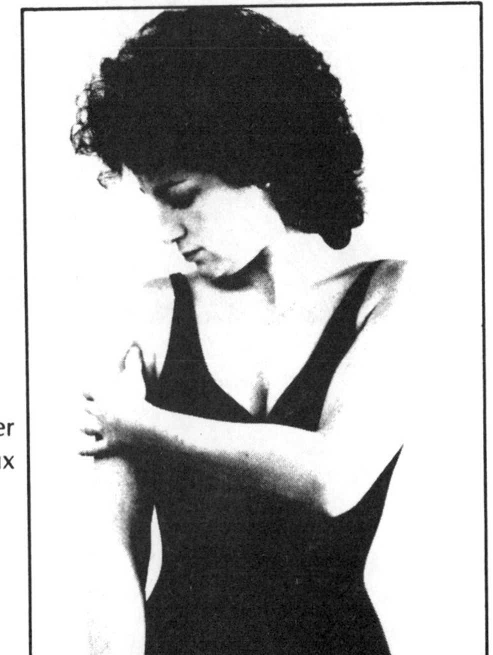

Masser les deux bras

INDIGESTION

L'indigestion peut être causée par le mauvais fonctionnement d'un ou de plusieurs organes digestifs. Observez les photographies pour connaître l'emplacement exact de chacun de ces points. Appliquez une pression ou massez la ou les zones concernées jusqu'à ce que vous ressentiez un soulagement. Parfois il faut de deux à cinq minutes pour éprouver une sensation de mieux-être. Ces points peuvent également être stimulés avant et pendant les repas pour assister les organes déficients et éviter ainsi l'indigestion.

ESTOMAC

Massage des points neuro-lymphatiques

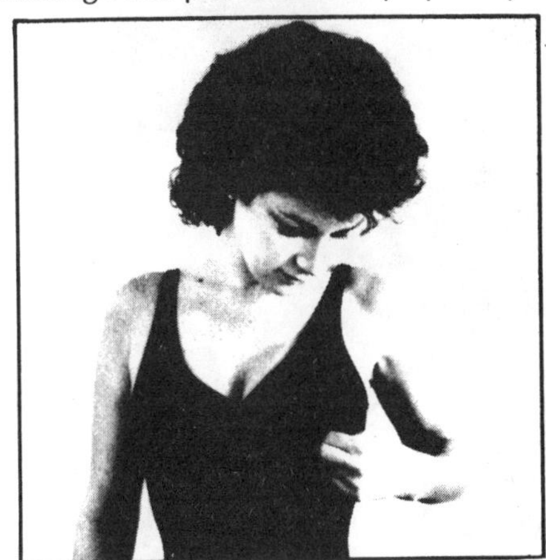

entre les cinquième et sixième côtes du côté gauche seulement

FOIE ET VÉSICULE BILIAIRE

Massage des points neuro-lymphatiques

entre les cinquième et sixième côtes du côté droit seulement

DOULEUR LOMBAIRE

Les points neuro-lymphatiques pour la région lombaire sont situés à l'intérieur de la cuisse. Utilisez votre coude ou vos doigts pour masser minutieusement et appliquez une pression ferme sur toute la zone montrée sur les photographies. Il faut habituellement de une à trois minutes pour éprouver un soulagement même s'il arrive parfois qu'en moins de trente secondes on se sente libéré de la douleur.

INTESTIN GRÊLE

Massage des points neuro-lymphatiques

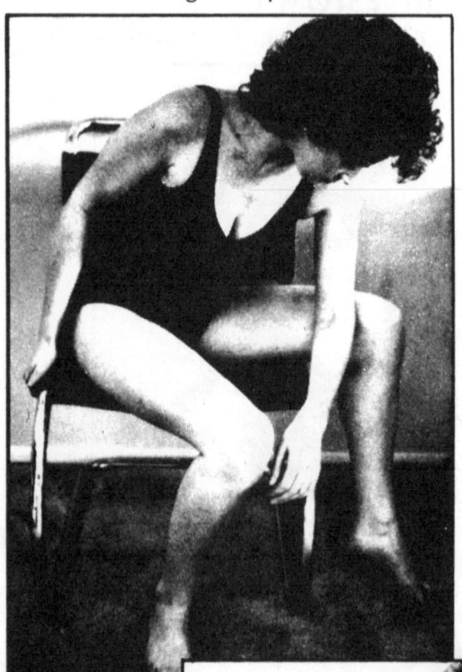

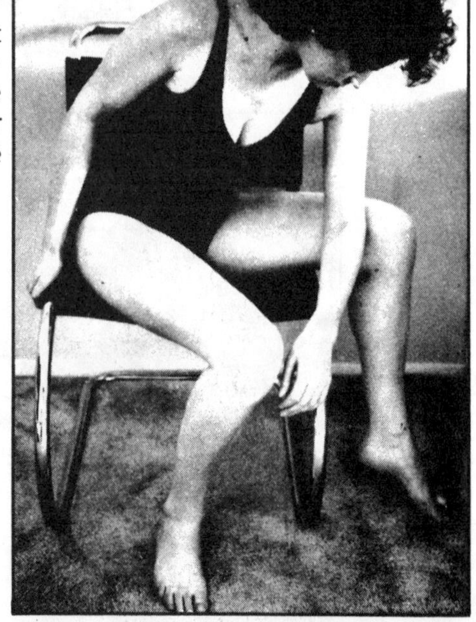

Masser fermement la moitié inférieure de l'intérieur de la cuisse

CRAMPES AU MOLLET

Lorsque vous ressentez des spasmes ou des crampes dans les mollets, il faut relaxer et faire reposer les mécanismes qui font tressauter le muscle en frottant celui-ci d'une attache à l'autre extrémité. Cette technique est très douce. Essayez de vous procurer la même sensation que si l'on vous passait une plume d'oiseau sur les mollets. Il n'est pas nécessaire de saisir les mollets ni de les masser en profondeur. Cette technique met un terme aux spasmes rapidement et exige moins d'effort qu'un massage prolongé.

CARESSE

Base — Renflement — Extrémité

ÉPICONDYLITE HUMÉRALE (TENNIS ELBOW)

Cette blessure qui fait souvent souffrir les joueurs de tennis est parfois plus compliquée qu'elle n'en a l'air. Si les points neuro-vasculaires et neuro-lymphatiques indiqués sur les photographies suivantes ne corrigent pas la situation, vous souffrez peut-être d'un blocage au niveau du sacrum. Essayez de ramener vos genoux vers votre poitrine et roulez d'un côté puis de l'autre sur le plancher. Si, après un délai raisonnable, vous ne voyez aucune amélioration, consultez un chiropraticien.

RATE

Massage du point neuro-lymphatique

entre les septième et huitième côtes du côté gauche seulement

RATE

Point neuro-vasculaire

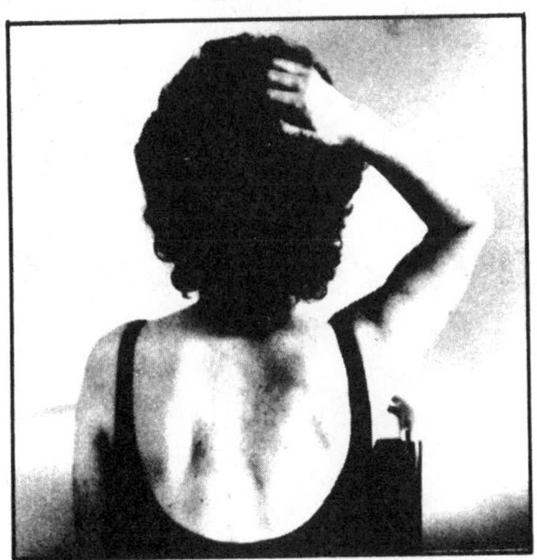

Ce point est situé environ 1½ pouce au-dessus de la fontanelle postérieure

MANQUE D'ÉNERGIE

Massez les points indiqués sur les photographies ci-dessous. Une minute et demie pour chaque ensemble de points sera généralement suffisante pour éclaircir un esprit embrouillé et pour le revitaliser avec une énergie nouvelle. Ces points sont utiles pour les personnes qui conduisent sur de longues distances, celles qui étudient et enfin celles qui ont l'habitude de s'endormir pendant un concert. Bref ces points vous empêcheront de vous précipiter sur le premier café offert. Sur la première photographie, on voit que les points sont situés environ 6 cm au-dessus et 2.5 cm de chaque côté du nombril. Massez l'abdomen profondément, juste au-dessous de la cage thoracique. Ces points stimulent le fonctionnement des glandes surrénales. Ne massez pas les points reliés à ces glandes avant de vous mettre au lit car ceci pourrait vous empêcher de dormir. Sur l'autre photographie, on remarque que les points sont situés de chaque côté de la poitrine entre la clavicule et l'extrémité des bras. Massez ces points neuro-lymphatiques fermement même si vous ressentez une tension ou un peu de douleur. La sensibilité disparaîtra au fur et à mesure que vous retrouverez votre énergie. Ces points correspondent au cerveau.

TRIPLE RÉCHAUFFEUR

Massage des points neuro-lymphatiques

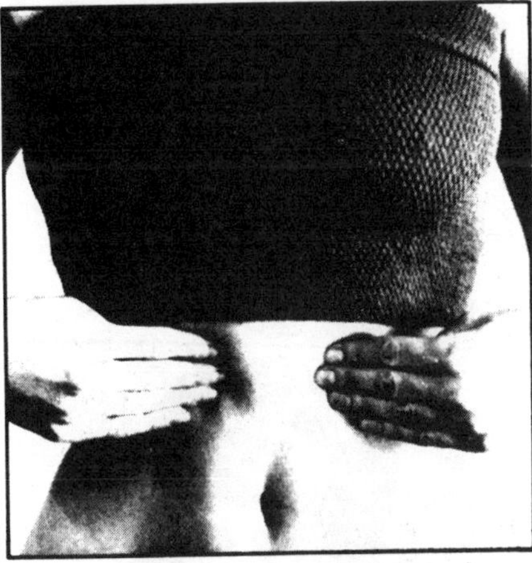

Ces points sont situés sous la cage thoracique

VAISSEAU DE LA CONCEPTION

Massage des points neuro-lymphatiques

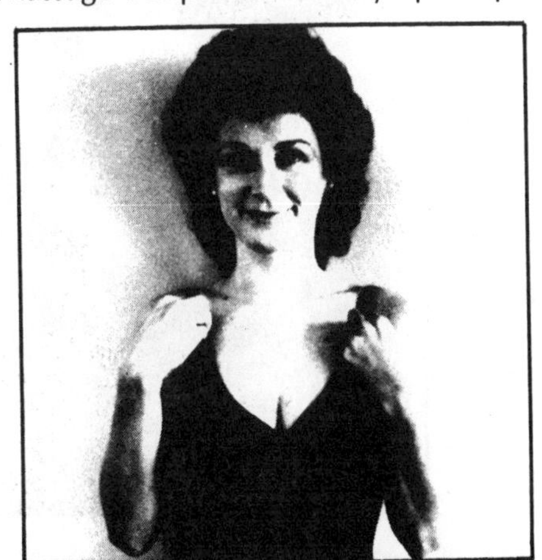

MAL DE GORGE

Voici trois différentes approches pour arrêter la progression d'un mal de gorge ou pour accélérer sa guérison. Le massage neuro-lymphatique se fait du côté gauche de la poitrine entre les septième et huitième côtes. Le point sera sensible lorsque vous le masserez, ce qui vous indiquera que vous avez touché le bon endroit. Ce point est situé un cm et demi au-dessus de la fontanelle postérieure, cet espace membraneux situé sur le crâne des bébés. Consultez les illustrations des pages 154 et 155 pour mieux situer ce point. Utilisez la partie charnue du bout de vos doigts pour trouver ce point sur votre tête. Assurez-vous de sentir une pulsation sous votre cuir chevelu, puis maintenez le point de 1 à 3 minutes tel que recommandé. Le point réflexe du pied qui est relié à la gorge est situé à la base du gros orteil. Ces points seront eux aussi sensibles si on les touche avec fermeté. Soyez brave. Massez la base du gros orteil avec une pression très ferme. Essayez d'endurer le malaise ressenti car il sera de plus courte durée que pourrait l'être votre mal de gorge si vous n'essayiez pas de le soigner à l'aide de cette technique. Ces points réflexes sont encore plus efficaces si on les utilise dès les premières manifestations d'un mal de gorge. Utilisez-les souvent, même pendant quinze minutes si nécessaire, et vous n'aurez peut-être plus jamais mal à la gorge. Si vous travaillez ces points une fois que le mal de gorge est bien installé, vous accélérerez sa guérison mais vous ne le ferez probablement pas disparaître immédiatement.

RATE

Massage du point neuro-lymphatique

entre les septième et huitième côtes du côté gauche seulement

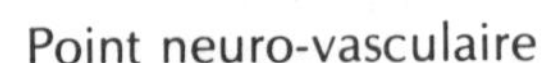

Point neuro-vasculaire

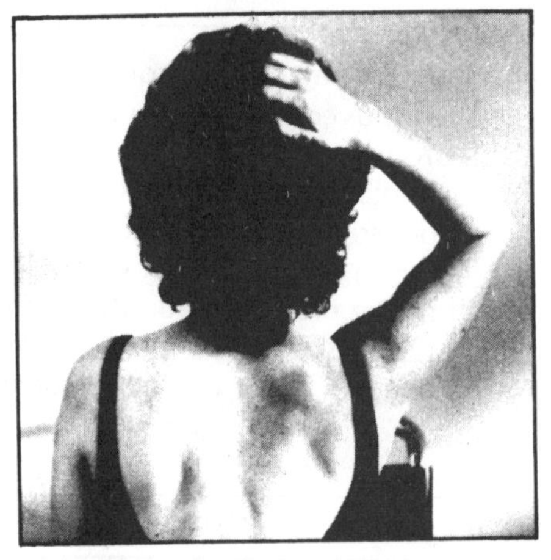

Ce point est situé environ 1 1/2 pouce au-dessus de la fontanelle postérieure

RÉFLEXOLOGIE DU PIED

Masser fermement

MAL DE DENT

Massez fermement et appliquez une pression soutenue sur la face interne de l'humérus. Si votre mal de dent est du côté droit, massez votre bras droit; s'il est du côté gauche, massez le bras gauche. Vous trouverez inévitablement une zone extrêmement douloureuse à cet endroit. Travaillez avec force. Vous souffrirez, mais votre mal de dent devrait normalement disparaître en moins d'une ou deux minutes. La photographie indique une série de points foncés. Essayez-les tous. Habituellement un ou deux de ces points sont plus douloureux que les autres. Concentrez votre massage et votre pression à cet endroit. Consultez votre dentiste. N'oubliez pas que la douleur est le signal d'alarme du corps qui veut vous faire savoir que quelque chose ne va pas.

REIN

Massage des points neuro-lymphatiques

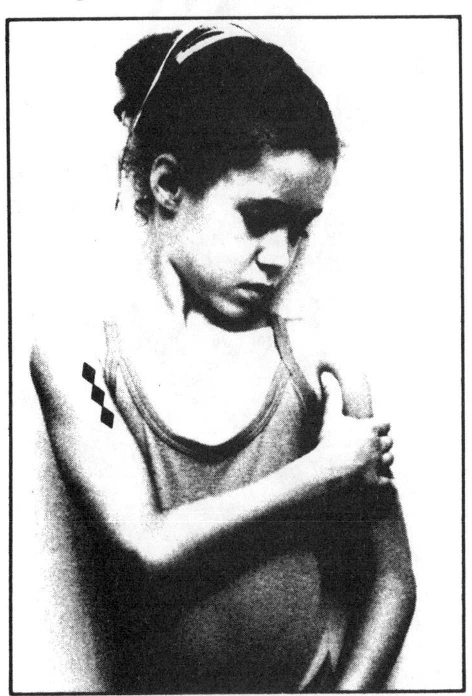

Masser fermement

LES POUMONS DU FUMEUR

Massez les points lymphatiques de chaque côté du sternum entre les troisième et quatrième et entre les quatrième et cinquième côtes et/ou appliquez une ferme pression sur chaque point de l'avant-bras pendant 7 à 10 secondes. Les personnes qui fument beaucoup de cigarettes ou de marijuana devraient masser ces points quatre à six fois par jour.

POUMON

Massage des points neuro-lymphatiques

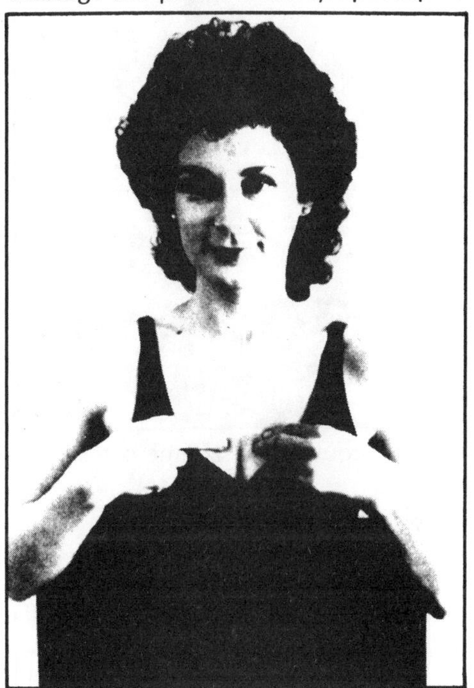

Masser près du sternum

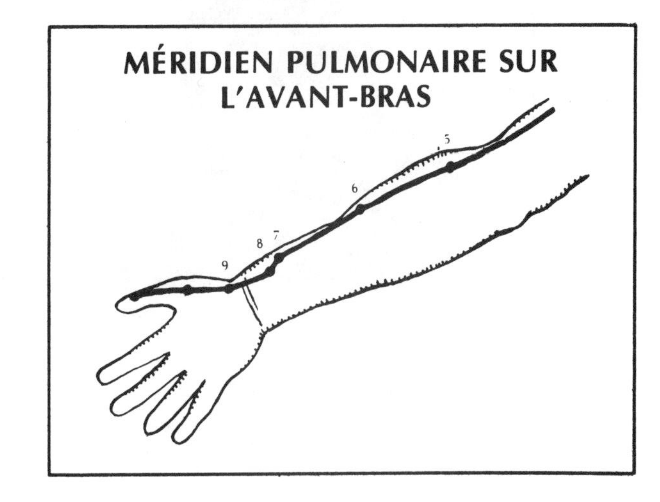

LE FOIE DU BUVEUR

Massez l'espace intercostal entre les cinquième et sixième côtes sur le côté droit de la poitrine. Exercez une pression ferme et massez pendant 2 ou 3 minutes de quatre à six fois par jour. Cette technique aide à améliorer la circulation du sang, des éléments nutritifs et de l'énergie au niveau du foie.

FOIE

Massage des points neuro-lymphatiques

entre les cinquième et sixième côtes du côté droit seulement

FOIE

Point neuro-vasculaire

Ce point est situé sur la fontanelle antérieure (espace membraneux mou sur le dessus de la tête des bébés)

CONSTIPATION/DIARRHÉE

Massez minutieusement, en exerçant une pression ferme, la zone indiquée sur le côté de la cuisse. Massez vers le haut pour éliminer la constipation et vers le bas pour combattre la diarrhée. Effectuez ce massage avant d'aller à la selle ainsi qu'une fois le matin et une fois avant de vous mettre au lit. Le fait de manger du son, de boire de l'eau et de faire de l'exercice améliorera sensiblement votre condition.

GROS INTESTIN

Massage des points neuro-lymphatiques

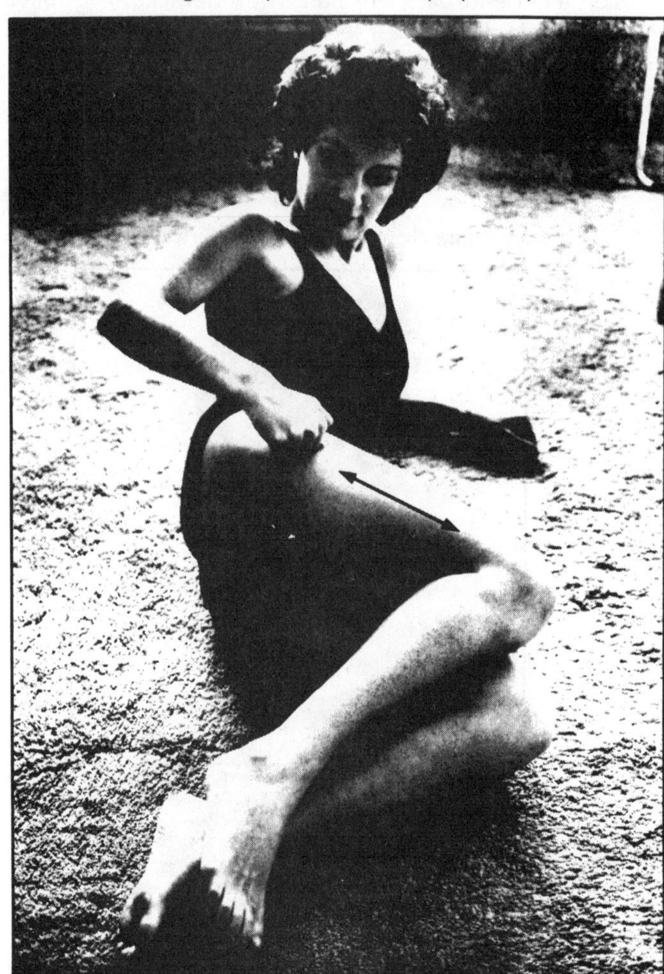

Masser les deux jambes

INSOMNIE

Pressez les points neuro-vasculaires situés sur le front. Sentez la pulsation et maintenez cette posture pendant cinq minutes ou davantage. Habituellement, en quelques minutes, vous commencerez à vous sentir suffisamment relaxé pour tomber endormi. Vous pouvez également reposer vos glandes surrénales en appuyant sur les points neuro-vasculaires situés sur la fontanelle postérieure. Lisez la page 155 pour en apprendre davantage sur le sujet.

ESTOMAC

Points neuro-vasculaires

Les points situés sur l'éminence frontale affectent le centre des émotions dans le cerveau

TRIPLE RÉCHAUFFEUR

Point neuro-vasculaire

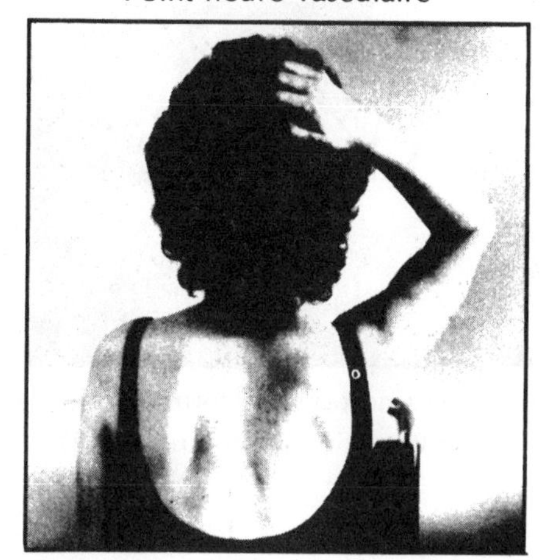

Ce point est situé sur la fontanelle postérieure

LES SINUS

Massez fermement la partie interne supérieure de l'os huméral. Une pression exercée sur la partie inférieure des orbites améliore également la condition des sinus. Une pression ferme sur les os maxillaires de chaque côté du nez procurera des bienfaits très appréciables. Les points du Gros Intestin n° 20 et du Poumon n° 11 seront très utiles à leur tour. Maintenez chaque pression de 7 à 10 secondes.

REIN

Massage des points neuro-lymphatiques

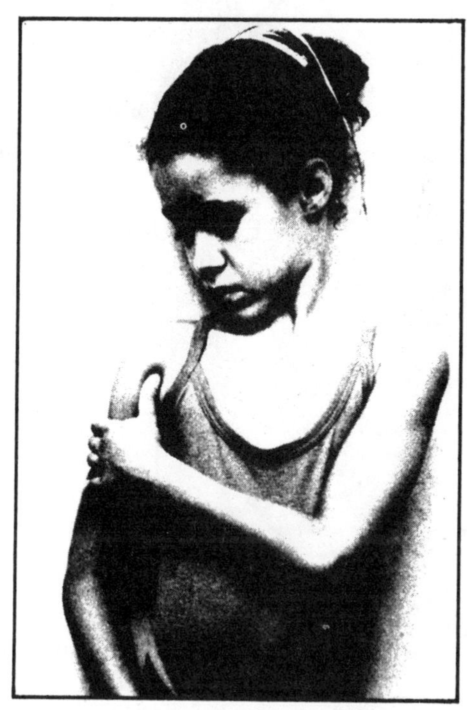

Masser les deux bras

POINTS DE PRESSION DES ORBITES INFÉRIEURES

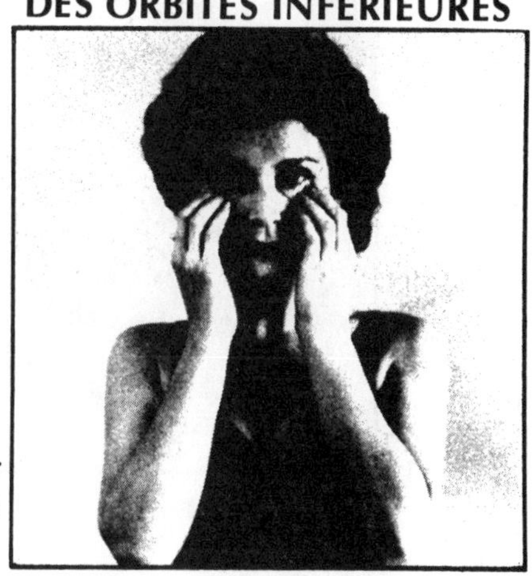

Appliquer une pression ferme

TENSION DU COU ET DES ÉPAULES

Les points d'acupuncture suivants peuvent être travaillés avec une pression très ferme du pouce pendant 7 à 10 secondes: Vésicule biliaire n° 20, Vésicule biliaire n° 21, Gros Intestin n° 16 et Intestin Grêle n° 11. Répétez la technique trois fois. Un massage complet du trapèze supérieur attaches et renflement contribuera également à soulager le cou et les épaules des tensions qui y sont accumulées.

GROS INTESTIN

Points de pression d'acupuncture

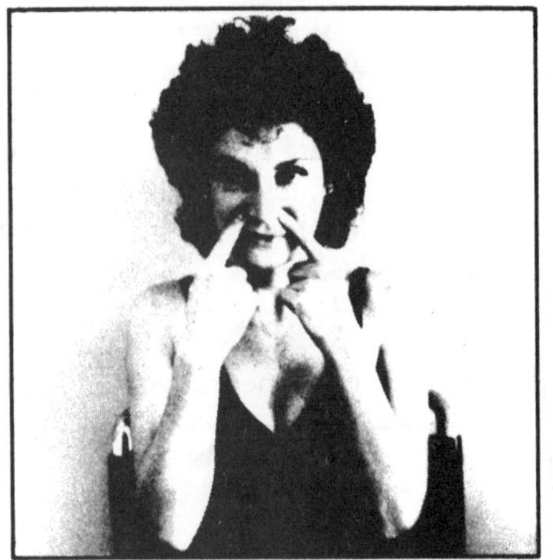

Appliquer une pression ferme sur le point du gros intestin numéro 20

GROS INTESTIN ET POUMON

Points de pression d'acupuncture

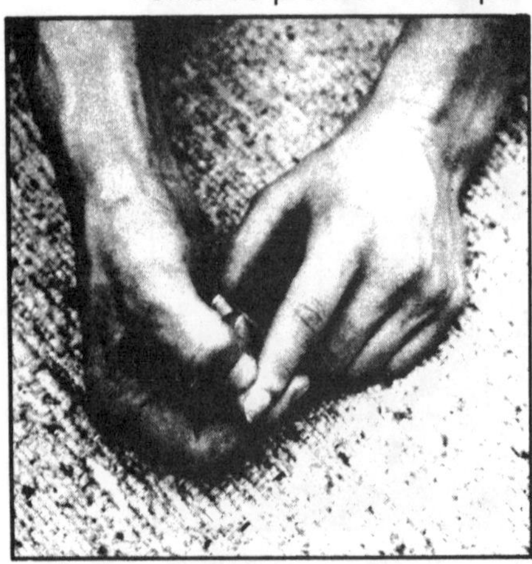

Appliquer une pression ferme sur le point du gros intestin numéro 1

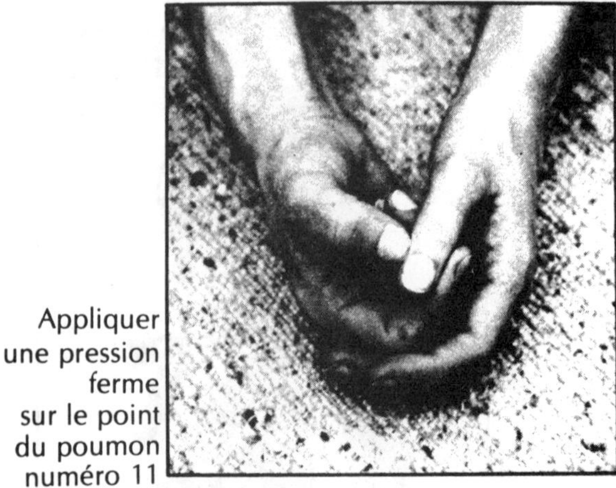

Appliquer une pression ferme sur le point du poumon numéro 11

VÉSICULE BILIAIRE

Points de pression d'acupuncture

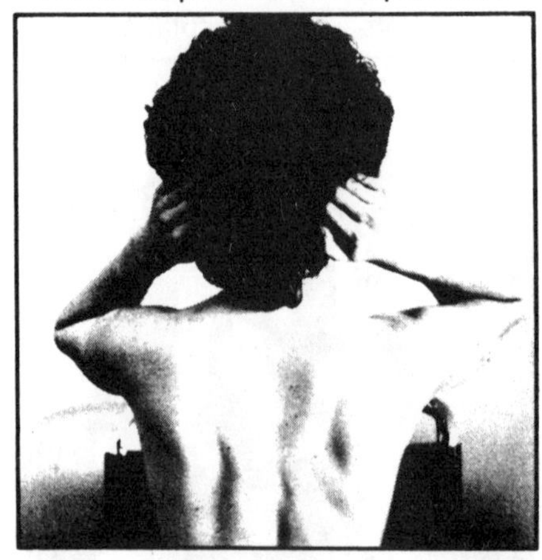

Appliquer une pression ferme sur le point de la vésicule biliaire numéro 20

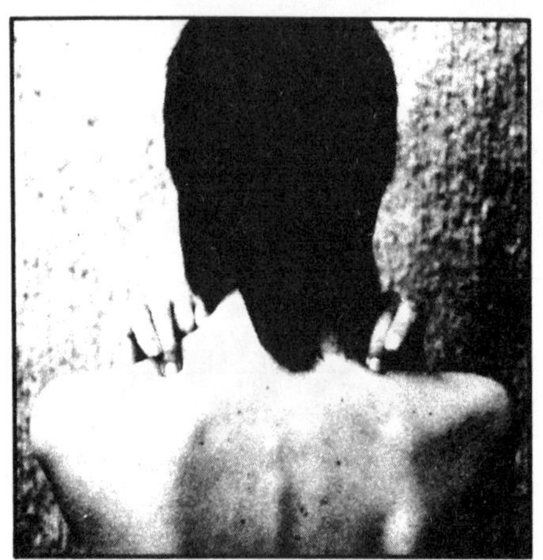

Appliquer une pression ferme sur le point de la vésicule biliaire numéro 21

GROS INTESTIN

Points de pression d'acupuncture

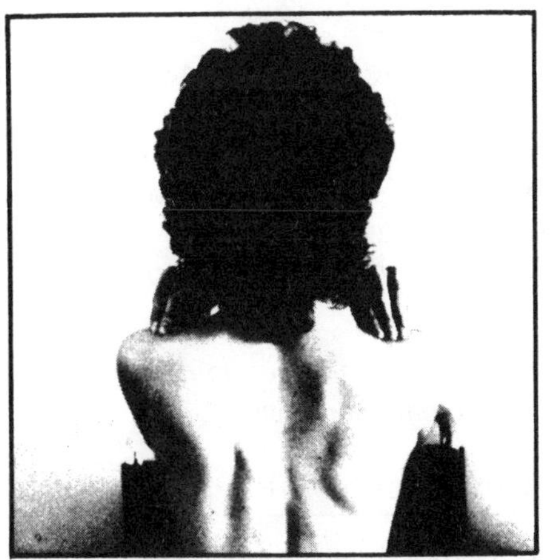

Appliquer une pression ferme sur le point du gros intestin numéro 16

INTESTIN GRÊLE

Points de pression d'acupuncture

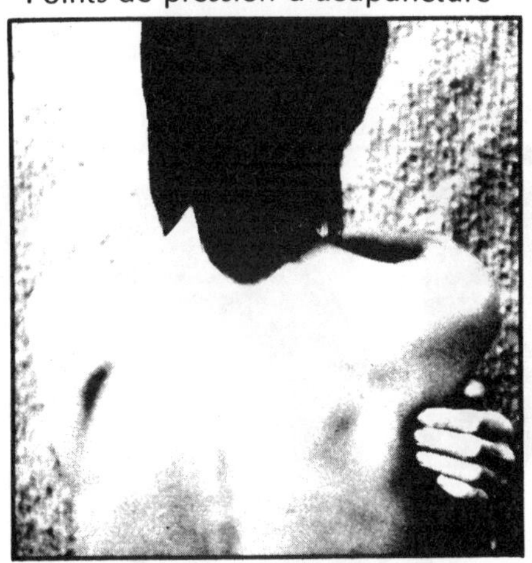

Appliquer une pression ferme sur le point de l'intestin grêle numéro 11

SITUATIONS ÉMOTIONNELLES DIFFICILES

Appuyez sur les éminences frontales jusqu'à dix minutes d'affilée. Souvent il suffit de deux ou trois minutes pour être soulagé. La fontanelle postérieure (l'espace membraneux situé sur la tête des bébés) correspond aux glandes surrénales, lesquelles ont toujours besoin d'être normalisées après un événement traumatisant. Maintenez ces points de 2 à 10 minutes selon la gravité de la situation. Vous saurez quand arrêter lorsque vous réaliserez soudainement que le problème qui vous obsédait quelques minutes plus tôt ne perturbe plus votre mental. Sentez la légère pulsation perceptible dans cette zone.

ESTOMAC

Points neuro-vasculaires

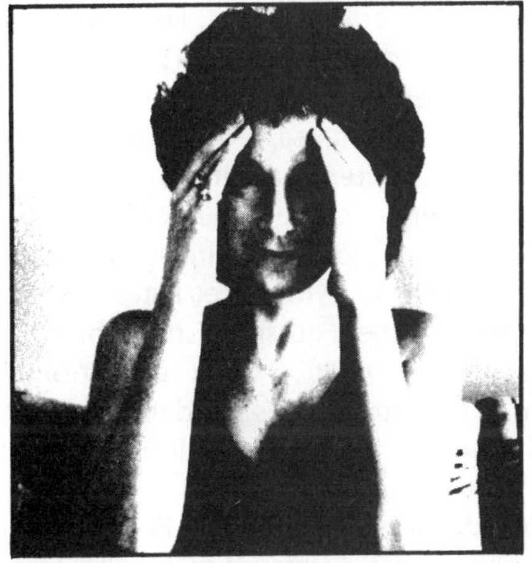

Tenir les protubérances situées sur le front (éminence frontale)

TRIPLE RÉCHAUFFEUR

Point neuro-vasculaire

Ce point est situé sur la fontanelle postérieure

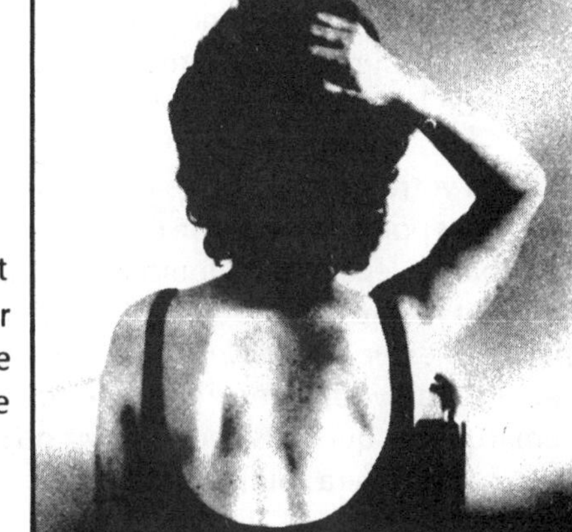

7) MOMENTS PRIVÉS DANS LES ENDROITS PUBLICS

La plupart des gens sont constamment aux prises avec des problèmes physiques tels que les maux de tête, la constipation ou les troubles digestifs, ou avec des maladies plus sérieuses telles que le glaucome, les ulcères ou le mauvais fonctionnement du foie ou des reins. Il existe des points de pression et des techniques qui, utilisés sur une base quotidienne, aideront à corriger ou à stabiliser plusieurs situations. Le fait de toucher aux points qui correspondent au problème encouragera les mécanismes de défense naturelle de votre corps à travailler plus efficacement et plus rapidement, vous permettant ainsi de récupérer en peu de temps. La plupart des problèmes de santé répondent bien si on fait preuve de patience et si on travaille les points concernés de quatre à six fois par jour. Ceci peut sembler très exigeant, mais ce n'est pas le cas. Lorsque vous pensez à tout le temps perdu chaque jour à prendre des pilules ou à vous inquiéter de votre santé, vous réalisez que dix à quinze minutes de massage ou de pression thérapeutique par jour ne représentent pas une trop grande dépense d'énergie. Ce sera bientôt une habitude pour vous d'utiliser ces points. Faites-vous un horaire qui convient à votre style de vie et faites en sorte que ces petites sessions soient aussi indispensables à votre santé que le sont l'alimentation ou la respiration. Ces points peuvent même être utilisés pendant que vous ne jouissez pas d'une bonne santé physique.

COMMENT UTILISER CES POINTS: Tenez, massez ou pressez les points reliés à votre état actuel au moins quatre à six fois par jour. Si vous le faites moins souvent, les résultats se feront sentir moins rapidement mais ils vous soulageront malgré tout de votre problème. Le secret consiste à travailler ces points de 1 à 3 minutes plusieurs fois par jour. Ces applications régulières permettront une circulation normale de l'énergie, du sang, de la lymphe et des éléments nutritifs au niveau de l'organe impliqué, permettant ainsi à votre organisme de lutter plus efficacement contre la maladie.

Si votre problème de santé est relié à l'un ou l'autre de ces points de pression ou de massage, celui-ci sera sensible ou légèrement douloureux. Massez ou pressez ce point même si cela vous fait souffrir. Vous ne risquez pas de blesser le muscle ou les tissus situés dans cette région, mais vous aiderez l'organe correspondant. Vous remarquerez que plus vous pressez ou massez ce point, moins il vous fera souffrir et plus votre santé s'améliora.

Chaque fois que l'on recommande l'utilisation des points neuro-vasculaires, maintenez-les de 1 à 3 minutes, quatre à six fois par jour. Les points de massage neuro-lymphatiques devraient être massés pendant 30 secondes de quatre à six fois par jour. Les points de pression d'acupuncture devraient être pressés pendant une minute.

Pour mieux connaître les points expliqués ci-après, consultez les tableaux des pages 154 et 155, 48, 40 et 41.

YEUX, OREILLES, NEZ ET DENTS

Tout problème relié à ces organes sera soulagé si l'on masse fréquemment la partie interne de l'os huméral situé dans la partie supérieure du bras. Massez très fermement la zone indiquée sur la photographie.

REIN

Massage des points neuro-lymphatiques

Masser fermement dans l'os

TROUBLES BILIAIRES (VÉSICULE)

Insérez votre majeur dans l'espace intercostal entre les cinquième et sixième côtes, lesquelles sont situées juste au-dessous du muscle pectoral du côté droit de la poitrine. Massez fermement la zone indiquée sur la photographie.

VÉSICULE BILIAIRE

Massage des points neuro-lymphatiques

Masser fermement

TROUBLES GÉNITAUX

Appliquez une pression ferme avec l'ongle du pouce ou le pouce lui-même à la base de l'ongle du majeur où se trouve un important point d'acupuncture. Exercez également une pression du pouce dans le creux du coude. N'appliquez jamais une pression trop forte au niveau d'une jointure et contentez-vous d'une pression qui procure une sensation agréable et rassurante.

MAÎTRE DU COEUR

Points de pression d'acupuncture

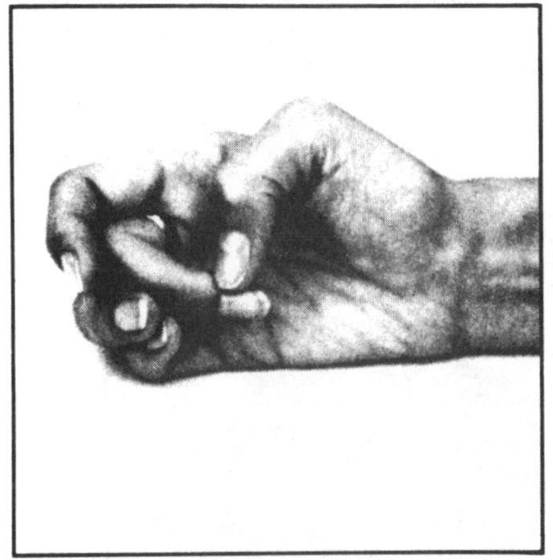

Points Maître du coeur numéro 9

MAÎTRE DU COEUR

Points de pression d'acupuncture

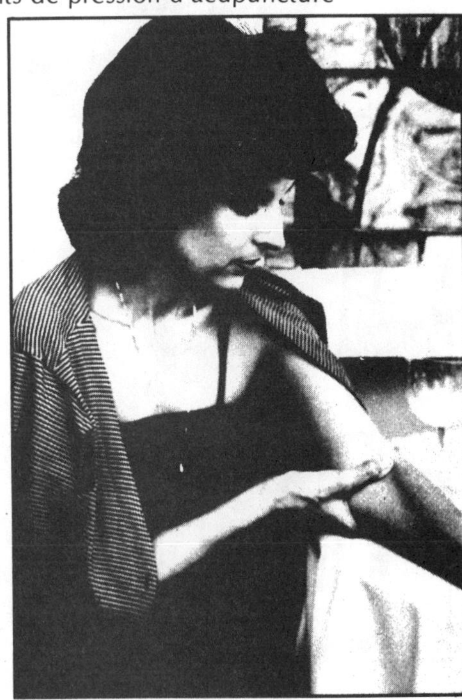

Point Maître du coeur numéro 3

DÉSÉQUILIBRE SURRÉNAL

Le point neuro-vasculaire relié aux glandes surrénales est situé derrière la tête à l'endroit de la fontanelle. Cette région aidera à normaliser les problèmes des glandes surrénales. Quant aux points lymphatiques attachés à ces mêmes glandes, ils sont situés 2.5 cm de chaque côté et environ 6 cm au-dessus du nombril. Utilisez le majeur et repliez les autres doigts pour masser ces points profondément. Il est plus facile de ne masser qu'un seul côté à la fois lorsque l'on se trouve dans un lieu public. Ne pas appliquer cette technique avant de se mettre au lit car cette stimulation vous gardera alerte et bien éveillé. Ces points sont utiles pour mieux étudier, rester attentif pendant les concerts, conduire sa voiture pendant plusieurs heures et retrouver un regain d'énergie au bureau.

TRIPLE RÉCHAUFFEUR

Point neuro-vasculaire

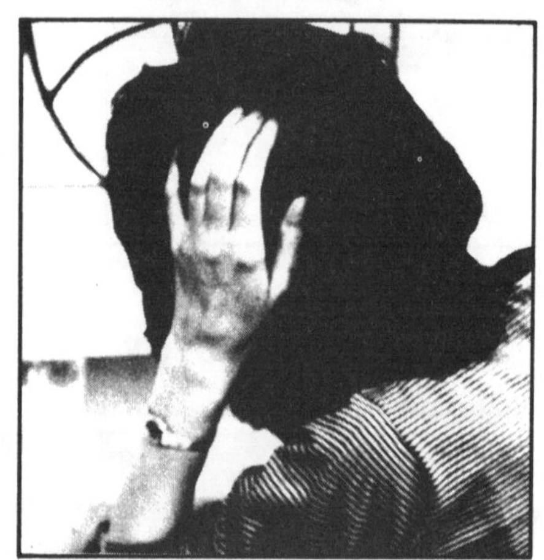

Tenir légèrement et sentir le pouls

Massage des points neuro-lymphatiques

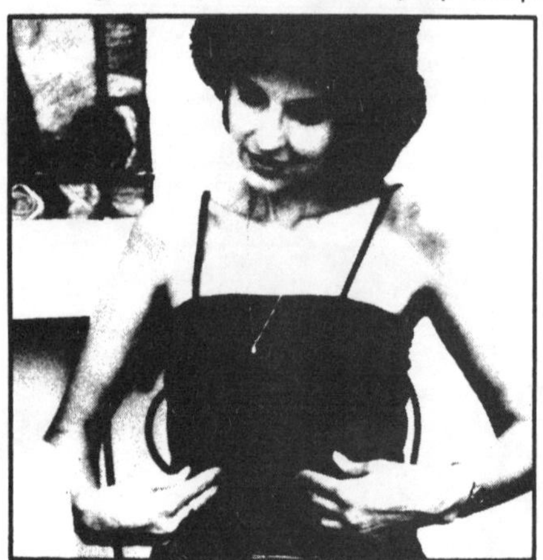

Masser fermement

TROUBLES URINAIRES

Les problèmes de vessie provoqués par la nervosité sont soulagés grâce aux points neuro-vasculaires situés sur les éminences frontales. Les autres troubles urinaires répondent favorablement aux points situés entre les yeux aussi bien qu'aux points mentionnés ci-haut.

ESTOMAC

Points neuro-vasculaires

Tenir légèrement et sentir le pouls

VESSIE

Points neuro-vasculaires

Tenir légèrement et sentir le pouls

TROUBLES INTESTINAUX (INTESTIN GRÊLE)

Le massage des points lymphatiques situés à l'intérieur de la cuisse inférieure soulage les problèmes reliés aux voies intestinales et aux douleurs lombaires. Utilisez vos doigts ou votre coude pour exercer un massage profond de la zone indiquée sur la photographie.

INTESTIN GRÊLE

Massage des points neuro-lymphatiques

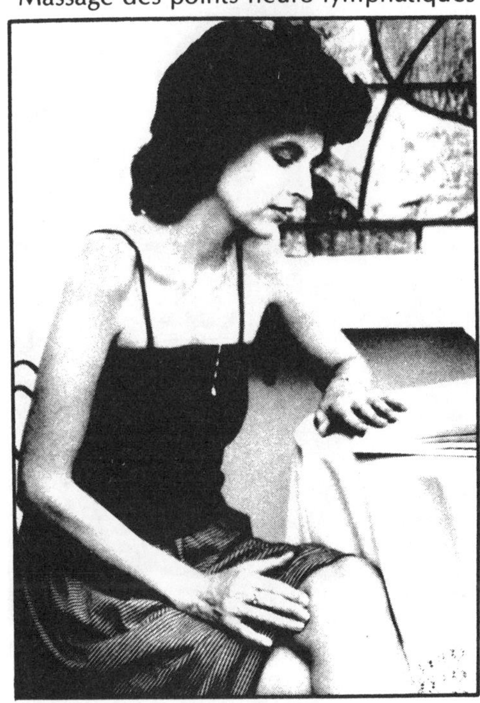

INTESTIN GRÊLE

Massage des points neuro-lymphatiques

Masser fermement dans l'os

TROUBLES DIGESTIFS

Les points neuro-vasculaires situés sur les éminences frontales aident à guérir les problèmes stomacaux, particulièrement ceux de type nerveux. Les points numéro 36 situés sur la jambe au-dessous du genou sont aussi utiles. On peut les toucher plus discrètement que les éminences frontales lorsque l'on est en public. Ces derniers peuvent être massés facilement lorsque l'on est en train de lire à son bureau.

ESTOMAC

Points neuro-vasculaires

Tenir légèrement et sentir le pouls

ESTOMAC

Points de pression d'acupuncture

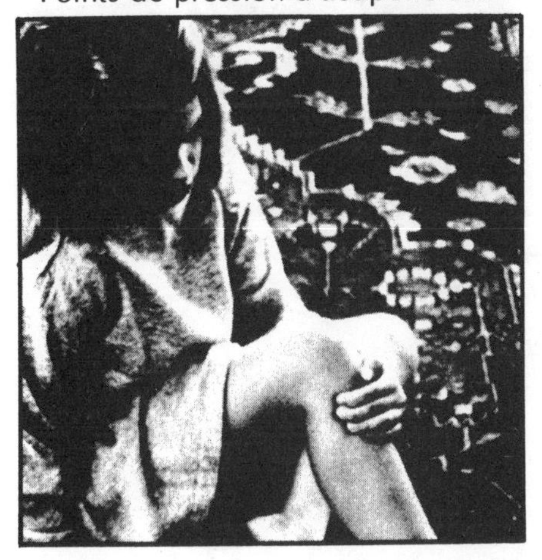

Appliquer une pression ferme sur le point de l'estomac numéro 36

LA FONCTION THYROÏDIENNE

Placez les trois doigts du milieu sur les points neuro-vasculaires de la thyroïde en n'utilisant qu'une seule main à la fois. Ces points peuvent être touchés discrètement si vous êtes dans une position assise ou debout. La glande thyroïde régularise le métabolisme du corps. Les processus du métabolisme doivent fonctionner normalement afin de permettre aux autres systèmes de travailler efficacement et utilement. Maintenez ces points assez légèrement pour percevoir une petite pulsation au bout de vos doigts. N'appliquez pas de pression sur ces points, ne faites que les maintenir.

TRIPLE RÉCHAUFFEUR

Points neuro-vasculaires

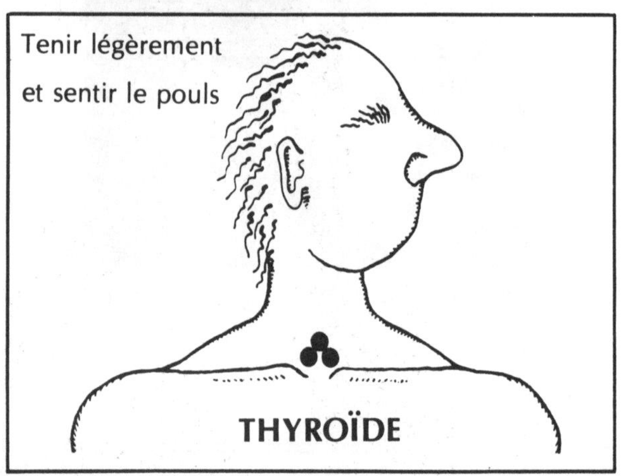

TROUBLES PANCRÉATIQUES

Les points neuro-vasculaires du pancréas sont particulièrement favorables aux personnes qui souffrent de problèmes de métabolisme du sucre. Les points du foie devraient être travaillés conjointement avec les points reliés au pancréas.

RATE

Points neuro-vasculaires

Tenir les points du pancréas légèrement et sentir le pouls

FOIE

Points neuro-vasculaires

Tenir légèrement et sentir le pouls à la racine des cheveux

TROUBLES PULMONAIRES

Utilisez l'ongle du pouce pour exercer une pression ferme sur les points d'acupuncture terminaux du méridien des poumons. Une pression très ferme peut également être bénéfique. Faire les deux côtés si on ne sait pas lequel des poumons est atteint. Une pression ferme exercée sur le gras du pouce peut également améliorer la circulation de l'énergie au niveau pulmonaire.

POUMON

Points de pression d'acupuncture

Appliquer une pression ferme sur le point du poumon numéro 11

POUMON

Points de pression d'acupuncture

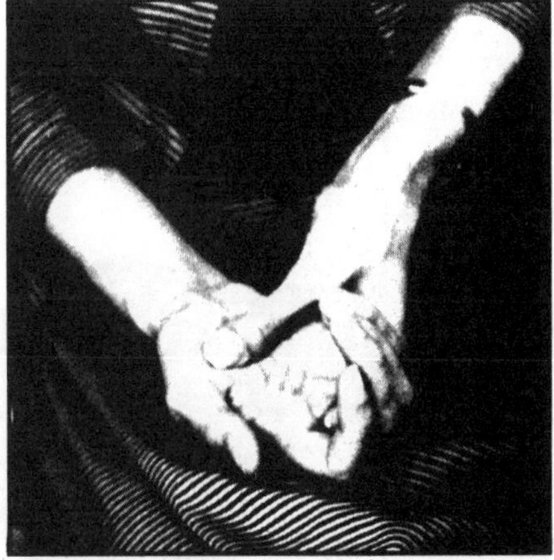

Appliquer une pression ferme sur le point du poumon numéro 10

POINTS DU FOIE

Le point Rate-Pancréas n° 6 situé sur le côté inférieur interne du tibia peut soulager les troubles hépatiques. Ces points peuvent également être touchés très discrètement en public. Exercez une pression ferme.

RATE

Points de pression d'acupuncture

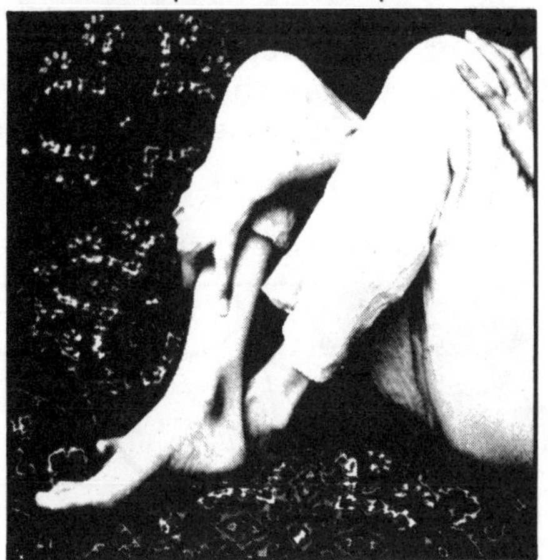

Appliquer une pression ferme sur le point de la rate numéro 6

POINTS DES REINS

Le point Rate-Pancréas n° 6 est également bénéfique pour les reins. Le point Rein n° 27 est un autre point utile et facilement accessible. Utilisez ces points régulièrement pour aider le fonctionnement des reins. N'oubliez pas de boire beaucoup d'eau. Exercez une ferme pression sur le point Rate-Pancréas n° 6 et le point Rein n° 27.

REIN

Massage des points neuro-lymphatiques

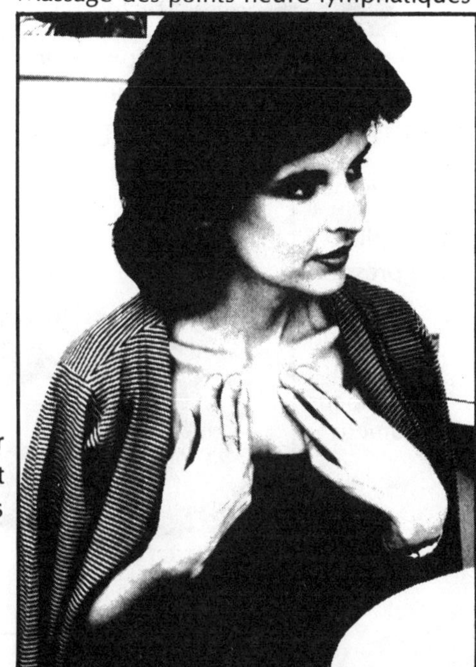

Masser fermement dans l'os

TROUBLES CARDIAQUES ET CIRCULATOIRES

En exerçant une pression ferme, tordez et étirez la base des ongles où se trouvent les terminaisons des points d'acupuncture du coeur et du maître du coeur. Servez-vous de l'ongle du pouce pour faire une pression forte à la base de chaque ongle. Vous saurez reconnaître si vous êtes au bon endroit lorsque vous sentirez une légère tension. Tolérez ce petit malaise pendant quelques minutes par jour et vous éviterez peut-être ainsi des années de problèmes. Il s'agit d'une forme primitive d'acupuncture. Cette technique est très efficace.

COEUR

Points de pression d'acupuncture

Appliquer une pression ferme sur le point du coeur numéro 9

MAÎTRE DU COEUR

Points de pression d'acupuncture

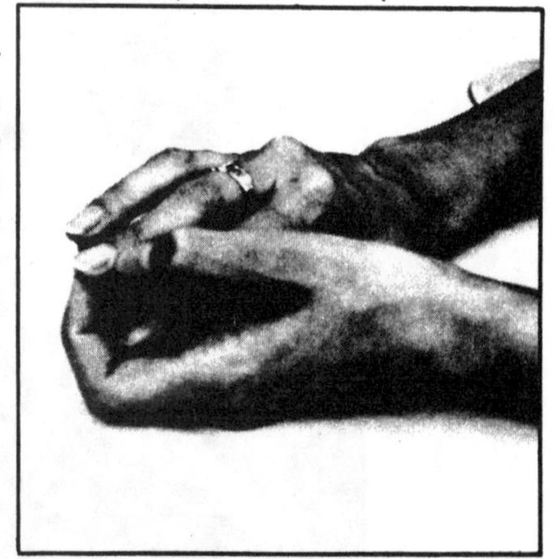

Appliquer une pression ferme sur le point du maître du coeur numéro 9

POINT DE LA RATE POUR LES INFECTIONS

Le point neuro-vasculaire de la rate est utile pour les grippes, les rhumes ou toute autre infection. Ce point aide le système d'immunisation à mieux combattre. Il est situé environ 1 cm au-dessus de la fontanelle.

RATE

Points neuro-vasculaire

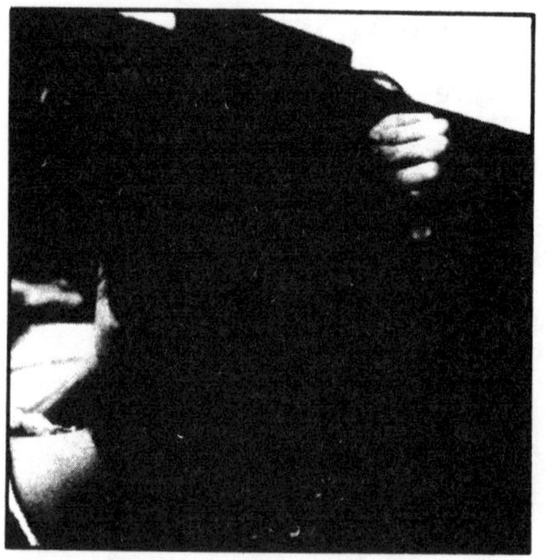

Tenir légèrement et sentir le pouls

CONSTIPATION

Appliquez une pression ferme et pénétrante dans l'os métacarpien de l'index juste au-dessous du «V» où le métacarpe du pouce rencontre celui de l'index. Ce point devrait être utilisé pour faciliter l'élimination. Vous vous aiderez également en plaçant vos pieds sur un tabouret qui a environ 8 cm de moins que le siège de toilette. Cette position facilite les mouvements intestinaux. Les sièges de toilette sont peut-être confortables pour s'asseoir mais il ne sont pas pratiques car ils nous empêchent d'adopter la position accroupie qui est plus normale au moment de l'élimination.

GROS INTESTIN

Points de pression d'acupuncture

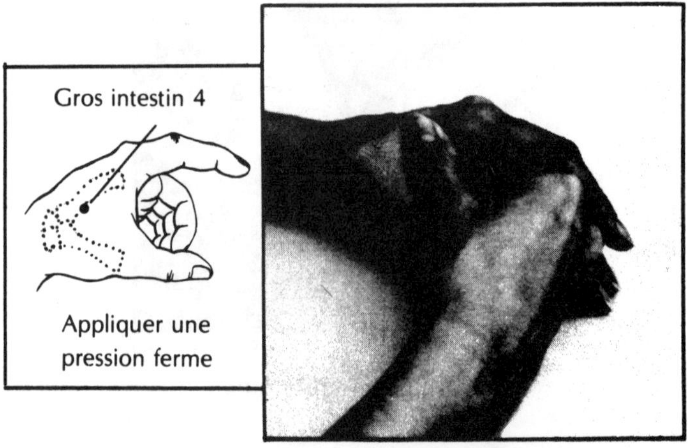

Appliquer une pression ferme

CHAPITRE VI

Facteurs qui accroissent les bénéfices du massage

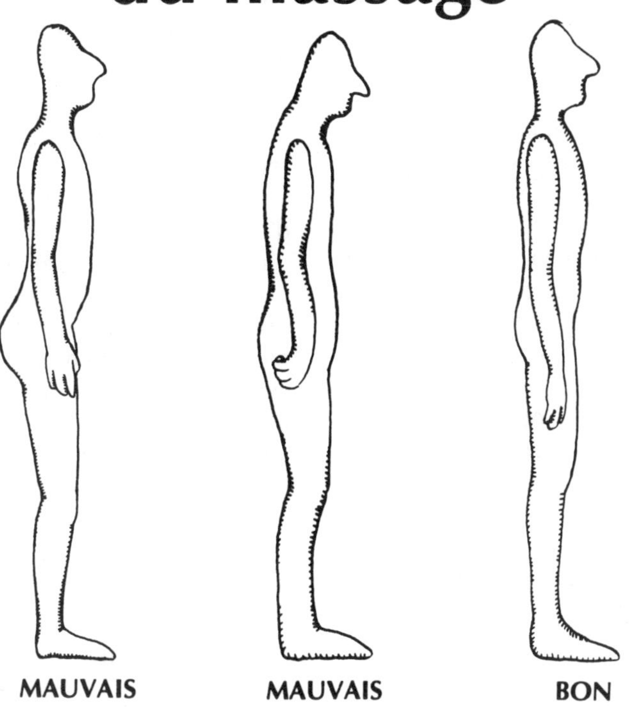

INTRODUCTION

Afin de pouvoir profiter pleinement et avantageusement de vos sessions régulières de massage, vous devrez marier la magie de cette technique à un programme complet de santé. Les sept sections du présent chapitre vous feront mieux connaître quelques-unes des façons idéales de bien compléter la thérapie du massage.

Si vous n'utilisez que le massage, vous éprouverez évidemment une amélioration notable de votre santé physique et émotionnelle et même vos problèmes aigus et chroniques pourront être soulagés. Mais seule une synthèse incluant une diète équilibrée, des suppléments alimentaires, une posture correcte, des exercices réguliers, des séances de méditation, des interventions homéopathiques, des massages et différentes techniques visant à accroître la santé générale pourront vous permettre d'atteindre votre but et de maintenir votre bonne forme à long terme. J'espère que les renseignements offerts dans ce chapitre stimuleront votre intérêt et vous dirigeront dans vos recherches à travers l'éclectisme du massage.

1) La posture

Votre posture indique comment vous vous sentez avec vous-même et par rapport aux autres. Si votre approche de la vie est positive et confiante, votre posture sera droite. Une posture affaissée, au contraire, témoigne d'une attitude négative et défaitiste. Votre façon de vous comporter avec vous-même et les autres détermine également à quel point votre posture a tendance à être influencée par la constante gravité terrestre. La gravité est à la fois votre amie et votre ennemie. Sans elle la vie serait impossible sur notre planète, mais elle peut aussi nous soumettre à une attraction continue vers le bas, laquelle peut facilement nous dominer en nous faisant adopter une posture très mauvaise. Comme si cela n'était pas suffisant, l'on doit aussi se défendre contre les déviations causées par d'autres circonstances hors de notre contrôle telles que les accidents, la pollution, le bruit et tous les stress de la vie moderne animée par une technologie indifférente. Il est toutefois facile de comprendre qu'avoir une posture parfaite n'est pas aussi simple qu'on pourrait le croire. Si l'on considère aussi que l'on ne nous a pas appris comment il fallait marcher, s'asseoir, se lever, s'étirer ou se pencher, on peut s'étonner d'être aussi bien dans sa peau que nous le sommes présentement. Imaginez ce qu'un petit entraînement visant à corriger certaines erreurs de posture pourrait faire pour vous!

Maintenant que nous connaissons quels sont les facteurs qui risquent de nuire à notre posture, la question logique qu'il faut se poser est la suivante: «Comment pouvons-nous corriger les déficiences décelées?» Il existe une méthode appelée la Technique Alexander qui offre une solution efficace à ce problème. Cette technique a évolué pendant une période de dix ans au cours de laquelle son initiateur, F. Matthias Alexander, n'a jamais cessé de la perfectionner. Depuis la fin du dix-neuvième siècle, des personnes de toutes les couches de la société ont pu profiter de ses découvertes. Parmi les personnalités qui ont fait son éloge et qui ont utilisé ses méthodes figurent Sir Charles Sherrington, John Dewey, Lilly Langtry, le professeur Nikolaas Tinbergen, Aldous Huxley, le frère de Gertrude Stein, Leo, et George Bernard Shaw. La Technique Alexander est très populaire auprès des danseurs, des chanteurs, des comédiens et des musiciens car une posture convenable est extrêmement importante pour ces personnes qui veulent être les meilleures dans leur domaine. Pour cette même raison, les scientifiques, les médecins et plusieurs autres professionnels ont utilisé la Technique Alexander. Pourquoi chacun d'entre nous ne mettrait-il pas toutes les chances de son côté lorsqu'il en a la possibilité?

Une posture correcte est une condition sine qua non pour jouir d'une santé parfaite. Si votre cou présente des subluxations, si votre dos est courbé ou si votre région lombaire est trop arquée, comment le sang, les éléments nutritifs et l'énergie peuvent-ils irriguer normalement vos organes internes et vos muscles? Une posture déformée pèse lourd sur nos organes internes, spécialement sur nos poumons, et elle nuit également au bon fonctionnement des systèmes digestif et circulatoire. Plusieurs problèmes, dont les maux de tête, la fatigue des yeux, la perte des cheveux, les troubles digestifs, la tension dans les épaules et le cou, les douleurs lombaires et la fatigue mentale sont étroitement reliés à une mauvaise posture. Plusieurs autres maux sont également guéris si l'on corrige sa posture. Consultez un professeur qui enseigne la Technique Alexander et commencez vos cours. Vous serez surpris de voir que rapidement plusieurs de vos malaises physiques et émotifs disparaîtront ou diminueront après quelques leçons. Demandez à votre professeur de vous apprendre à corriger votre posture et vos mouvements grâce à cette technique. Celui-ci vous fera d'abord prendre conscience de vos mauvaises habitudes et il vous enseignera ensuite comment adopter une nouvelle posture plus harmonieuse.

Si vous avez la ferme intention de vous sentir mieux dans votre corps et dans votre tête, je vous recommande fortement de commencer dès maintenant à vous familiariser avec la Technique Alexander afin d'éliminer vos déviations posturales. Le massage peut et réussit à améliorer la posture ainsi que la circulation du sang, des éléments nutritifs et de l'énergie au niveau des organes internes et des muscles. Ce changement favorable est souvent temporaire toutefois car la plupart des gens ne sont pas rééduqués suffisamment et ils ne modifient pas consciemment leurs mauvaises habitudes. Idéalement, la thérapie par le massage devrait être ajoutée à une rééducation posturale complète. Ne vous méprenez pas. Le massage est toujours utile, mais il aura des effets plus durables et plus profonds sur votre organisme si votre posture est parfaite.

Essayer d'améliorer sa santé sans corriger ses problèmes posturaux est comme tenter de construire une maison sur un sol trop meuble et autour d'une charpente délabrée. Une telle maison ne résisterait pas longtemps aux intempéries et aux autres influences extérieures. Comment pouvez-vous alors vous attendre à ce que votre corps combatte favorablement la tension et la maladie si votre posture est aussi mauvaise qu'une fondation déficiente?

2) Les exercices

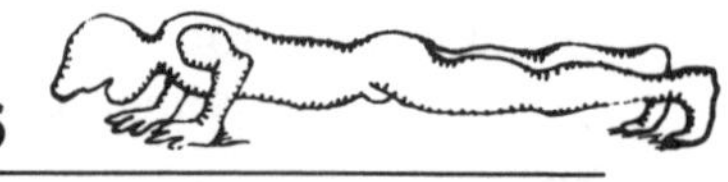

Les exercices vigoureux sont merveilleux pour perdre du poids, raffermir les tissus flasques, améliorer la circulation, nettoyer le système lymphatique et favoriser la santé générale. Malheureusement, plusieurs d'entre nous sont en si mauvaise forme physique qu'il est souvent désastreux pour eux d'entreprendre un programme d'exercices rigoureux. Trop de gens ressortent de cette expérience avec plus de maux et de douleurs qu'avant d'entreprendre ce programme d'entraînement avec enthousiasme. Il est évident qu'on ne peut que contribuer à aggraver son mal si l'on adopte un programme d'exercices sérieux sans prendre soin de corriger sa posture. Si vos épaules sont courbées, si votre dos est arrondi et si votre région lombaire est arquée, vous n'utilisez plus les muscles de votre corps à bon escient. Un corps qui ne jouit pas d'un alignement normal ne peut tolérer les efforts que les exercices vigoureux exigent des systèmes squelettique et musculaire. Le fait de vouloir en faire trop en peu de temps et de choisir les mauvais exercices sont deux des raisons pour lesquelles un programme d'entraînement est parfois plus dangereux que bénéfique. Ainsi, avant de vous impliquer dans un tel programme, prenez d'abord des cours pour maîtriser la technique Alexander. Choisissez ensuite le genre d'exercices convenant le mieux à votre corps et à votre style de vie.

Si vous croyez que votre posture est plutôt bonne, comme ce fut mon cas, vous serez étonné de voir à quel point ces leçons peuvent vous enseigner des ajustements et des changements posturaux nécessaires à votre corps et à votre santé. Pendant et après vos cours, vous éprouverez une nouvelle liberté de mouvements, une grâce naturelle ainsi qu'une amélioration remarquable de votre équilibre émotionnel.

Avant de vous suggérer quelques-uns de mes exercices préférés, permettez-moi de vous glisser quelques mots au sujet du jogging, le sport favori des gens de notre pays. Le jogging peut tonifier merveilleusement notre corps, renforcer nos muscles et améliorer notre système vasculaire. Il peut aussi causer beaucoup de tort. Plusieurs adeptes de ce sport ne sont pas faits pour le pratiquer. Si votre corps est souple et votre posture presque parfaite, allez-y, mais si ce n'est pas le cas vous devriez arrêter de courir dans l'espoir d'acquérir ou de maintenir une bonne santé. Les personnes ossues ou trop minces de même que les autres qui ont une mauvaise posture, un surplus de poids ou une poitrine trop lourde ne devraient pas jogger. À chaque pas qu'elles font, elles nuisent à toute leur colonne vertébrale et à leurs jambes. De plus, leurs organes internes sont affectés négativement par ces mouvements brusques. La profession médicale fait des millions de dollars chaque année grâce aux blessures que les adeptes de ce sport s'infligent eux-mêmes, sans parler des accidents impliquant des véhicules en mouvement. Voilà pourquoi il est important d'y penser deux fois avant de s'adonner à un tel genre d'exercice. Il est également ridicule de courir en pleine circulation et d'absorber ces inhalations d'oxyde de carbone. À moins de courir sur un chemin de terre ou sur le gazon dans un parc ou à la campagne, oubliez cette idée. Il sera probablement mieux pour vous de ne pas courir du tout.

Plutôt que de faire du jogging, apprenez à sauter sur une petite trempoline. Placez votre appareil d'exercice près d'une fenêtre ouverte ou à l'extérieur de votre maison. Vous pouvez maintenant courir, sauter et rebondir comme le coeur vous en dit sans souffrir des effets négatifs du jogging. Il est facile de rebondir et cet exercice fait travailler chaque muscle en plus de renforcer chaque cellule du corps. Plus important encore, cet exercice est amusant et il suffit de deux séances quotidiennes de dix minutes pour obtenir les résultats escomptés. Le fait d'utiliser la trempoline pendant plus de dix minutes consécutives ne procure pas plus d'avantages sur le plan physique. Utilisez votre trempoline le matin pour faciliter le bon fonctionnement de votre circulation et de vos glandes surrénales. Faites-le avant de manger afin de freiner votre appétit. Faites-le en regardant la télévision. Faites-le si vous vous sentez fatigué. Sautez à n'importe quel moment. En moins de trois jours vous deviendrez un mordu de ce sport et vous adorerez vous y adonner régulièrement. Ce genre d'exercice est sécuritaire. Il est économique car le seul achat requis est celui de la trempoline. En plus de ne pas exiger trop de temps, il renforce et tonifie tout le corps sans oublier qu'il s'agit d'un sport très amusant.

Il existe plusieurs façons de faire de l'exercice, mais je vous recommanderai uniquement celles qui développent harmonieusement les deux côtés du corps simultanément. Ceci élimine immédiatement le tennis, la balle-molle, le squash, le baseball et les autres sports semblables qui ne requièrent l'utilisation que d'une partie du corps. Ils favorisent une tension non naturelle et fatiguent les systèmes squelettique et musculaire. Adonnez-vous plutôt à des exercices tels que le jogging sur un chemin de terre ou dans un parc, la marche très rapide exigeant des mouvements libres des bras, la trempoline, le hatha-yoga, le Tai Chi Chuan, le patin à roulettes, la natation, le culturisme ou le ski de fond.

Le hatha-yoga et le Tai Chi Chuan sont excellents pour tonifier et étirer les muscles, améliorer le sens de l'équilibre et favoriser la relaxation, mais il n'y a rien de mieux que les exercices qui exigent un effort du système vasculaire. Toutefois, si vous pratiquez le hatha-yoga ou le Tai Chi Chuan quotidiennement, vous obtiendrez des résultats équivalant à n'importe quelle pratique régulière de la trempoline ou d'autres exercices du même genre.

L'exercice est nécessaire même s'il est difficile pour la plupart d'entre nous d'en faire tous les jours. Si vous n'avez pas encore trouvé la forme d'exercice convenant le mieux à votre corps, pensez à la trempoline. Peu importe votre choix, avant de vous entraîner sérieusement, n'oubliez pas d'apprendre, si possible, la technique Alexander pour corriger vos déficiences posturales. Le coût demandé pour ces cours vous sauvera plusieurs dépenses inutiles en frais médicaux ou en médicaments par la suite.

Le massage, cette forme passive d'exercice, agit tout aussi efficacement sur notre système que les exercices plus actifs. Les résultats obtenus par le massage ne sont pas aussi profonds que ceux récoltés après un entraînement rigoureux, mais ils améliorent remarquablement la circulation du sang et de la lymphe ainsi que le tonus musculaire. Le massage peut même faire travailler et libérer les jointures du corps grâce aux techniques de mécanothérapie. La mécanothérapie peut être passive, dans lequel cas le thérapeute fait lui-même la manipulation des jointures. Elle est active lorsque le receveur exerce volontairement son corps à certains mouvements. La mécanothérapie de résistance, quant à elle, exige du thérapeute ou du receveur qu'il résiste aux mouvements donnés. À moins que la personne soit extrêmement malade ou handicapée, le massage ne peut pas remplacer l'exercice dans notre vie. Il peut toutefois contribuer à augmenter les bienfaits que procure un sain programme d'entraînement physique. Les exercices abaissent les niveaux de tension et améliorent généralement les fonctions organiques, permettant ainsi au spécialiste du massage de se consacrer aux problèmes dont l'origine est plus profonde.

3) L'alimentation

Une jeune femme de vingt-quatre ans est venue me voir pour un massage un jour en se plaignant de fatigue extrême, de dépression, de manque de concentration, de vision affaiblie, de digestion difficile, d'insomnie, de perte d'équilibre et de manque d'intérêt pour la vie en général, qu'il s'agisse de son travail ou de sa vie privée. J'ai immédiatement soupçonné qu'elle avait besoin plus que d'un simple massage et je me suis empressée de lui demander de me décrire sa diète alimentaire quotidienne. Elle m'a raconté qu'elle prenait deux tasses de café sucré et une pâtisserie pour le petit déjeuner; un cola et un sandwich de rôti de boeuf à la mayonnaise, sans laitue, à midi; des biscuits et un verre de lait pour le souper, parce qu'elle était trop fatiguée pour cuisiner. Voilà en quoi consistait son alimentation. Aucun fruit, aucun légume, aucune céréale de grains entiers et beaucoup de sucre. Je lui ai expliqué que le massage ne serait d'aucune utilité dans son cas à moins qu'elle n'accepte d'améliorer son régime alimentaire.

Vous êtes ce que vous mangez, ou ce que vous ne mangez pas, et cette jeune femme était un parfait exemple prouvant la véracité du vieil adage. Votre diète agit directement sur les systèmes squelettique, musculaire, nerveux, circulatoire, respiratoire, digestif, pigmentaire, urinaire et endocrinien. Si votre corps ne reçoit pas tous les éléments nutritifs dont il a besoin pour survivre, vous commencerez à éprouver plusieurs sortes de malaises: d'abord la fatigue, puis les maux de tête et les douleurs, puis la dépression et, finalement, la maladie. Cette jeune femme a heureusement suivi une diète qui l'a régénérée. Ce régime mettait en valeur les fruits, les légumes, les grains entiers et les protéines de qualité, lui permettant ainsi de retrouver sa santé avant de sombrer définitivement dans la maladie. Plusieurs personnes qui n'ont pas cette chance ne rencontreront jamais la personne ou le conseiller qui leur apprendra enfin à retrouver le droit chemin.

Un nombre croissant de médecins, de professionnels et de thérapeutes approuvent le dicton voulant que nous sommes ce que nous mangeons ou ce que nous ne mangeons pas au fur et à mesure qu'ils prennent connaissance des dernières découvertes scientifiques en matière d'alimentation. Malheureusement plusieurs autres, médecins, scientifiques et professionnels, refusent cette évidence. Pourquoi est-il si difficile à un mental intelligent et instruit d'accepter la réalité? Pourtant peu de gens oseraient remplir le réservoir de leur voiture avec une essence de qualité inférieure en s'imaginant que celle-ci roulera aussi bien qu'avec une essence de qualité. Comment votre corps peut-il fonctionner normalement s'il est nourri avec des aliments aussi pauvres que les sodas, le café, les friandises et les différents produits raffinés? Pourquoi les gens ne font-ils pas le lien qui s'impose?

Le véritable problème est d'accepter le changement. L'être humain semble éprouver une difficulté fondamentale à transformer ses habitudes. Il résiste le plus longtemps possible. Au fil de l'histoire de l'humanité, plusieurs médecins et scientifiques réputés ont révolutionné le monde avec des idées sensationnelles, mais celles-ci ont souvent été accueillies ou dénoncées comme étant des vues hérétiques ou fanatiques. Linus Pauling en est un parfait exemple. Il a combattu le système en essayant de convaincre la communauté médicale des vertus de la vitamine C. Il a finalement remporté le prix Nobel pour son travail pour ensuite réaliser que ses découvertes étaient acceptées sur papier seulement. Espérons que le temps viendra où l'on cessera de combattre les évidences. L'alimentation affecte notre corps et notre mental.

En plus de la résistance au changement, il existe d'autres raisons pour lesquelles les êtres humains refusent d'établir un lien entre l'alimentation et la santé. Les campagnes publicitaires, financées par les grosses industries, ainsi que les habitudes personnelles et culturelles, empêchent la population de se rendre à l'évidence. Ces industries et ces compagnies réussissent à laver le cerveau du public en lui faisant croire que les aliments traités et raffinés sont de qualité équivalente ou supérieure à celle des aliments naturels. Le conditionnement culturel et les habitudes personnelles, ajoutés au succès remporté par ces vastes campagnes publicitaires organisées par les manufacturiers et les producteurs, retardent les changements nécessaires qui doivent transformer positivement l'alimentation de la population.

Comment les aliments raffinés, traités et colorés arrivent-ils sur le marché? Je crois tout d'abord que les fermiers, les éleveurs, les aviculteurs et les producteurs ont de bonnes intentions au départ. La plupart d'entre eux souhaitent que les aliments les plus frais possible soient offerts au public. Mais ils acceptent toutefois d'utiliser des agents de conservation, de raffinement et de fertilisation car ceux-ci leur permettent d'augmenter leur profit. Lorsque ces changements et ces soi-disant améliorations ont commencé à se manifester, peu de gens ont réalisé à quel point ces produits chimiques et ces procédés de raffinement pouvaient être dangereux. Les premiers tests de laboratoire, s'il y en a eu, ont été effectués à court terme seulement. À cette époque, la croissance des dangers reliés à ces produits chimiques et à ces techniques de raffinement était relativement peu connue, pas seulement du public en général, mais également des producteurs directement impliqués dans la préparation des aliments. Plusieurs personnes sont ensuite devenues plus vigilantes mais il était trop tard pour reculer. Trop d'argent avait été investi dans ces idées nouvelles pour risquer d'arrêter le courant et de perdre sa fortune. La plupart des fournisseurs ont choisi de continuer leur production sans se préoccuper des résultats, ou peut-être sont-ils aveugles au point de croire que tout finira par s'arranger un jour.

Les aliments raffinés, traités, colorés et fertilisés artificiellement sont relativement nouveaux dans notre alimentation, mais ils ont été acceptés par la plupart des consommateurs à cause des énormes campagnes de publicité. Ces aliments ont commencé à apparaître sur le marché au début du vingtième siècle. Avant cette époque, la plupart de nos ancêtres se nourrissaient de grains entiers et d'aliments non modifiés qui avaient été fertilisés de façon organique.

Pourquoi préférer un aliment qui a été transformé à un autre plus naturel et plus acceptable? Le fait de raffiner les céréales de grains entiers en les débarrassant de leurs parties qui renferment de l'huile garantit la fraîcheur des grains et la qualité de la boulangerie, mais ceci appauvrit également la valeur alimentaire du produit. L'addition de produits de conservation, de colorants et de saveurs artificielles contribue peut-être à donner une plus longue vie et une plus belle apparence aux aliments, mais elle suractive aussi dangereusement le foie. N'est-il pas préférable de réfrigérer convenablement les aliments plutôt que de les priver de leurs qualités naturelles en les masquant avec des saveurs et des colorants de qualité douteuse?

La fertilisation des produits de récolte que vous consommez est un autre élément important dans cette discussion. Les fertilisants synthétiques permettent aux cultivateurs d'entretenir plus rapidement des champs immenses et de produire des aliments visuellement plus attrayants que s'ils utilisaient des engrais organiques, mais ils nous offrent par le fait même des fruits et des légumes moins nourrissants. Les fertilisants synthétiques sont mortels pour le sol. Ils fournissent une récolte de qualité inférieure car ils tuent les minéraux qui sont habituellement présents dans les terres organiques.

Où cela nous mènera-t-il finalement? Les aliments que nous consommons sont tellement dépourvus de leurs valeurs nutritives initiales que la plupart des gens qui font leurs courses dans les supermarchés souffrent d'une grande variété de symptômes de la malnutrition. La profession médicale refuse de reconnaître ce fait même si de plus en plus de médecins admettent de nos jours qu'il est important de consommer des aliments de bonne qualité. Les producteurs et les manufacturiers nous condamnent lentement, ou peut-être rapidement, à la faim et/ou à l'empoisonnement avec leurs produits déficients qui regorgent d'éléments chimiques nocifs.

Il est impossible de bien se nourrir avec des aliments qui sont traités et raffinés. Les sols arrosés chimiquement empêchent les légumes, les fruits et les céréales qui nous sont offerts d'être aussi nourrissants qu'ils devraient l'être naturellement. Nous épuisons la terre en ne variant pas nos cultures régulièrement ou en ne renouvelant pas les récoltes que nous avons détruites, réduisant ainsi de plus en plus les valeurs organiques de nos aliments. Les légumes et les fruits qui sont cueillis alors qu'ils ne sont pas encore mûrs réduisent encore davantage les vitamines et les minéraux offerts à notre corps. Les récoltes qui sont cueillies alors qu'elles sont vertes ne peuvent pas être aussi nourrissantes que celles qui parviennent à maturité dans la nature car elles ne jouissent pas du temps nécessaire pour profiter au maximum des éléments nutritifs fournis par le sol.

Le transport et la conservation des produits compliquent davantage les choses. Plusieurs compagnies spécialisées dans ce domaine n'offrent pas les conditions de réfrigération nécessaires à la conservation des produits frais et des valeurs nutritives qu'ils renferment. Les vendeurs ajoutent l'insulte à l'offense en entreposant à leur tour les aliments dans des endroits qui ne conviennent pas aux aliments frais. Plusieurs produits perdent au moins cinquante pour cent de certaines vitamines vingt-quatre à quarante-huit heures après avoir été cueillis.

Ajoutez à tout cela les mauvaises habitudes des consommateurs qui cuisent beaucoup trop leurs aliments ou qui gardent les fruits et les légumes à la température de la pièce pendant plusieurs jours avant de les manger pour comprendre qu'il est difficile, sinon impossible, d'avoir toutes les qualités alimentaires dont notre organisme a besoin. Comment pouvons-nous ainsi espérer jouir d'une santé physique et mentale à toute épreuve?

«Mais les statistiques démontrent que les gens vivent beaucoup plus vieux de nos jours que par le passé, alors pourquoi condamner notre alimentation?» De tels arguments, qui visent à défendre notre façon de nous alimenter, peuvent sembler justifiés à première vue, mais n'oublions pas que les statistiques reflètent rarement la réalité qu'elles tentent de nous imposer. Même si les statistiques gouvernementales indiquent que nous vivons plus longtemps que nos ancêtres, nous devrions être sceptiques. Il est vrai que la mortalité infantile a beaucoup diminué. Il en est de même pour les décès causés par les accidents grâce aux nouvelles techniques médicales offertes en cas d'urgence. Les maladies cardiaques font moins de victimes que par le passé grâce à la recherche médicale. Il y a également de moins en moins de personnes qui souffrent de maladies causées par les conditions inhumaines dans lesquelles elles travaillaient jadis de douze à seize heures par jour. De plus la plupart d'entre nous ont la chance de vivre dans une maison suffisamment chauffée pour éviter les maladies mortelles provoquées par le froid ou l'humidité. Nous vivons certainement plus longtemps, mais ce n'est pas à cause de notre alimentation. La technologie moderne, et non pas l'alimentation, a réussi à sauver plusieurs vies et à augmenter l'espérance de longévité.

De la ferme au supermarché, jusqu'à la maison, nos aliments sont maltraités sans fin. La viande, autant que les fruits et les légumes, a été altérée par les procédés modernes. L'alimentation de la volaille et du bétail est généreusement et régulièrement enrichie d'hormones femelles qui engraissent rapidement les animaux et les profits des éleveurs. La taille et la poitrine des hommes augmentent elles aussi à cause de ces hormones qui sont également responsables d'une plus forte incidence de l'acné chez l'homme et chez la femme. Aussi, les anti-biotiques qui sont maintenant utilisés pour protéger la volaille et les troupeaux contre les maladies affectent le consommateur. Quel sera le résultat final de tous ces additifs, hormones, antibiotiques et procédés de raffinement? La fatigue, les douleurs, les malaises, la dépression et un état de santé affaibli par la maladie.

Que pouvez-vous faire pour transformer positivement vos habitudes alimentaires et éviter toutes ces complications? Existe-il un régime qui vous permettra de jouir à la fois d'un mieux-être physique, mental et psychologique? Oui, il y en a un, et il a apporté des résultats favorables à plusieurs individus.

Commencez par éliminer de votre table les aliments raffinés, traités et fertilisés chimiquement. N'achetez plus de produits à base de boeuf et de porc, y compris les viandes telles que le salami, le saucisson de Bologne, la saucisse et le jambon. Vous serez déjà sur le bon chemin pour adopter une meilleure alimentation. Plutôt que d'acheter votre poulet au supermarché, essayez de trouver une ferme où la volaille est élevée en liberté, sans hormones ni antibiotiques. Consommez une variété de poissons frais. Effacez également de votre menu les sodas, les fritures, les sucres raffinés et le sel. Vous pourrez toutefois vous permettre occasionnellement d'utiliser du sel marin séché au soleil. Les fruits et les légumes congelés et en conserve devront être bannis de votre liste et vous devrez apprendre à aimer les nouilles, les craquelins, les pains et les desserts faits de grains entiers. Vous remplacerez le riz blanc par le riz brun également. Il est préférable de cuire les aliments le moins possible, et de soixante-dix à quatre-vingts pour cent des aliments qui ont été cultivés organiquement sur un sol composé naturellement et sans produits chimiques. Vos fruits et vos légumes n'en seront que plus nourrissants. Finalement, n'utilisez pas la friture comme méthode de cuisson. Il est préférable de cuire les aliments au four, à l'étuvée ou en les faisant bouillir; et les soupes seront mijotées.

Ceci semble facile, n'est-ce pas? Mais attention, cela n'est pas si simple. J'ai résumé en quelques phrases seulement les changements les plus importants que vous devrez apporter à votre alimentation, mais, comme nous l'avons vu précédemment, ce n'est pas toujours un jeu de transformer ses mauvaises habitudes. Vous ne devrez pas seulement découvrir de nouveaux aliments mais vous aurez aussi à faire vos courses dans différents magasins, particulièrement dans les magasins d'alimentation naturelle. Continuez d'aller au supermarché pour les mouchoirs de papier, le papier essuie-tout et le papier de toilette et pour vous procurer des choses semblables, mais achetez vos produits alimentaires dans les bons magasins où vous retrouverez des denrées naturelles. Vous devrez aussi acheter votre poulet chez un bon boucher. Aussi, commencez à fréquenter les restaurants qui prônent une alimentation saine et vous y trouverez tous les mets qui conviennent à votre nouveau régime. Si tous ces changements exigent une trop grande adaptation de votre, part, allez-y progressivement en vous éveillant jour après jour à cette nouvelle conscience de ce que doit être une bonne santé.

Plusieurs professionnels de la santé croient que tout malaise ou toute maladie peut être guéri ou contrôlé si l'on transforme son alimentation et si on lui ajoute les suppléments nutritifs nécessaires. Lorsque nous connaissons bien tout ce qui concerne l'alimentation, nous réalisons que ces thérapeutes sont des avant-gardistes qui voient bien au-delà des connaissances médicales actuelles. Il faut toutefois admettre que certaines maladies ne pourront jamais être guéries uniquement en changeant l'alimentation de la personne souffrante. Parce que je suis sceptique de nature, je dirais plutôt que la plupart des problèmes de santé peuvent être contrôlés ou soignés par une alimentation équilibrée; celle-ci doit évidemment être complétée par des exercices appropriés, des techniques de contrôle du stress, des préparations homéopathiques, des leçons de la technique Alexander et des visites chez le chiropraticien qui corrigera les mauvaises habitudes posturales. Dès que l'on commence à fournir à son corps les éléments nutritifs dont il a besoin quotidiennement pour assurer ses fonctions complexes et dès que l'on apprend à faire tout en son pouvoir pour maintenir sa santé, on se sent mieux dans sa peau et l'on devient un être plus efficace.

Les pages suivantes résument les principales catégories d'aliments et indiquent quels sont les choix à faire à l'intérieur de chacune d'elles. Les conseils qui les accompagnent vous diront aussi combien de fois par jour vous devez manger telle sorte d'aliment ou telle autre. Vous trouverez également quelques renseignements concernant les combinaisons alimentaires ainsi que quelques suggestions pour l'heure du goûter. Il est préférable de prendre plusieurs repas légers par jour plutôt que de faire de gros repas. Lorsque vous aurez compris les règles de base des combinaisons alimentaires, vous jouirez de toute la confiance nécessaire pour créer vous-même des goûters à la fois sains et remplis de saveur.

PROTÉINES *(3 ou 4 portions par jour)*

OEUFS — fécondés, sans hormones ni antibiotiques, donnés par des poules vivant en liberté (crus, à la coque ou durs, pochés, sur le plat)

TOFU — organique, sans produits chimiques, non pasteurisé (cru, à la vapeur, au four, grillé, mijoté dans les soupes)

TEMPEH — organique, sans produits chimiques (cru, à la vapeur, au four, grillé, mijoté dans les soupes)

POULET — sans hormones ni antibiotiques, volaille ayant vécu en liberté seulement (cuit, grillé)

POISSON — frais seulement, savoir choisir entre les possibilités suivantes: poissons d'eau douce ou d'eau salée, à haute ou faible teneur en matières grasses, petits ou gros (grillé, au four, à l'étuvée ou cru)

LAIT — certifié cru *seulement*

BABEURRE — sans sel

YOGOURT — fait de bactéries vivantes, nature, sans sucre

KÉFIR — nature de préférence

FROMAGE COTTAGE — faible teneur en matières grasses, sans sucre (on peut en manger aussi souvent qu'on en a envie)

FROMAGE — fait de lait cru, sans sel ni colorant artificiel (une fois par semaine si on ne souffre pas de problèmes de constipation ou de mucosité)

LÉGUMES FRAIS *(3 ou 4 variétés par jour)*

— crus de préférence, en salade ou légèrement cuits à la vapeur

GERMES (luzerne, etc.) — tous les jours

ALGUES MARINES — la nori et la dulse sont meilleures crues alors que la hiziki est succulente cuite

LAITUE — plus foncées sont ses feuilles, plus riche elle est en vitamines et en sels minéraux, ex.: romaine

RACINES — organiques, sans radiations

BROCOLI — parties d'un beau vert foncé seulement (enlever les parties jaunes)

tout autre légume que vous appréciez

FRUITS FRAIS *(1 ou 2 par jour)*

POMMES • POIRES • RAISINS • BANANES

AGRUMES — ne pas en consommer plus de deux fois par semaine afin de ne pas trop alcaliniser l'organisme

tout autre fruit que vous appréciez

FRUITS SECS *(occasionnellement)*

— limiter sa consommation de fruits secs à cause de la grande quantité de sucre naturel qu'ils renferment

— aucun fruit sec enrobé de sucre ou de miel

— acheter uniquement des fruits secs sans sulfure

RAISINS • ABRICOTS • FIGUES

tout autre fruit sec que vous appréciez, mais préférez les fruits secs mentionnés ci-dessus car ils sont plus riches en sels minéraux

JUS FRAIS *(au goût)*

Les jus de fruits et de légumes frais sont des aliments très concentrés. Ne pas boire plus de 115 mL (4 oz) de jus frais à la fois sinon on risque de nuire à son foie. Mastiquer ou mâcher le jus pendant quelques secondes avant de l'avaler afin d'annoncer à son corps de quoi on le nourrit. Consommer tous les jus, sauf le cidre de pommes frais, immédiatement après les avoir extraits afin d'éviter les effets nuisibles de l'oxydation. Le fait de boire des jus frais de façon modérée peut faire beaucoup de bien à l'organisme. Éviter de nuire à sa santé en buvant trop de jus frais ou en prenant volontairement des jus oxydés. Le jus de carottes qui a bruni est un exemple de jus qui a subi une oxydation dangereuse. Le jus de carottes frais est de couleur orange claire. Ne pas boire trop de jus à base d'agrumes (orange, citron, pamplemousse, limette)

LÉGUMES *(tous les jours)*

— les consommer avec du riz pour remplacer les protéines d'origine animale

— les consommer avec du riz ou des légumineuses pour obtenir des protéines complètes

HARICOTS • ROGNONS • DOLIQUES AUX YEUX NOIRS • GROSSES GRAINES DE LUPINS • POIS CHICHES • POIS CASSÉS OU ENTIERS VERTS OU JAUNES • LENTILLES

ARACHIDES — manger uniquement du beurre d'arachides naturel ou des arachides fraîches. Aux États-Unis, on cultive les arachides après le coton sur un sol qui a été extrêmement arrosé par des insecticides. Les éléments chimiques qui sont restés dans le sol pénètrent inévitablement dans les arachides

NOIX *(tous les jours)*

(réfrigérées-crues seulement)

AMANDES (en priorité)

AVELINES • NOIX DE GRENOBLE

PAS DE NOIX D'ACAJOU — parce qu'elles sont presque toujours rances; si on veut manger des noix d'acajou crues, il est préférable de goûter au beurre de noix d'acajou

GRAINES *(tous les jours)*

(réfrigérées-crues seulement)

TOURNESOL • CITROUILLE • SÉSAME

SÉSAME — utiliser du beurre de sésame cru ou du tahini plutôt que des graines de sésame. La plupart des gens ne mastiquent pas suffisamment les graines de sésame, donc elles passent par les voies digestives sans être assimilées par l'organisme

RIZ *(tous les jours)*

RIZ BRUN • RIZ SAUVAGE

CÉRÉALES *(tous les jours)*

— réfrigérer les grains moulus car les huiles naturelles qu'ils renferment deviennent rances très rapidement

— varier les céréales que l'on consomme est important

SARRASIN • BLÉ ENTIER • MILLET • MAÏS • SEIGLE • AVOINE

toute autre céréale de grains entiers que vous appréciez

PAIN *(tous les jours)*

NE PAS LE RÉFRIGÉRER afin de l'empêcher de perdre son humidité trop rapidement; le conserver plutôt dans un endroit frais et sombre

PAINS AUX GRAINS VARIÉS — muffins ou baggels de blé entier

BLÉ ENTIER — s'assurer que l'étiquette annonce du blé entier et non pas de la farine de blé

MAÏS

SEIGLE — ne pas acheter les pains de seigle vendus dans les grandes épiceries; bien lire l'étiquette pour connaître tous les ingrédients que ceux-ci renferment

tout autre pain de grains entiers que vous appréciez (pas de pain *pumpernickel* à moins d'être assuré de la qualité des ingrédients qu'il contient)

CRAQUELINS *(au goût))*

Grains entiers seulement — sans sel, sel de mer occasionnellement — sans gras ni huiles hydrogénées — sans sucre — les petits gâteaux de riz remplacent merveilleusement bien les craquelins

NOUILLES *(au goût)*

On vend plusieurs variétés de nouilles dans les magasins d'alimentation naturelle. Il est important de lire l'étiquette pour s'assurer qu'elles sont faites de blé entier et qu'il ne s'agit pas simplement de nouilles à base de blé. Les nouilles les meilleures au goûts sont les Erewhon. En fait il s'agit de nouilles japonaises UDON et leur goût et leur consistance sont ceux qui se rapprochent le plus des nouilles régulières. À moins d'apprécier les nouilles de blé entier grossières, on vous suggère d'acheter les nouilles UDON de Erewhon. Même les enfants les aiment. Les nouilles de soya et de spirulina rehaussent la valeur en protéines, des repas.

HUILES VÉGÉTALES *(tous les jours)*

— réfrigérées

— varier son choix

— consommer uniquement des huiles pressées mécaniquement, non raffinées et non filtrées, ne renfermant aucun solvant, décolorant, teinture ou agent de conservation

SÉSAME • CARTHAME • TOURNESOL

toute autre huile que vous appréciez

GRAS ANIMAL *(occasionnellement))*

BEURRE CRU SUCRÉ • CRÈME SURE — sans sel

CRÈME ÉPAISSE — pas trop pasteurisée

VINAIGRETTES *(au goût)*

— vinaigrettes faites à la maison de préférence

— utiliser des huiles non traitées uniquement

— utiliser du vinaigre de cidre de pomme, pas de vinaigre blanc

— le jus de citron frais remplace merveilleusement bien le vinaigre de cidre de pommes

— il suffit d'arroser une salade avec quelques gouttes de jus de citron frais pour obtenir rapidement une vinaigrette au goût délicieux

ALIMENTS VARIÉS

— remplacer la sauce soya par la sauce tamari

— utiliser le miso comme base pour les bouillons; s'assurer qu'il contient du sel de mer et non pas du sel de table

— le tekka assaisonne bien le riz, les nouilles et les légumes cuits à l'étuvée (assaisonner les aliments juste avant de les servir)

ÉPICES

Les trois premières épices mentionnées ci-après sont bénéfiques pour la santé. Assaisonner les aliments après la cuisson afin de conserver aux épices toutes leurs valeurs nutritives

AIL • POIVRE DE CAYENNE • GINGEMBRE • CARI

toute autre épice que vous appréciez

pour utilisation modérée seulement

FINES HERBES

ANETH • PERSIL • THYM • ESTRAGON • ORIGAN

toutes les autres fines herbes que vous appréciez

SUCRES

MIEL — le miel tupelo est absorbé plus lentement par l'organisme que tout autre miel, ce qui le rend meilleur pour la santé

MÉLASSE BLACKSTRAP • SIROP D'ÉRABLE PUR • MALT

EAU *(6 à 8 verres par jour)*

— 20 minutes avant les repas ou 1 1/2 à 2 heures après les repas, afin de ne pas diluer les sucs gastriques

— varier son choix est important; chaque eau offre une concentration minérale différente

— les bouteilles de verre sont préférables aux bouteilles de plastique

PERRIER • EVIAN • MOUTAIN VALLEY

toute autre eau embouteillée de qualité

COMBINAISONS ALIMENTAIRES

QU'EST-CE QU'UNE COMBINAISON ALIMENTAIRE?

L'expression «combinaison alimentaire» est très éloquente en soi, mais il faut éviter d'improviser une combinaison d'aliments variés sans être bien renseigné sur le sujet. Il faut d'abord accepter de modifier plus ou moins ses habitudes alimentaires. Plutôt que de manger trois repas consistants par jour, vous apprécierez le fait de profiter de plusieurs goûters réguliers. Votre organisme sera alors en mesure d'utiliser à bon escient toutes les calories et tous les éléments nutritifs dont il a besoin. Mangez de 4 à 6 petits repas par jour. Mangez à toutes les 3 ou 4 heures. Buvez de l'eau 20 à 30 minutes avant chacun de ces goûters.

LES AVANTAGES DES COMBINAISONS ALIMENTAIRES

- Vous perdrez du poids sans nuire à votre organisme et, mieux encore, vous réussirez à le maintenir
- Votre état de santé général s'améliorera
- Vous jouirez d'une plus grande énergie
- Votre système digestif ne sera jamais surchargé
- Vous serez soulagé des gaz intestinaux, des éructations et des ballonnements
- Vous éliminerez plus régulièrement
- Votre teint sera plus beau

QUELLES SONT LES RÈGLES DE BASE?

1) On doit consommer des fruits et des légumes à chaque goûter.
2) Les légumes qui ne contiennent pas d'amidons se combinent mieux avec les protéines et les amidons.
3) Les racines qui renferment des amidons se combinent mieux avec les légumes et les légumineuses qui n'en contiennent pas.
4) Les protéines et les sucres ne doivent pas être consommés au même repas; il faut donc éviter les mets doux-amers.
5) Les protéines animales et les amidons ne doivent pas être mélangés, donc aucune viande ne doit être consommée avec des pommes de terre, du pain, des nouilles, du riz, etc.
6) Le lait cru ou les produits laitiers de culture doivent être consommés seuls ou avec des fruits acides, ex.: baies, oranges, ananas, raisins.
7) Il est préférable de manger les melons seuls. Certaines personnes croient que ces fruits se digèrent plus facilement lorsqu'ils sont incorporés à une salade de fruits frais. Si votre système digestif n'y voit aucune contre-indication (gaz intestinaux, ballonnements, fatigue, etc.), ne vous privez pas de ce plaisir.
8) Les céréales et les grains se combinent bien avec les légumes et les légumineuses.
9) Les huiles et les matières grasses gagnent à être combinées aux légumes verts et sans amidon. Une exception: la crème et les petits fruits (baies) peuvent être mélangés.
10) Les légumineuses, les fèves et les pois se combinent bien avec les légumes, le riz et les grains.
11) Les graines et les noix doivent être mangées séparément. La plupart des gens sont toutefois capables de bien les digérer même s'ils les consomment au même repas. Si vous faites partie de ce groupe privilégié, sentez-vous libre de faire comme bon vous semble.

Les règles complètes concernant les combinaisons alimentaires exigent une attention plus soutenue que les quelques conseils que nous venons de vous donner. Vous aurez avantage à consulter différents ouvrages qui ont été écrits sur le sujet. La plupart des magasins d'alimentation naturelle et des librairies spécialisées offrent ce genre de livres à leurs clients.

Maintenant que vous connaissez la base des combinaisons alimentaires, attaquons-nous immédiatement à l'étape suivante qui consiste à incorporer graduellement des combinaisons alimentaires équilibrées dans son alimentation quotidienne. Ceci peut vous sembler un jeu d'enfant, mais n'oubliez pas que de tels changements exigent de se défaire des conditionnements qui ont été les nôtres pendant de nombreuses années. Il faut un certain temps avant de pouvoir préparer des repas qui sont à la fois appétissants, bons pour la santé et parfaitement équilibrés au niveau des combinaisons alimentaires. Les vieilles habitudes trop bien ancrées sont tellement fortes que la plupart des gens ne savent plus quoi manger à moins qu'il ne s'agisse de mets qu'ils avaient déjà l'habitude de préparer et de servir. J'ai rassemblé quelques-uns de mes goûters préférés pour vous, ce qui vous permettra d'essayer de nouveaux plats jusqu'à ce que vous ayiez suffisamment confiance en vos talents de cordon-bleu pour créer vos propres recettes.

Pour commencer, il est nécessaire de dire un mot sur les desserts. Si vous ne pouvez vous empêcher d'avoir envie de quelques chose de sucré de temps à autre, la meilleure chose à faire est d'apprendre à préparer des petits goûters à base d'aliments sucrés. Ne faites surtout pas l'erreur de combiner ces aliments renfermant du sucre — sauf s'il s'agit d'un fruit frais — avec d'autres aliments qui n'en contiennent pas. Il existe toutefois une exception qui confirme la règle: la salade. Faites suivre votre goûter sucré par une délicieuse salade verte. Les sels minéraux qu'elle renferme aideront votre organisme à mieux assimiler la dose de sucre inhabituelle que vous lui imposez. N'achetez aucune friandise ailleurs qu'à votre magasin d'alimentation naturelle. Mais prenez toujours le temps de lire les ingrédients sur l'étiquette car certains magasins osent vendre des produits qui ne sont pas toujours recommandés, si naturels soient-ils. Choisissez uniquement des aliments non raffinés et non traités. Si vous avez le temps de préparer vos propres friandises, n'hésitez pas à le faire afin de vous assurer de l'absolue pureté des ingrédients utilisés. À moins que votre consultant en santé holistique ne vous ait formellement interdit tous les sucres, une petite tricherie occasionnelle ne devrait pas trop perturber votre organisme.

Voici donc quelques-uns de mes goûters préférés:

1) Yogourt, babeurre sans sel ou kéfir avec des baies fraîches (fraises, framboises, mûres, etc.)
2) Noix mélangées avec 3 ou 4 variétés de laitues
3) Graines de citrouille et de tournesol avec une salade verte composée de 3 laitues différentes
4) Poisson et salade composée de 3 laitues différentes
5) Poulet ou poisson et légumes à l'étuvée (3 couleurs)
6) Riz et fèves avec salade
7) Légumes à l'étuvée avec riz et fèves
8) Pain de grains entiers, baggel ou muffin avec beurre d'arachides naturel et germes (luzerne, etc.)
9) Riz brun ou nouilles de blé entier avec légumes à l'étuvée, cubes de tofu et sauce tahini*
10) Oeufs à la coque servis avec des légumes à l'étuvée hachés finement et assaisonnés de poivre de Cayenne
11) Oeufs à la coque servis avec des germes de luzerne frais et hachés assaisonnés de poivre de Cayenne ou de fines herbes de votre choix
12) Fromage cottage sans sel avec salade de légumes (3 couleurs)
13) Tranches de tofu marinées avec du jus de citron frais, de la sauce tamari et du gingembre. Servir avec un petit bol de riz brun ou des nouilles et rehausser le tout de sauce tahini*. Une salade fraîche ou des légumes à l'étuvée compléte ce délice
14) Nouilles recouvertes de tofu, tahini*, tamari et épices de votre choix passés au mélangeur électrique. Décorer avec de l'échalote hachée et des carottes râpées.
15) Nouilles et sauce aux tomates. Passer des carottes cuites à l'étuvée, des morceaux de courge, des oignons et du tofu au mélangeur électrique. Assaisonner avec de l'origan pour une touche à l'italienne ou avec du cari et de la cardamome pour un goût à l'indienne. Incorporer des légumes verts légèrement cuits à la vapeur juste avant de servir pour donner de la couleur à ce mets. Servir avec une salade.

* SAUCE TAHINI

— 1/2 pot de beurre de tahini cru

— sauce tamari au goût

— poivre de Cayenne au goût et/ou ail

— suffisamment d'eau pour obtenir une sauce moyennement épaisse

— passer tous les ingrédients au mélangeur électrique

— ne pas cuire; verser directement sur les aliments chauds

Quelques aliments bons pour la santé peuvent avoir été involontairement omis. La liste suggérée n'est donc pas exhaustive. Sachez reconnaître les aliments entiers, non raffinés et libres de tout agent de conservation. N'oubliez pas qu'il est très important de varier ses aliments. Une diète n'offrant qu'un seul groupe d'aliments risque d'être ennuyeuse et de ne pas fournir tous les éléments nutritifs nécessaires au bon fonctionnement de l'organisme.

4) LES SUPPLÉMENTS NUTRITIFS

Le fait d'avoir adopté d'excellentes habitudes alimentaires ne vous garantit pas nécessairement une santé optimale. Comme plusieurs autres personnes, votre organisme requiert peut-être plus d'éléments nutritifs que celui de la plupart des gens. Votre travail vous expose-t-il à des produits toxiques ou à des agents stresseurs qui augmentent vos besoins en vitamines et en minéraux? Il faut également tenir compte des problèmes émotionnels qui drainent l'énergie du corps, entraînant ainsi un manque nutritif important. L'eau qui contient du fluor et la pollution de l'air volent aussi au corps humain des vitamines et des minéraux qui sont indispensables à son bon fonctionnement. Finalement, une prédisposition héréditaire à une maladie particulière peut provoquer une perte d'éléments nutritifs qu'il faudra compenser.

Il est possible de fournir à votre organisme tous les éléments dont il a besoin en prenant des suppléments de vitamines ou de sels minéraux ou en mangeant une portion plus importante d'aliments qui renferment les valeurs nutritives déficientes dans votre système. Il a été démontré que les parties du corps énumérées ci-dessous répondaient favorablement à des valeurs nutritives et à des aliments bien précis. Consultez une diététicienne ou un thérapeute spécialisé en santé holistique pour connaître les aliments et les vitamines que vous devriez absorber en plus grande quantité.

PARTIE DU CORPS	VITAMINES	MINÉRAUX	ALIMENTS
Cheveux (couleur)	A,B-Complexe, C (PABA)	Sulfure Iode Cuivre	protéines, noix, agrumes, huile de foie de poisson, légumes feuillus vert foncé, carottes, levure de bière
Ongles	A, B-Complexe	Sulfure Fer Calcium	protéines, huile de foie de poisson, levure, raisins secs, yogourt
Infections de l'oreille	A, B-Complexe E		protéines, agrumes, huile de foie de poisson
Dents et Gencives	A, C, D	Calcium Magnésium Phosphore Fer	Légumes feuillus vert foncé, protéines, fruits frais, pain de grains entiers
Muqueuses (nasale, pulmonaire, intestinales, etc.)	A		huile de foie de poisson
Thyroïde		Iode	algues marines et poissons d'eau salée
Poumons	A, D, E, C	Fer	huile de foie de poisson, abats, huile de germe de blé, agrumes, oeufs, mélasse blackstrap, légumes feuillus vert foncé
Coeur	E Thiamine	Calcium Phosphore Potassium	levure de bière, germe de blé, huile, yogourt, oeufs, graines, noix, grains entiers, légumes feuillus vert foncé, bananes

PARTIE DU CORPS	VITAMINES	MINÉRAUX	ALIMENTS
Foie	A, D, E, B-Complexe		protéines, huile de foie de poisson, levure de bière, germe de blé, huile, légumes vert foncé, foies de poulet organique
Estomac	B-Complexe (Niacine)		levure de bière
Vésicule biliaire (pierres)	A, D, E B-Complexe		protéines, huile de foie de poisson, huile de germe de blé, légumes feuillus vert foncé
Rein (pierre)		Magnésium	pommes, amandes, figues, légumes feuillus vert foncé
Vessie (cystite)	A, C, E B-Complexe		huile de foie de poisson, levure de bière, agrumes, huile de germe de blé
Gros intestin (constipation)	A, C, B-Complexe		eau (6 à 8 verres par jour), 2 à 3 cuillerées à soupe de son, huile de foie de poisson, levure de bière, agrumes
Diarrhée	Augmenter la quantité de vitamines et de minéraux pour compenser la perte des éléments nutritifs		peu de fibres, protéines, huile de foie de poisson, levure de bière, agrumes, bananes
Organes sexuels et reproducteurs	E B-Complexe (acide folique)	Fer Zinc (pour les hommes) Iode	huile de germe de blé, levure de bière, raisins secs, oeufs, graines de tournesol, poissons et volailles, champignons, algues marines
Pancréas (diabète)	C, A	Zinc Chrome Manganèse	agrumes, huile de foie de poisson, graines et noix, levure de bière, légumes feuillus vert foncé
Peau (sèche)	A, D B-Complexe		huile de foie de poisson, protéines, raisins secs, yogourt, levure de bière
Jambes (crampes)	E	Calcium Magnésium	huile de germe de blé, yogourt, mélasse, noix, légumes feuillus vert foncé

IMPORTANT: Prenez le temps de sucer tous vos suppléments de vitamines et de sels minéraux jusqu'à ce que votre bouche soit remplie de salive. Ceci permettra à votre organisme de mieux s'harmoniser avec les éléments nutritifs que vous lui ferez absorber. Si vous suivez ce conseil, vous assimilerez plus facilement tous les suppléments alimentaires.

5) LES PLANTES QUI GUÉRISSENT

De tout temps, les médecins, les guérisseurs, les sorciers et le commun des mortels ont utilisé les plantes pour guérir. Riches ou pauvres, instruits ou incultes, tous pouvaient bénéficier du pouvoir guérisseur des herbes de toutes sortes. Même la Bible nous enseigne que les herbes doivent être notre médecine. De nos jours, à l'ère de la médecine allopathique, plusieurs personnes réapprennent à se servir des plantes pour soigner ou contrôler les maux les plus divers plutôt que de masquer les symptômes avec des médicaments chimiques qui offrent également le désavantage d'être à l'origine de nombreux effets secondaires.

Les herbes agissent comme catalyseurs dans notre corps. Ainsi, elles permettent à l'organisme d'améliorer ses mécanismes naturels de défense. Les herbes peuvent calmer et stimuler. Elles peuvent faire disparaître la douleur, faciliter la digestion, permettre de reprendre conscience, baisser ou élever la pression sanguine, embellir la peau, régénérer les fonctions des organes internes, éliminer les spasmes, agir tel un astringent, soigner la diarrhée ou la constipation et guérir les cicatrices.

Il est important de conserver les herbes dans des bocaux hermétiquement fermés en verre ou des petits contenants à l'épreuve de la lumière, de la chaleur et de l'humidité. Achetez-les en petites quantités dans des magasins spécialisés qui ont un bon roulement et ne les gardez pas pendant plus d'une année.

Pour faire une infusion ou une tisane, utilisez une demie à une once d'herbes par pinte d'eau (14 à 28 grammes d'herbes par 1,14 litre d'eau). Portez l'eau à ébullition, éteignez le feu et versez l'eau bouillante sur les herbes. Couvrez et laissez infuser pendant dix minutes. Utilisez uniquement des casseroles ou des pots en verre, en émail ou en porcelaine. Buvez ensuite l'infusion, une seule gorgée à la fois, pendant toute la journée. Buvez-la alors qu'elle est refroidie ou tiède, à moins que vous ayiez l'intention d'augmenter votre degré de transpiration, pendant une grippe par exemple.

Il existe plusieurs livres spécialisés sur les plantes médicinales, la façon de les utiliser et de les préparer. *The Herb Book* de John Lust et *Back to Eden* de Jethro Kloss sont des classiques dans ce domaine.

Les préparations homéopathiques stimulent les mécanismes naturels de défense de l'organisme et, contrairement aux herbes médicinales, elles contiennent des substances autres que les herbes. Les doses de ces préparations stimulent très rapidement ces mécanismes naturels de défense. Leur pouvoir n'est toutefois pas directement relié aux herbes elles-mêmes, mais il est plutôt proportionnel au pouvoir dynamique dérivé de ces plantes après plusieurs opérations de dilution. Consultez un thérapeute spécialisé en homéopathie afin de faire le meilleur usage des préparations à base d'herbes recommandées pour soulager et soigner plusieurs maux et maladies.

ACNÉ — pissenlit, salsepareille, sassafras

ANÉMIE — pissenlit, consoude

BASSE PRESSION — pissenlit

CIRCULATION SANGUINE — mouron, piment, gui

COEUR — sédatif: gui; stimulant: arnica

ESTOMAC — consoude, camomille, fenugrec, gingembre, lobélie

FOIE — pissenlit, uva-ursi (busserole), houblon

GAZ — valériane, thym, gingembre

GROS INTESTIN (côlon) — constipation: mouron; diarrhée: consoude, menthe poivrée, thym

HAUTE PRESSION — piment, passiflore

HÉMORROÏDES — uva-ursi (busserole)

INFECTIONS — verge d'or, églantier

INSOMNIE — passiflore, camomille

MANQUE D'ÉNERGIE — ♀ ginseng, réglisse
♂ Gotu Kola, réglisse

MAUX DE DENTS — camomille (garder dans la bouche près de la dent malade)

MAUX DE GORGE — gingembre (sucer un morceau), verge d'or

MÉNOPAUSE — alchémille, houblon

ORGANES SEXUELS ET REPRODUCTEURS —
ovaires: camomille
♀ général: framboise rouge
prostate: verge d'or
♂ urètre: verge d'or

PANCRÉAS — pissenlit, fenugrec

POUMONS — consoude, thym, mouron, fenugrec

RATE — camomille, pissenlit, uva-ursi (busserole)

REIN — camomille, pissenlit, consoude, uva-ursi (busserole)

RHUME — consoude, réglisse, camomille (boire ou respirer les vapeurs qui émanent de la décoction)

SINUS — verge d'or

SURRÉNALES — piment

TENSION ARTÉRIELLE — gui, passiflore, camomille, valériane

TONIQUE — réglisse, camomille, pissenlit

VÉSICULE BILIAIRE — pissenlit, racine de patience

VESSIE — pissenlit, camomille, consoude, uva-ursi (busserole)

YEUX FATIGUÉS — chélidoine (boire et utiliser aussi pour humecter les yeux)

6) LA MÉDITATION

La méditation est une pratique bénéfique à tout le monde. Elle peut vous apporter la clarté du mental, vous libérer des tensions excessives, améliorer votre santé physique et psychologique et céder une plus grande place à l'éveil spirituel. La méditation est particulièrement recommandée aux personnes tendues et très actives qui ont besoin de s'arrêter une ou deux fois par jour pour mieux se retrouver avec elles-mêmes et avec tout ce qui les entoure. De tels individus peuvent trouver difficile de mettre un frein à leur course et de se détendre, mais ils y parviendront grâce à une pratique régulière. Les résultats positifs obtenus avec le temps ne leur feront pas regretter leurs efforts. Il semble que plus une personne a besoin de méditer et plus il lui est difficile de trouver le temps nécessaire à cet accomplissement.

Si la méditation vous semble trop inextricablement reliée aux gourous et aux adeptes, ne soyez pas découragé. Il est possible d'apprendre à méditer avec de tels individus et de retourner ensuite chez soi avec son nouveau bagage de connaissances sans s'impliquer avec le groupe. Vous aurez peut-être besoin de revoir votre professeur à l'occasion pour rafraîchir votre savoir, mais vous n'êtes pas forcé d'adopter les traditions et les rituels qui peuvent être véhiculés par ces institutions si vous n'en avez pas envie.

Il existe plusieurs formes de méditation. Je ne suis pas en mesure de dire si l'une est meilleure que l'autre. La seule chose qui importe est que la technique vous soit favorable. La méditation transcendantale est l'une des plus connues car il existe plusieurs écoles qui l'enseignent. Plusieurs articles ayant été publiés sur la méditation transcendantale dans de prestigieux magazines scientifiques, c'est peut-être pourquoi cette forme de méditation est la plus connue du grand public. Ceci ne signifie toutefois pas que c'est là la meilleure technique. D'autres formes de méditation, comme celles, par exemple, qui n'utilisent pas le mantra mais qui favorisent plutôt la concentration sur une forme ou une couleur, peuvent conduire à de bons résultats si elles sont pratiquées correctement. La clé est de choisir la technique qui corresponde le mieux à nos attentes. Soyez patient et vous serez récompensé.

La méditation et le massage sont étroitement reliés. La paix du mental atteinte par la méditation peut être accrue grâce au massage. En outre, une personne qui médite régulièrement deviendra un excellent thérapeute du massage car elle sera moins tendue qu'une autre personne. Elle pourra ainsi atteindre plus profondément l'essence du sujet en travaillant d'abord sur l'énergie plutôt que sur les tensions accumulées par le corps semaine après semaine. En d'autres mots, le donneur et le receveur seront récompensés par des résultats plus positifs et plus satisfaisants.

7) DIFFÉRENTS TRUCS

Les grands magasins et les magasins d'alimentation naturelle offrent différents objets qui peuvent contribuer à améliorer l'état général. Ces trucs et gadgets peuvent être utilisés à la maison et apportent des résultats très favorables. Certaines de ces choses ne coûtent pratiquement rien alors que d'autres exigent au contraire un investissement important. Voici l'énumération de quelques-uns de ces objets les plus connus et les plus populaires ainsi que les avantages qu'ils peuvent fournir à ceux et celles qui les utilisent.

PLANCHE INCLINÉE

Ces planches peuvent être achetées dans les bons magasins d'articles de sport. Elles peuvent aussi être fabriquées à très peu de frais. Recouvrez une planche épaisse avec un tissu de rembourrage, fixez-le solidement et vous avez enfin votre planche toute prête. Cette planche devrait être un peu plus grande que vous et aussi large que votre corps lorsque vos bras sont allongés de chaque côté. Placez votre planche à un angle de 20-45° et étendez-vous de façon à ce que vos pieds soient surélevés et votre tête penchée. Détendez-vous dans cette position pendant quinze à vingt minutes, une ou deux fois par jour. Ceci améliorera votre circulation générale, fera disparaître votre fatigue et la tension dans vos yeux, développera votre ouïe et votre vue, aidera la condition de vos sinus, favorisera la pousse de vos cheveux, embellira votre teint, permettra à vos organes internes de moins souffrir de la gravité, améliorera la circulation dans vos jambes et vos pieds et assurera votre santé bonne. Pour être soulagé des douleurs lombaires, placez un coussin de soutien ou deux oreillers sous vos genoux et laissez reposer votre tête sur une serviette pliée ou un petit oreiller ayant environ 1 1/2 à 2 pouces d'épaisseur.

ROULEAU DE MASSAGE POUR LES PIEDS

Cet objet peut être acheté à votre magasin d'alimentation naturelle. Le rouleau de massage pour les pieds est offert avec une brochure explicative. L'usage régulier de cet objet améliorera la circulation dans vos jambes et vos pieds tout en favorisant une meilleure flexibilité de vos genoux. Il contribuera également à maintenir votre bonne santé parce qu'il stimulera les points réflexes qui sont sous vos pieds et qui correspondent à tous vos organes internes et les parties de votre corps. Utilisez le rouleau de massage pour les pieds pendant que vous lisez, regardez la télévision ou prenez un temps de repos.

SANDALES DE MASSAGE

Ces sandales sont recouvertes de petites aspérités pointues qui sont en contact permanent avec la plante de vos pieds. Le fait de marcher avec ces sandales stimule tous les points réflexes situés sous les pieds, améliorant ainsi la circulation entière du corps, soulageant la douleur, la fatigue et le froid qui font souvent souffrir cette partie du corps. Portez ces sandales pendant quelques minutes pour commencer afin de permettre à vos pieds de s'adapter à cette stimulation constante.

TRAMPOLINE

Les exercices effectués à la trampoline sont de plus en plus populaires. C'est amusant et cela améliore véritablement l'état général. Ces exercices permettent également de brûler plus de calories que les autres exercices. Donc, si vous avez un problème de poids, voilà peut-être la solution. N'achetez pas les modèles les moins chers car ils ne sont définitivement pas aussi solides que ceux qui sont fabriqués avec un plus grand soin. Avant de commencer vos exercices, placez l'appareil près d'un mur et vous pourrez ainsi vous servir de celui-ci pour retrouver votre équilibre au besoin. Allez-y en douceur au début. Ne travaillez qu'une ou deux minutes à la fois et augmentez progressivement la durée de vos exercices. La première fois que l'on saute sur une trampoline, on est habituellement tellement excité que l'on peut sauter pendant cinq ou dix minutes consécutives. Le jour suivant on éprouve des regrets car nos jambes nous font énormément souffrir. Cet excès n'est pas favorable aux muscles. Retenez votre enthousiasme et adoptez une évolution normale et graduelle.

APPAREIL D'IONISATION

Si vous vivez dans une grande ville ou près d'un centre urbain, il vous est impossible de respirer de l'air frais. Même les personnes qui vivent à la campagne souffrent maintenant de la pollution de l'atmosphère. Vos poumons, votre peau et votre foie ont besoin de repos. Un appareil d'ionisation de très grande qualité améliorera considérablement la qualité de l'air que vous respirez. Deux à quatre appareils dans chaque pièce est un nombre idéal. Ces appareils favorisent également la concentration et donnent plus d'énergie.

HUMIDIFICATEUR

Les mois d'hiver rendent votre maison trop sèche pour que vous puissiez y vivre sainement. Un humidificateur apporte l'humidité manquante, permettant ainsi à votre peau de rester jeune et belle à regarder. Cet appareil améliore également votre bon état de santé générale. N'achetez que les humidificateurs de très bonne qualité sinon vous gaspillerez votre argent inutilement.

PLANTES

Il est bon d'avoir plusieurs plantes dans la maison. Elles absorbent le bioxyde de carbone et produisent de l'oxygène frais qui est favorable à la santé. Les plantes sont vivantes, belles et sensibles et elles peuvent devenir des compagnes très agréables.

BOTTES D'INVERSION

On peut acheter ces bottes dans les bons magasins d'articles de sport. Vous les attachez à vos chevilles et les accrochez ensuite à une barre d'exercice afin d'être suspendu à la renverse. Cet exercice améliore la circulation, élimine la fatigue des yeux, encourage la pousse des cheveux, dégage les sinus, soulage les douleurs lombaires et embellit le teint. Votre état de santé général est favorisée par cette suspension. Assurez-vous de la solidité de la barre d'exercice. Agissez en douceur et vous n'aurez aucun problème.

COMMENT TROUVER UN MÉDECIN SPÉCIALISÉ EN SANTÉ HOLISTIQUE

Tout va pour le mieux dans votre vie. Vous êtes en parfaite santé et heureux. Soudainement vous êtes ou quelqu'un que vous aimez est frappé par une sérieuse maladie. Vous aimeriez traiter le problème par des méthodes naturelles plutôt que par les drogues conventionnelles, mais vous ne connaissez pas de médecin spécialisé en santé holistique. Comment faire pour en trouver un? Il ne sont malheureusement pas inscrits dans les pages jaunes dans la colonne des «Médecins holistiques». La façon la plus simple est de demander l'aide de vos amis, de vous rendre ou de téléphoner au magasin d'alimentation naturelle le plus proche de votre domicile. Les employés et les propriétaires de ces boutiques savent qui sont les médecins qui obtiennent les meilleurs résultats et qui sont les autres qu'il vaut mieux éviter grâce à leurs clients qui aiment toujours discuter de santé avec eux. Téléphonez à différents médecins. Parlez-leur directement ou discutez avec leurs assistants pour finalement faire un choix plus judicieux correspondant davantage à vos besoins. Prenez ensuite un rendez-vous. Il est évidemment recommandé de choisir ce médecin avant de souffrir d'une maladie quelconque et de subir un examen général. Plus tard, si vous avez besoin de soins particuliers, vous saurez rapidement à qui vous adresser car ce médecin sera déjà familier avec vous et avec votre corps.

À moins de connaître un médecin spécialisé en alimentation qui utilise également les herbes médicinales comme méthode de traitement, je vous recommande fortement de consulter deux docteurs. Habituellement les médecins qui connaissent l'alimentation ne se servent pas des plantes dans leur pratique tandis que les homéopathes n'insistent pas toujours sur la thérapie alimentaire. La plupart des médecins se spécialisent en nutrition ou en homéopathie car l'étude de ces deux spécialités leur aurait demandé un trop grand nombre d'années d'apprentissage et d'entraînement. Essayez de profiter le plus possible des bénéfices que procurent ces deux champs d'action complémentaires. Celui qui est orienté en nutrition traitera votre maladie en vous suggérant une diète alimentaire thérapeutique tandis que l'homéopathe vous aidera grâce aux plantes médicinales. Les docteurs spécialisés en homéopathie ont tous étudié la médecine traditionnelle avant de s'orienter dans cette branche. La reine d'Angleterre a un homéopathe à son service et la famille royale jouit des connaissances d'un homéopathe depuis quatre générations. Pour ceux d'entre vous qui ne connaissent pas l'homéopathie ou qui sont devenus sceptiques après en avoir discuté avec un médecin traditionnel, vous devez éprouver une plus grande confiance en cette forme de médecine maintenant que vous savez que la reine croit qu'il s'agit là d'une méthode qui convient parfaitement à elle et à sa famille.

Finalement, afin d'être assuré du meilleur état de santé possible, visitez un chiropraticien une fois par mois ou même davantage au besoin. Ce spécialiste corrigera l'alignement de votre colonne vertébrale et votre corps pourra ensuite déployer plus facilement ses propres moyens de défense. Ces trois approches de la santé intégrale ou holistique aideront votre organisme à mieux prendre soin de lui-même.

N'oubliez pas que le massage et l'auto-massage peuvent vous être d'un immense secours sur le plan thérapeutique. Le massage nettoyera votre corps et votre mental en plus de libérer leurs mécanismes naturels de guérison. Essayez de trouver les meilleurs thérapeutes en massage de votre région en demandant conseil à votre magasin d'alimentation naturelle.

Bibliographie

L'auteur vous recommande les livres suivants qui lui ont été d'une aide très précieuse pendant sa période de recherche et de formation.

ACUPUNCTURE
Mark Duke
JOV Publications, Inc.
Harcourt Brace Jovanovich

ACUPUNCTURE
Felix Mann, M.B.
Vintage

ACUPUNCTURE, AN OUTLINE OF CHINESE
The Academy of Traditional Chinese Medicine
Chan's Corporation
P.O. Box 478
Monterey Park, California 91754

BACK TO EDEN
Jethro Kloss
A Life Line Book
Woodbridge Press Publishing Co.
P.O. Box 6189
Santa Barbara, California 93111

BIOCHEMISTRY, DR. SCHUESSLER'S
(THE TWELVE BIOCHEMIC REMEDIES(
J.B. Chapman, M.D.
New Era Laboratories, Ltd.
39 Wales Farm Road
London, England W36XH

BODY LEARNING:
AN INTRODUCTION TO THE ALEXANDER TECHNIQUE
Micheal Gelb
Delilah Communications Ltd.
Distributed by Putnam

CHIROPRACTIC, THE ECLECTIC APPROACH TO
Dr. George Goodheart, D.C.

FOOD COMBINING HANDBOOK
Gary Null
Jove Publications, Inc.

FOOD IS YOUR BEST MEDICINE
Henry G. Bieler, M.D.
Vintage Books

GET WELL, HOW TO
Paavo Airola, Ph.D., N.D.
Health Plus Publications
P.O. Box 22001
Phoenix, Arizona 85028

HERB BOOK, THE
John Lust
Bantam

HERBAL BOOK FOR THE DOG, THE COMPLETE
Juliette de Bairacli Levy
Arco Publishing Company

HOLISTIC HEALTH HANDBOOK, THE
Berkeley Holistic Health Center
AND/OR PRESS
Berkeley, California, 94702

HOMOEOPATHIC MEDICINE
Harris L. Coulter, Ph. D.
Publisher: Formur Inc., St. Louis

LOVING HANDS
Frederick Leboyer
Alfred A. Knopf

MASSAGE BOOK, THE
George Downing
Bookworks Book
Random House

MASSAGE IN FACILITATING HOLISTIC
HEALTH, THE USE OF
Robert Henley Woody, Ph. D., Sc. D.
Charles C. Thomas, Publisher
Bannerstone House
301-327 East Lawrence Avenue
Springfield, Illinois 62717

MASSAGE, MANIPULATION AND TRACTION
Sidney Licht, M.D.
Robert E. Krieger Publishing Co., Inc.
Melbourne, Florida 32901

MASSAGE, THE NEW
Gordon Inkeles
Putnam

MASSAGE TECHNIQUES, HEALING:
A STUDY OF EASTERN AND WESTERN METHODS
Frances M. Tappan
Reston Publishing Company, Inc.
A Prentice-Hall Company
Reston, Virginia 22090

NUTRITION ALMANAC
Nutrition Search Inc.
John D. Kirschmann
McGraw-Hill Book Co.

PSYCHO-NUTRITION
Carlton Fredericks
Grosset & Dunlap

SUPERNUTRITION:
MEGAVITAMIN REVOLUTION
Richard A. Passwater
Pocket Books

SHIATSU, DO-IT YOURSELF
Wataru Ohashi
Dutton Paperback Original

SHIATSU, ZEN
Shizuto Masunaga with Wataru Ohashi
Japan Publications, Inc.
Tokyo, Japon

TENSE, ARE YOU:
THE BENJAMIN SYSTEM OF MUSCULAR THERAPY
Ben E. Benjamin
Pantheon

TOUCH FOR HEALTH
John F. Thie, D.C. with Mary Marks, D.C.
DeVorss & Company, Publishers
1046 Princeton Drive
Marina del Rey, California 90291

WHOLISTIC DIMENSIONS IN HEALING
A RESOURCE GUIDE
Leslie J. Kaslof
Doubleday Dolphin Book

PHOTOGRAPHIES, DESSINS, SCHÉMAS
ET ILLUSTRATIONS
DU LIVRE *LA MAGIE DU MASSAGE*

Achevé d'imprimer en juin 1987
sur les presses de l'Imprimerie l'Éclaireur
Beauceville (Qué.)